HANS-JOSEF KLAUCK
DIE JOHANNESBRIEFE

ERTRÄGE DER FORSCHUNG

Band 276

HANS-JOSEF KLAUCK

DIE JOHANNESBRIEFE

WISSENSCHAFTLICHE BUCHGESELLSCHAFT

DARMSTADT

Die Deutsche Bibliothek – CIP-Einheitsaufnahme

Klauck, Hans-Josef:
Die Johannesbriefe / Hans-Josef Klauck. –
Darmstadt: Wiss. Buchges., 1991
   (Erträge der Forschung; Bd. 276)
   ISBN 3-534-10008-5
NE: GT

Bestellnummer 10008-5

© 1991 by Wissenschaftliche Buchgesellschaft, Darmstadt
Gedruckt auf säurefreiem und alterungsbeständigem Werkdruckpapier
Satz: Setzerei Gutowski, Weiterstadt
Druck und Einband: Wissenschaftliche Buchgesellschaft, Darmstadt
Printed in Germany
Schrift: Linotype Garamond, 9.5/11

ISSN 0174-0695
ISBN 3-534-10008-5

INHALT

VORWORT

Bei der Arbeit an der Kommentierung der Johannesbriefe empfand ich immer dringender die Notwendigkeit, eine Reihe von Fragekomplexen, die traditionellerweise der Einleitung zugeordnet werden, im Zusammenhang darzustellen, zugleich auch in größerer Ausführlichkeit darauf einzugehen, als dies im Rahmen eines Kommentars möglich ist. Es versteht sich von selbst, daß dabei die Forschung der letzten Jahrzehnte zu berücksichtigen und in kondensierter Form einzubringen war, hinsichtlich ihrer einigermaßen gesicherten Ergebnisse, ihrer offenen Probleme und ihrer vorwärtsweisenden Perspektiven.

Der Wissenschaftlichen Buchgesellschaft weiß ich mich zu Dank dafür verpflichtet, daß sie mir in der Reihe ›Erträge der Forschung‹ bereitwillig das geeignete Forum für dieses Vorhaben bot. Außerdem gilt mein Dank meiner Sekretärin, Frau Hannelore Ferner, für die stets zuverlässige Erledigung der Schreibarbeiten und meinem Assistenten, Herrn Dr. Bernhard Heininger, für die Hilfe beim Umgang mit manchmal widerspenstigen Computerprogrammen und beim Korrekturenlesen.

Würzburg, im Juli 1990   Hans-Josef Klauck

ABKÜRZUNGEN

Die Abkürzungen für die biblischen Bücher folgen der „Einheitsübersetzung der Heiligen Schrift". Zu sonstigen Abkürzungen, besonders für Zeitschriften, Reihen, Sammelwerke etc., vgl. S. SCHWERTNER, Internationales Abkürzungsverzeichnis für Theologie und Grenzgebiete, Berlin 1974; mit Nachträgen = Theologische Realenzyklopädie (TRE). Abkürzungsverzeichnis, Berlin 1976.

Zusätzlich finden folgende Abkürzungen Verwendung:

BbETh   Beiträge zur biblischen Exegese und Theologie, Frankfurt.

BCNH   Bibliothèque Copte de Nag Hammadi. Section «Textes», Québec.

JStNT(.S)   Journal for the Study of the New Testament (Supplement Series), Sheffield.

Neot   Neotestamentica, Pretoria.

NHC   Nag Hammadi Codex; die Siegel für die einzelnen Traktate nach K. W. TRÖGER (Hrsg.), Altes Testament – Frühjudentum – Gnosis, Gütersloh 1980, 16–18.

ÖTK   Ökumenischer Taschenbuchkommentar, Gütersloh–Würzburg.

Semeia(.S)   Semeia (Supplements), Missoula.

SNTU A/B   Studien zum Neuen Testament und seiner Umwelt, Reihe A/Reihe B, Linz.

ZITATIONSWEISE

Kommentare zu den Johannesbriefen sind daran kenntlich, daß sie mit Autorennamen, dem Siegel „JohBr" und Seitenzahl angeführt werden. Die vollständigen Angaben finden sich im allgemeinen im Literaturverzeichnis unter 1 (= L 01). Die übrige Literatur wird im Text nur mit Autorennamen (in Zweifelsfällen zusätzlich mit Kurztitel) und Seitenzahl zitiert. Dazu ist zunächst der Literaturblock zu Beginn des betreffenden Abschnitts zu vergleichen, wo entweder der vollständige Titel aufgeführt ist oder ein Rückverweis (mit Kurztitel) auf das allgemeine Literaturverzeichnis (unter 2 = L 02) bzw. auf den Literaturblock zu einem früheren Abschnitt steht. Die Literaturblöcke werden mit dem Buchstaben „L" versehen und durchnumeriert. Weitere Identifizierungshilfen bietet das Autorenregister, wo aus technischen Gründen allerdings nicht zwischen verschiedenen Beiträgen eines Autors unterschieden werden konnte.

Die einzelnen Literaturblöcke finden sich auf den folgenden Seiten:

LITERATURVERZEICHNIS

1. Kommentare zu den Johannesbriefen aus dem 19./20. Jahrhundert

L 01: ALEXANDER, N.: The Epistles of John (TBC), London 1962. – ALFORD, H.: The Epistles of St. John, in: Ders., The Greek Testament, Bd. IV/2, London 41871, 159–188.421–528. – BALZ, H.: Die Johannesbriefe, in: H. Balz, W. Schrage, Die „Katholischen" Briefe (NTD 10), Göttingen 11/11973, 150–216. – BARKER, C. J.: The Johannine Epistles (A Lutterworth Commentary), London 1948. – BAUMGARTEN, O.: Die Johannesbriefe, in: SNT 4, Göttingen 31920, 185–228. – BELSER, J. E.: Die Briefe des heiligen Johannes, Freiburg i. Br. 1906. – BONNARD, P.: Les Épîtres johanniques (CNT[N] 13 c), Genf 1983. – BONSIRVEN, J.: Épîtres de Saint Jean (VSal 9), Paris 21954. – BOYCE, J. M.: The Epistles of John: An Expositional Commentary, Grand Rapids 1979. – BRAUNE, K.: Die drei Briefe des Apostels Johannes (THBW 15), Bielefeld 31885. – BROOKE, A. E.: A Critical and Exegetical Commentary on the Johannine Epistles (ICC), Edinburgh 1912, Repr. 1980. – BROWN, R. E.: The Epistles of John (AncB 30), Garden City 1982. – BRUCE, F. F.: The Epistles of John, London 1970. – BÜCHSEL, F.: Die Johannesbriefe (ThHK 17), Leipzig 1933. – BULTMANN, R.: Die drei Johannesbriefe (KEK 14), Göttingen 8/21969. – BURDICK, D. W.: The Letters of John the Apostle. An In-Depth Commentary, Chicago 1985. – CANDLISH, R. S.: First Epistle of John, Edinburgh 31877, Repr. Grand Rapids 1979. – CHAINE, J.: Première/deuxième/troisième Épître de Saint Jean, in: Ders., Les Épîtres Catholiques (EtB), Paris 21939, 97–260. – CLARK, G. H.: First John: a Commentary (Trinity Paper 2), Jefferson 1980. – CONNER, W. T.: The Epistles of John: Their Meaning and Message (1929), New York 21957. – COX, L. G.: First, Second, and Third John, in: The Wesleyan Bible Commentary, Bd. 6, Grand Rapids 1966, 309–379. – CULPEPPER, R. A.: 1 John, 2 John, 3 John (Knox Preaching Guides), Atlanta 1985. – DE AMBROGGI, P.: Le tre epistole di Giovanni, in: Ders., Le Epistole Cattoliche (SB[T] XIV/1), Turin 21949, 203–289. – DELEBECQUE, É.: Épîtres de Jean (CRB 25), Paris 1988. – DIETRICH, S. DE: Les Lettres Johanniques. Bref commentaire pour groupes d'études, Genf 1964. – DODD, C. H.: The Johannine Epistles (MNTC), London 1946. – DÜSTERDIECK, F.: Die drei johanneischen Briefe, Bd. I–II/1.2, Göttingen 1852, 1854, 1856. – DU RAND, J. A.: Beleef julle sekerheid. 'N verkenning van die briewe van Johannes, Pretoria 1983. – EASTON, B. S.: The Epistles of John, in: The Abingdon Bible Commentary, New York 1929, 1350–1360. – EBRARD, J. H. A.: Die Briefe Johannis (Biblischer Commentar über sämmtliche Schriften des NT VI/4), Königsberg 1859. – EWALD, H.: Die johanneischen Schriften (Bücher des Neuen Bundes II/1.2), Bd. I: Des Apostels Johannes Evangelium und drei Sendschreiben, Göttingen 1861, 429–515. – FLEINERT-JENSEN, F.: Commentaire de la Première Épître de Jean (Lire la Bible 56), Paris 1982. – GÄRTNER, B.E.: Johannesbreven, in: B.Reicke, B.E. Gärtner, De katolska breven (Tolkning av Nya Testamentet X/2), Stockholm 1970, 111–223. – GAUGLER, E.: Die Johannesbriefe (Auslegung neutestamentlicher Schriften 1), Zürich 1964. – GIGOT, F.: The First/Second/Third Epistle of St. John, in: The Westminster Version of the Sacred Scriptures, NT 4, London 1931, 130–153. – GORE, C.: The Epistles of St. John, London 1920. – GRAYSTON, K.: The Johannine Epistles (NCeB), London 1984. – HAUCK, F.: Der erste/zweite/dritte Brief des Johannes, in: Ders., Die Kirchenbriefe (NTD 10), Göttingen [5]1949, 113–162. – HILGENFELD, A.: Das Evangelium und die Briefe Johannis, nach ihrem Lehrbegriff dargestellt, Halle 1849, 322–355. – HOBBS, H.H.: The Epistles of John, Nashville 1983. – HOLTZMANN, H.J.: Johanneische Briefe, in: Ders., Briefe und Offenbarung des Johannes, bearb. von W.Bauer (HC IV/2), Tübingen [3]1908, 319–374. – HOULDEN, J.L.: A Commentary on the Johannine Epistles (BNTC), London 1973. – HUTHER, J.E.: Kritisch exegetisches Handbuch über die drei Briefe des Johannes (KEK 14), Göttingen [4]1880. – JACKMAN, D.: The Message of John's Letters. Living in the Love of God (The Bible Speaks Today), Leicester 1988. – JOHNSTON, G.: I, II, III John, in: PCB, London 1962, 1035–1040. – JONGE, M. DE: De Brieven van Johannes (De Prediking van het Nieuwe Testament), Nijkerk [3]1978. – KYSAR, R.: 1, 2, 3 John (Augsburg Commentary on the New Testament), Minneapolis 1986. – LEWIS, G.P.: The Johannine Epistles (Epworth Preacher's Commentaries), London 1961. – LINDSKROG, C.: Fortolkning til forste Johannesbrev, Kopenhagen 1941. – LOISY, A.: Les Épîtres dites de Jean, in: Ders., Le Quatrième Évangile, Paris [2]1921, 71–85.530–592. – LÜCKE, F.: Commentar über die Briefe des Evangelisten Johannes, hrsg. von E.Bertheau (Commentar über die Schriften des Evangelisten Johannes 3), Bonn [3]1856. – LUTHARDT, C.E.: Die Briefe des Apostels Johannes, in: Die Briefe des Paulus ... (KK B/4), München [2]1895, 213–280. – MARSHALL, I.H.: The Epistles of John (NIC), Grand Rapids 1978, Repr. 1982. – McDOWELL, E.A.: 1 – 2 – 3 John, in: The Broadman Bible Commentary, hrsg. C.J. Allen, Bd. 12, Nashville 1972, 188–231. – MICHL, J.: Der erste/zweite/dritte Johannesbrief, in: Ders., Die Katholischen Briefe (RNT VIII/2), Regensburg [2]1968, 190–272. – NEANDER, A.: Der erste Brief Johannis. Praktisch erläutert, Berlin 1851. – OSCULATI, R.: La prima lettera die Giovanni (Letture dal Nuovo Testamento), Mailand 1979. – PAKENHAM-WALSH, H.: The Epistles of St. John (The Indian Church Commentaries), London 1921. – PAULUS, H.E.G.: Die drey Lehrbriefe von Johannes, Heidelberg 1829. – PERKINS, P.: The Johannine Epistles (New Testament Message 21), Wilmington 1979. – PLUMMER, A.: The Epistles of St. John (CBSC), Cambridge 1886, Repr. Grand Rapids 1980 (Thornapple Commentaries). – RENNES, J.: La première Épître de Jean, Genf 1968. – ROBERTS, J.W.: The Letters of John (LWC [18]), Austin, Tex. [2]1969. – Ross, A.: The Epistles of John, in: Ders., The Epistles of James and John (NIC), Grand Rapids 1954, 105–240. – RUCKSTUHL, E.: 1.–3. Johannesbrief, in: Ders., Jakobusbrief. 1.–3. Johannesbrief (Neue Echter-Bibel.NT 17.19), Würzburg 1985, 33–76. – ROTHE, R.: Der erste Brief

Johannis, hrsg. K. Mühlhäußer, Wittenberg 1878. – RUSSEL, R.: 1, 2 and 3 John, in: A New Catholic Commentary on Holy Scripture, hrsg. R. C. Fuller u. a., London ²1969, 1257–1262. – SANDER, J. E. F.: Commentar zu den Briefen Johannis, Elberfeld 1851. – SCHNACKENBURG, R.: Die Johannesbriefe (HThK XIII/3), Freiburg i. Br. ⁷1984. – SCHNEIDER, J.: Der erste/zweite/dritte Brief des Johannes, in: Ders., Die Katholischen Briefe (NTD 10), Göttingen ⁹1961, 137–198. – SCHÜTZ, W.: Die Briefe des Johannes, übersetzt und ausgelegt (BhG.NT 15), Kassel 1954. – SCHUNACK, G.: Die Briefe des Johannes (ZBK.NT 17), Zürich 1982. – SHEPHERD, M. H., Jr.: The Letters of John, in: The Interpreter's One-Volume Commentary on the Bible, hrsg. C. M. Layman, London 1972, 935–941. – SMALLEY, S. S.: 1, 2, 3 John (Word Biblical Commentary 51), Waco 1984. – STOTT, J. R. W.: The Letters of John (TNTC 19), Grand Rapids ²1988. – STRECKER, G.: Die Johannesbriefe (KEK 14), Göttingen 1989. – THÜSING, W.: Die Johannesbriefe (Geistliche Schriftlesung 22), Düsseldorf 1970. – TILBORG, S. VAN: De brieven van Johannes, vertaald en toegelicht (Het Nieuwe Testament vertaald en toegelicht), Roermond 1974. – VAUGHAN, C.: 1, 2, 3 John (A Study Guide Commentary), Grand Rapids 1970. – VAWTER, B.: The Johannine Epistles, in: JBC, Bd. 2, London 1968, 404–413. – WEISS, B.: Die drei Briefe des Apostel Johannes (KEK 14), Göttingen ⁶1899. – WENDT, H. H.: Die Johannesbriefe und das johanneische Christentum, Halle 1925. – WENGST, K.: Der erste, zweite und dritte Brief des Johannes (ÖTK 16), Gütersloh–Würzburg 1978. – WESTCOTT, B. F.: The Epistles of St. John, London ³1892, Repr. hrsg. F. F. Bruce, Grand Rapids 1966. – WHITE, E. G.: The First Epistle General of John. The Second/Third Epistle of John, in: The Seventh-day Adventist Bible Commentary, Bd. 7, Washington 1957, 623–698. – WILDER, A. N.: The First, Second, and Third Epistle of John, in: IntB, Bd. 12, Nashville 1957, 207–313. – WILLMERING, H.: The Epistles of St John, in: A Catholic Commentary on Holy Scripture, London 1953, 1185–1190. – WINDISCH, H.: Der erste/zweite/dritte Johannesbrief, in: Ders., Die Katholischen Briefe, bearb. von H. Preisker (HNT 15), Tübingen ³1951, 106–144. 164–172. – WOLF, C. A.: Ein exegetischer und practischer Commentar zu den drei Briefen St. Johannis, Leipzig 1881.

Weitere Kommentare, besonders ältere, s. bei G. Strecker (s. o.), 31–37, und bei H. J. Klauck, 1 Joh (EKK).

2. Übergreifende Monographien, Forschungsberichte und Aufsätze

L 02: BEUTLER, J.: Die Johannesbriefe in der neuesten Literatur (1978–1985), in: ANRW II/25, 5 (1988) 3773–3790. – BRIGGS, R. C.: Contemporary Study of the Johannine Epistles, in: RExp 67 (1970) 411–422. – BULTMANN, R.: Johannesbriefe, in: RGG³ III, 836–839. – CHMIEL, J.: Lumière et charité d'après la Première Épître de Saint Jean, Rom 1971. – DIBELIUS, M.: Johannesbriefe, in: RGG² III, 346–349. – DRUMWRIGHT, H.: Problem Passages in the Johannine Epistles: A Hermeneutical Approach, in: SWJT 13 (1970) 53–64. – ELLIS, E. E.: The World of St. John. The Gospel and the Epistles (Bible Guides 14), London 1965.

– FILSON, F. V.: First John: Purpose and Message, in: Interp. 23 (1969) 259–276.
– FINDLAY, G.: Studies in the First Epistle of John, in: Exp. VI/8 (1903) 321–
344. 455–467. – HAAS, C., M. DE JONGE, J. L. SWELLENGREBEL: A Translator's
Handbook on the Letters of John (United Bible Societies. Helps for Translators
13), London 1972. – HAENCHEN, E.: Neuere Literatur zu den Johannesbriefen,
in: Ders., Die Bibel und Wir. Gesammelte Aufsätze II, Tübingen 1968, 235–311
= ThR 26 (1960) 1–43. 267–291. – HAUPT, E.: Der erste Brief des Johannes. Ein
Beitrag zur biblischen Theologie, Colberg 1870. – HEISE, J.: Bleiben. Menein in
den Johanneischen Schriften (HUTh 8), Tübingen 1967. – HENGEL, M.: The Johannine Question, Philadelphia 1989. – HIEBERT, D. E.: An Exposition of
3 John, in: BS 144 (1987) 53–65. 194–207. 293–304. – DERS.: An Expositional
Study of 1 John, in: BS 145 (1988) 197–210. 329–342. 420–435; 146 (1989) 76–
93. 198–216. 301–319. 420–436; 147 (1990) 69–88. – HOLTZMANN, H. J.: Das Problem des ersten johanneischen Briefes in seinem Verhältniss zum Evangelium,
in: JPTh 7 (1881) 690–712; 8 (1882) 128–152. 316–342. 460–485. – HORNER, J.: Introduction to the Johannine Epistles, in: SWJT 13 (1970) 45–51. – JOHNSON,
T. F.: The Antitheses of the Elder: A Study of the Dualistic Language of the Johannine Epistles, Diss. Duke University 1979. – KARL, W. A.: Johanneische Studien. I. Der erste Johannesbrief, Freiburg i. Br. 1898. – LA POTTERIE, I. DE: La
vérité dans Saint Jean (AnBib 73/74), Rom 1977. – LAW, R.: The Tests of Life.
A Study of the First Epistle of St. John, Edinburgh ³1914, Repr. Grand Rapids
1979. – LECONTE, R.: Jean, Épîtres de saint, in: DBS IV, 797–815. – LE FORT, P.:
Les structures de l'église militante selon Saint Jean. Etude d'ecclésiologie appli-
quée au IVe évangile et aux épîtres johanniques (NSTh 25), Genf 1970. – LIEU,
J. M.: The Second and Third Epistles of John (Studies of the New Testament and
Its World), Edinburgh 1986. – MALATESTA, E.: Interiority and Covenant:
A Study of εἶναι ἐν and μένειν ἐν in the First Letter of Saint John (AnBib 69),
Rom 1978. – MICHAELS, J. R.: Reflections on the Three Epistles of John, in: M. J.
Taylor (Hrsg.), A Companion to John. Readings in Johannine Theology (John's
Gospel and Epistles), New York 1977, 257–271. – MOLLA, C. F.: Les Épîtres Jo-
hanniques, in: RThPh 117 (1985) 305–311. – NAUCK, W.: Die Tradition und der
Charakter des ersten Johannesbriefes. Zugleich ein Beitrag zur Taufe im Urchri-
stentum und in der alten Kirche (WUNT 3), Tübingen 1957. – PAINTER, J.: John.
Witness and Theologian, London 1975, 101–127. – RIDDLE, D. W.: The Later
Books of the New Testament. A Point of View and a Prospect, in: JR 13 (1933)
50–71. – ROBINSON, J. A. T.: The Destination and Purpose of the Johannine
Epistles, in: Ders., Twelve New Testament Studies (SBT 34), London 1962, 126–
138 = NTS 7 (1960/61) 56–65. – SEGOVIA, F. F.: Love Relationships in the Johan-
nine Tradition. Agapē/Agapan in I John and the Fourth Gospel (SBLDS 58),
Chico 1982, bes. 31–79. – DERS.: Recent Research in the Johannine Letters, in:
Religious Studies Review 13 (1987) 132–139. – STREETER, B. H.: The Epistles of
St John, in: Ders., The Primitive Church. Studied with Special Reference to the
Origins of the Christian Ministry, London 1929, 83–97. – TAEGER, J. W.: Johannesapokalypse und johanneischer Kreis. Versuch einer traditionsgeschichtli-
chen Ortsbestimmung am Beispiel der Lebenswasser-Thematik (BZNW 51),

Berlin 1989, bes. 122–130. 180–205. – THÜSING, W.: Glaube an die Liebe – Die Johannesbriefe, in: J. Schreiner (Hrsg.), Gestalt und Anspruch des Neuen Testaments, Würzburg 1969, 282–298. – THYEN, H.: Johannesbriefe, in: TRE XVII, 186–200. – WENGST, K.: Probleme der Johannesbriefe, in: ANRW II/25,5 (1988) 3753–3772. – WHITACRE, R. A.: Johannine Polemic: The Role of Tradition and Theology (SBLDS 67), Chico 1982. – WOHLENBERG, G.: Glossen zum ersten Johannesbrief, in: NKZ 12 (1901) 581–583. 746–748; 13 (1902) 233–240. 632–645.

EINLEITUNG

Vor nunmehr drei Jahrzehnten begann E. HAENCHEN einen Beitrag, der als Musterbeispiel für die literarische Gattung des Forschungs- und Literaturberichts gelten darf, mit den Worten: „Die Johannesbriefe haben schon lange die Forschung in Verlegenheit gebracht: der Gedankengang des ersten Briefes ist undurchsichtig, das Verhältnis zum vierten Evangelium fraglich, die Verfasserschaft umstritten, die Form ungeklärt, die Quellenfrage offen, die religionsgeschichtliche Stellung zweifelhaft, die theologische Aussage verschieden ausgelegt. Der zweite und dritte Brief aber bereiten schon mit dem rätselhaften ‚Presbyter‘ Mühe genug: wer beanspruchte solche Autorität und konnte sie doch nicht einmal gegen einen Diotrephes durchsetzen?" (Literatur [L 02] 237).

Soweit die Bestandsaufnahme in der Retrospektive. Sehr viel hat sich daran in der Zwischenzeit gar nicht geändert, auch wenn die exegetische Arbeit selbstverständlich weiterging und u. a. einige sehr beachtliche Kommentare hervorbrachte (herausragend durch Umfang und Solidität BROWN, JohBr). Wir könnten Punkt um Punkt erneut aufnehmen: Der undurchsichtige Aufbau des 1 Joh wird nach wie vor eloquent beklagt, und in Fragen seiner Gattung sind wir noch nicht recht weitergekommen. Ein Konsens dahingehend, daß die Briefe später als das Johannesevangelium anzusetzen sind, zeichnete sich zwar ab, ist aber neuestens wieder in Zweifel gezogen worden. In der Verfasserfrage sind konservative Positionen, die nur einen Autor für das gesamte johanneische Schrifttum vorsehen, keineswegs aus dem Feld geschlagen; allerdings neigt die kritische Forschung zu einer immer stärkeren Aufsplitterung der Verfasserschaft. Etwas ins Hintertreffen sind Quellen- und Redaktionstheorien geraten. Das religionsgeschichtliche Profil der Gegner bleibt umstritten. Die Palette reicht vom Judentum bis zur doketischen Gnosis und sieht vereinzelt auch eine mehrfache Gegnerfront vor. Den ganzen Scharfsinn des Erklärers provoziert nach wie vor die Frage, wer der Alte in 2/3 Joh war, wer die „auserwählte Herrin" (2 Joh 1), wer Gaius (3 Joh 1), wer Diotrephes (3 Joh 9) und wer Demetrius (3 Joh 12).

Antworten können, soweit sie überhaupt möglich sind, zur Hauptsache nur aus den Texten selbst gewonnen werden; sie setzen deren intensive Kommentierung voraus. Das ist der unaufhebbare Zirkel, in dem sich jede isolierte Behandlung von Einleitungsfragen bewegt: Sie will durch Erhellung von historischem Kontext und literarischem Charakter dem besseren (Vor-)Verständnis eines Schriftenkorpus dienen und ist doch ständig auf Daten aus eben diesen Schriften angewiesen. Die folgenden Ausführungen dürfen in aller Bescheidenheit für sich in Anspruch nehmen, daß sie einen weithin abgeschlossenen, umfangreicheren Kommentar zu den drei Johannesbriefen im Rücken haben. Das allein gab den Mut, eine zusammenfassende Darstellung der Problemlage und der wichtigsten Ergebnisse der Forschung zu versuchen.

Die Themen, die zur Diskussion anstehen, verstehen sich fast von selbst und wurden zum größeren Teil auch im Eingangszitat benannt: Aufbau und Gattung, Verfasserschaft, Quellentheorien, religionsgeschichtliche Einordnung in Verbindung mit der Gegnerfrage, Abfassungsverhältnisse unter Einschluß von Ort und Zeit. Wir schicken lediglich einige Paragraphen vorweg, die sich mit noch grundlegenderen Dingen beschäftigen, nämlich mit der Sicherung des Texts als Basis für alle weiteren Unternehmungen, mit der frühen Bezeugung und der Kanonisierung, dazu noch mit Sprache und Stil. Am Schluß soll ein Ausblick stehen, der das Augenmerk auf die Auslegungsgeschichte und auf theologische Gesichtspunkte lenkt, auf Bereiche also, die nicht mehr zum eigentlichen Gegenstand dieses Forschungsdurchblicks gehören, aber Wege zur fruchtbaren Weiterarbeit anzeigen.

Eine technische Anmerkung: Des öfteren muß um der Präzision willen nicht nur der Vers, sondern auch der Versteil angegeben werden, also z.B. 1 Joh 2,4c; 3,19b etc.; das Vorgehen sieht dabei so aus, daß jede Verbform im Vers als Satz zählt und einen eigenen Buchstaben bekommt. Eine vollständige Textdarbietung bzw. eine Textübersetzung nach diesem Prinzip, die der leichteren Verständigung dienen könnte, muß aus Platzgründen dem Kommentarband im EKK vorbehalten bleiben (vgl. aber zu 2/3 Joh die Textsynopse u. S.79–81).

I. DER TEXT

Textausgaben (L 03):

Griechisch: The Greek New Testament, United Bible Societies ³1975, 813–831.
– Novum Testamentum Graece (Nestle-Aland), Stuttgart ²⁵1975, 598–610; ²⁶1979, 615–628 (zum Vergleich der beiden Auflagen s. R. Borger, ThR 52 [1987] 1–58). – GRUNEWALD, W., in Verbindung mit K. JUNACK: Das Neue Testament auf Papyrus. I. Die Katholischen Briefe (ANTT 6), Berlin 1986, 122–158. – SO-DEN, H. VON: Die Schriften des Neuen Testamentes in ihrer ältesten erreichbaren Textgestalt. II. Text und Apparat, Göttingen 1913, 643–656. – TISCHENDORF, C.: Novum Testamentum Graece, Bd. 2, Leipzig ⁸1972, 317–352. – WESTCOTT, B. F., F. J. A. HORT: The New Testament in the Original Greek. I. Text, Cambridge 1881, Repr. Graz 1974, 336–345. – WETTSTEIN, J.: Novum Testamentum Graecum, Bd. 2, Amsterdam 1752, Repr. Graz 1962, 713–731.

Lateinisch: THIELE, W.: Epistulae Catholicae (VL 26/1), Freiburg i. Br. 1956–1969, 239–406.

Koptisch: DELAPORTE, L.: Fragments thébains du Nouveau Testament. I. Première Épître de Saint Jean, in: RB 14 (1905) 377–397. 557–560. – HORNER, G. W.: The Coptic Version of New Testament in the Southern Dialect, otherwise called Sahidic and Thebaic, Bd. 7, Oxford 1924, 110–195. – DERS.: The Coptic Version of the New Testament in the Northern Dialect, otherwise called Memphitic and Bohairic, Bd. 4, Oxford 1905, 90–133. – LAGARDE, P. DE: Epistulae Novi Testamenti Coptice (1852), Repr. Osnabrück 1966, 32–47.

Syrisch: The New Testament in Syriac, London 1950, Part II, 60–64. 170–172. – ALAND, B., in Verbindung mit A. JUCKEL: Das Neue Testament in syrischer Überlieferung. I. Die großen Katholischen Briefe (ANTT 7), Berlin 1986, 218–256 (1 Joh). – GWYNN, J.: Remnants of the Later Syriac Versions of the Bible. I. New Testament: The Four Minor Catholic Epistles in the Original Philoxenian Version ... (Text and Translation Society 6), London 1909, Repr. Amsterdam o. J., 23–30 (2/3 Joh).

A. Zur Textüberlieferung

L 04: ALAND, K.: Text und Textwert der griechischen Handschriften des Neuen Testaments. I. Die Katholischen Briefe, Bd. 1–3 (ANTT 9–11), Berlin 1987 (dazu H. J. Klauck, in: Enchoria 16 [1988] 145 f.). – ALAND, K. u. B.: Der Text des Neuen Testaments. Einführung in die wissenschaftlichen Ausgaben sowie in Theorie und Praxis der modernen Textkritik, Stuttgart ²1989. – BAR-TINA, S.: Un papiro copto de 3 Jn 1–2 (PPalau Rib. inv. 20), in: StPapy 6 (1967) 95–97. – BLACK, M.: The Syriac Versional Tradition, in: K. Aland (Hrsg.), Die alten Übersetzungen des Neuen Testaments, die Kirchenväterzitate und Lektionare (ANTT 5), Berlin 1972, 120–159. – DUPLACY, J.: ‹Le Texte Occidental› des Épîtres Catholiques, in: NTS 16 (1969/70) 397–399. – GREENLEE, J. H.: A Misinterpreted Nomen Sacrum in P⁹, in: HThR 51 (1958) 187. – GRUNEWALD: Das NT (L 03). – JUNACK, K.: Zu den griechischen Lektionaren und ihrer Überlieferung der Katholischen Briefe, in: Die alten Übersetzungen (s. o. bei Black), 498–591. – METZGER, B. M.: The Early Versions of the New Testament. Their Origin, Transmission, and Limitations, Oxford 1977. – MINK, G.: Die koptischen Versionen des Neuen Testaments, in: Die alten Übersetzungen (s. o. bei Black), 160–299. – RICHARDS, W. L.: The Classification of the Greek Manuscripts of the Johannine Epistles (SBLDS 35), Missoula 1977. – SCHÜSSLER, K.: Epistularum Catholicarum Versio Sahidica, Diss. phil., Münster 1969. – THIELE, W.: Wortschatzuntersuchungen zu den lateinischen Texten der Johannesbriefe (AGLB 2), Freiburg i. Br. 1958; s. auch Ders., ThLZ 82 (1957) 71 f. – DERS.: Probleme der Versio Latina in den Katholischen Briefen, in: Die alten Übersetzungen (s. o. bei Black), 93–119. – DERS.: VL 26/1 (L 03).

Die Johannesbriefe sind – nicht immer vollständig – in ca. 600 der derzeit bekannten mehreren tausend griechischen Handschriften des NT enthalten. Darunter befinden sich nur zwei Papyri:

P⁹ = POxy 402; ein Fragment mit 1 Joh 4, 1–12. 14–16(17); die Datierung schwankt zwischen dem 3. Jh. und dem 5. Jh. (GRUNEWALD 9 f.). Der kurze Text weist drei Sonderlesarten auf, darunter in 4, 16: „Die Liebe, die Christus zu uns hat", statt: „die Gott zu uns hat" (GREENLEE).

P⁷⁴ = PBodmer XVII; aus dem 6./7. Jh., mit der Apostelgeschichte und den Katholischen Briefen; zunehmend fragmentarisch vor allem in dem Bereich von 1 Petr an; in der Textform nahe beim Codex Alexandrinus (GRUNEWALD 25 f.).

Von den Majuskeln bieten den vollständigen Text der Johannesbriefe die wichtigen alten Zeugen: Codex Sinaiticus (ℵ/01; 4. Jh.), Codex Alexandrinus (A/02; 5. Jh.) und Codex Vaticanus (B/03; 4. Jh.). Der Codex Ephraemi rescriptus (C/04; 5. Jh.) ist lückenhaft; er hat nur 1 Joh 1, 3 – 4, 2 und 3 Joh 3–15. Im zweisprachigen Codex Bezae Cantabrigensis (D/05; 4./5. Jh.) fehlen schon im 9. Jahrhundert zwischen den Evangelien und der Apostelgeschichte die Blätter 349–414. Vermutlich betrifft dieser Verlust vor allem die Katholischen Briefe, denn als Rest ist unmittelbar vor der Überschrift zur Apostelgeschichte der Schluß der lateinischen Fassung des 3 Joh erhalten geblieben, nämlich 3 Joh 11–15 mit der Unterschrift *epistulae iohanis III explicit* (vgl. THIELE, VL 26/1, 12*).

Die weiteren, meist jüngeren Majuskeln mit den Johannesbriefen seien nur summarisch aufgelistet: K/018 (9. Jh.); L/020 (9. Jh.); P/025 (9. Jh.; es fehlt 1 Joh 3, 20 – 5, 1); Ψ/044 (8./9. Jh.); 048 (5. Jh.; fragmentiert; setzt im Bereich der Johannesbriefe erst bei 1 Joh 4, 6 ein); 049

(9. Jh.); 056 (10. Jh.); 0142 (10. Jh.); 0157 (7./8. Jh.; nur 1 Joh 2, 7–13; nicht mehr zugänglich); 0232 (5./6. Jh.; nur 2 Joh 1 – 9); 0245 (6. Jh.; nur 1 Joh 3, 23 – 4, 1. 3–6); 0251 (6. Jh.; 3 Joh 12 – 15). Eine Vollkollation aller Majuskeln gegen den Text einer Leitzeile, die zur Einordnung der Papyrusfragmente dient, bietet GRUNEWALD.

Hinzu kommen zahlreiche Minuskeln, darunter beispielshalber als Handschriften der Kategorie I mit wertvollem Text, der für die Feststellung des ursprünglichen Wortlauts stets heranzuziehen ist (nach K. u. B. ALAND, Text 167), die Minuskeln 33 1241 1243 1739 (dazu auch unten bei B.2); weitere verzeichnet RICHARDS 17–19. Hinzu treten ferner Lektionare, die bei den Katholischen Briefen zeitlich spät einsetzen und nur den byzantinischen Texttyp repräsentieren, für diesen aber einen wesentlichen Zeugen darstellen (vgl. JUNACK), und Kirchenväterzitate. Mit dieser Bezeugung steht der griechische Text der Johannesbriefe auf einer breiten und sicheren Basis, auch wenn diese naturgemäß nicht mit der qualitativ und quantitativ umfassenderen Bezeugung der Evangelien und selbst der Paulusbriefe zu vergleichen ist. Die Katholischen Briefe brauchten teils länger bis zu ihrer endgültigen Rezeption (s. u. II zur Kanonsgeschichte). Sie wurden weniger gelesen, innerhalb und außerhalb des Gottesdienstes, und entsprechend weniger benötigt. Für die Johannesbriefe hat die schwächere Benutzungsfrequenz als positive Folge eine geringere Fehlerquote mit verhältnismäßig wenigen echten textkritischen Problemen. Andererseits führte das zu ihrer eher nachlässigen Behandlung in der neueren Textforschung. Erst in letzter Zeit scheint sich das Bild zu ändern (vgl. die Arbeiten von ALAND, Text und Textwert; RICHARDS). Als signifikant darf gelten, daß die geplante große kritische Ausgabe des NT mit den Katholischen Briefen einsetzen wird, dem Vernehmen nach zunächst allerdings mit dem Jakobusbrief.

Von den alten Übersetzungen ist die lateinische in ihren verschiedenen Stadien durch die Arbeiten von THIELE gut erforscht und durch seine große Ausgabe in der Beuroner Vetus Latina auch umfassend dokumentiert. Er rekonstruiert für die Leitzeilen die drei Haupttexttypen *K* (fehlt für 3 Joh), *T* und *V* (= Vulgata). Dabei steht *K* für den alten, vor allem durch Cyprian um die Mitte des 3. Jahrhunderts vertretenen Text von Karthago. Etwas jünger und mehr in Europa zu Hause ist der Texttyp *T*, belegt u. a. in den altlateinischen Handschriften 32 (Anfang 6. Jh.), *h*/55 (Palimpsest von Fleury, 5. Jh.), *r*/64 (Freisinger Fragmente, 7. Jh.), 67 (Palimpsest von León; 7. Jh.), z. T. *z*/65 (Harleianus, um 800). Texte, die eine Mittelstellung einnehmen, werden mit *C* bezeichnet, eine besonders in Spanien bei Priscillian u. a. bezeugte Textform mit *S*, dazu noch Sondertexte bei Lucifer mit *R*, bei Ambrosius mit *M* und bei

Augustinus mit *A*. Die Vulgata *(V)* der Katholischen Briefe erklärt
THIELE als Revision des altlateinischen Textes auf der Basis von *T.* Dabei
wurde dieser Texttyp an eine griechische Vorlage angeglichen, die etwa
dem Text des Codex Alexandrinus entspricht. Vorgenommen hat diese
Überarbeitung nicht Hieronymus selbst, sondern möglicherweise sein
Schüler Rufinus in Rom (THIELE, Probleme 117). Offen bleibt die
Frage, wie weit sich altlateinische Sonderlesarten bis hin zum Comma
Johanneum (s. u. B. 1) auf teils verlorengegangene griechische Vorlagen
zurückführen lassen und damit als Zeugen einer „westlichen" Textform,
deren Hauptvertreter D für die Katholischen Briefe ausfällt (s. o.), gewonnen werden können (vgl. die Diskussion bei DUPLACY).

Die alte syrische Übersetzung (vgl. BLACK; METZGER 36–75) hat die
Katholischen Briefe noch nicht erfaßt. In der Peschitta, der syrischen
„Vulgata" vom Anfang des 5. Jahrhunderts, tritt zunächst 1 Joh hinzu (s.
die Ed. von B. ALAND [L 03]). Erst die Philoxeniana (GWYNN [L 03])
enthält auch die beiden kleinen Johannesbriefe. Im Koptischen ist eine
Übersetzung der Katholischen Briefe ins Sahidische für das 4. Jahrhun-
dert zu vermuten (MINK 1982); die übrigen Sprachbereiche folgen.
Doch ist hier bei der Materialerfassung und der Durchdringung des
Stoffes noch wesentliche Arbeit zu leisten (s. MINK; SCHÜSSLER).

B. Zur Textkritik

L 05: ALAND, K. u. B.: Text (L 04). – ALAND, K.: Text und Textwert (L 04). –
DERS.: Bemerkungen zu den gegenwärtigen Möglichkeiten textkritischer Arbeit aus Anlaß einer Untersuchung zum Cäsarea-Text der Katholischen Briefe,
in: NTS 17 (1970/71) 1–9. – AMPHOUX, C. B.: Note sur le classement des manu-
scrits grecs de I Jean, in: RhPhR 61 (1981) 125–135. – BALJON, J. M. S.: Bijdrage
op het gebied der Conjecturaalcritiek. De eerste/tweede/derde Brief van Johannes, in: ThSt(U) 1 (1893) 246–254. – BELSER, J. E.: Zur Textkritik der
Schriften des Johannes, in: ThQ 98 (1916) 145–184. – CARDER, M. M.: A Caesa-
rean Text in the Catholic Epistles?, in: NTS 16 (1969/70) 252–270. – DUPLACY:
Texte occidental (L 04). – HARNACK, A. VON: Zur Textkritik und Christologie
der Schriften des Johannes. Zugleich ein Beitrag zur Würdigung der ältesten
lateinischen Überlieferung und der Vulgata, in: SPAW.PH 1915, 534–573; auch
in: Ders., Studien zur Geschichte des Neuen Testaments und der Alten Kirche.
I. Zur Neutestamentlichen Textkritik (AKG 19), Berlin 1931, 105–152. – LA-
GRANGE, M. J.: Critique textuelle. II. La critique rationelle (EtB), Paris 1935,
541 f. 564–568. – METZGER, B. M.: A Textual Commentary on the Greek New
Testament, London 1971, 709–724. – RICHARDS: Classification (L 04). – THIELE:
VL 26/1 (L 03). – WILAMOWITZ-MOELLENDORFF, U. VON: Lesefrüchte XXI, in:
Hermes 33 (1898) 529–531.

Als erste Orientierungshilfe beim Umgang mit den Textzeugen und bei der Bewertung von Textvarianten hat sich in der Praxis trotz mancher Vorbehalte die Arbeit mit drei großen Texttypen bewährt. Es handelt sich im einzelnen (a) um den in der Frühphase alexandrinischen, später ägyptischen Text, (b) um den „westlichen" Text, neutraler jetzt D-Text genannt, und (c) um den byzantinischen Reichstext, die Koine, die quantitativ gesehen zugleich den Mehrheitstext darstellt (wobei Nestle-Aland[26] unter dieses Siegel auch einen Teil der ständigen Zeugen ungeachtet ihres Texttyps subsumiert, sofern sie mit der Mehrheit zusammengehen). Erheblich ungesicherter bleibt (d) der Caesarea-Text. Die Texttypen wurden in der Hauptsache anhand der Evangelien entwickelt. Ob sie auch auf die Katholischen Briefe übertragen werden können, steht nicht ohne weiteres fest. Der Versuch von CARDER, die Minuskel 1243 als Zeugin des Caesarea-Textes in den Katholischen Briefen zu reklamieren, hat wegen der zu schmalen Vergleichsbasis, wegen der fehlenden Kontrolle am Bibeltext von Eusebius und Origenes und wegen des fraglichen Status dieses Texttyps nachhaltige Kritik erfahren (vgl. ALAND, Bemerkungen; RICHARDS 202–206). Über eine westliche Textform wird weiterhin diskutiert (vgl. DUPLACY). Die folgenreiche Überschätzung von Sonderlesarten der Vulgata als Zeugen für den ältesten griechischen Text bei HARNACK hat der Kritik nicht standhalten können (vgl. schon BELSER; LAGRANGE; dann das völlig andere Bild, das die Forschungen von THIELE ergeben).

Einen neuen Vorstoß unternahm RICHARDS, der den Text der Johannesbriefe in 81 ausgewählten Manuskripten anhand der Claremont Profile Method und mit Computerhilfe untersuchte. Er stieß auf die drei Hauptgruppen A = alexandrinischer Text mit drei Untergruppen, B = byzantinischer Text mit sieben oder acht Untergruppen und M = Mischtext mit drei Untergruppen. ALAND, Text und Textwert, hat über alle griechischen Handschriften mit dem Text der Katholischen Briefe ein Netz von 98 Teststellen gelegt. Davon betreffen 35 die Johannesbriefe, und zwar in 1 Joh 1,7; 2,7.10.14.19.20.23.28; 3,1.14.23; 4,3.12.20; 5,4.6.7f.13.21; 2 Joh 3.5.8.9.12.13; 3 Joh 5.7.8.12.14. Jede einzelne Handschrift wird an den Teststellen, an denen sie vom Mehrheitstext abweicht, mit den 66 nächstverwandten Handschriften verglichen. Dadurch sind die Voraussetzungen dafür geschaffen, die Handschriften besser als bisher zu Familien und Gruppen zusammenzufassen und ihre Abhängigkeitsverhältnisse zu bestimmen. Der Wert solcher Gruppierungen besteht nicht ausschließlich in der methodischen Absicherung der Suche nach der ältesten Textform. Es gelingt so, insbesondere wenn man die Väterzitate, die Lektionare und die Über-

setzungen noch integriert, ein Einblick in die Textgeschichte, die ein
Stück weit immer schon Auslegungsgeschichte der Schrift und damit
Kirchengeschichte und Theologiegeschichte ist. Auch textkritisch sekundäre Lesarten markieren oft wichtige Stationen der Wirkungsgeschichte des biblischen Textes (s. u. in B. 2 zu 1 Joh 4, 3). Dieser Aspekt
darf bei der Beschäftigung mit der Textüberlieferung nicht vernachläs-
sigt werden.

Die gängigen Handausgaben, Greek New Testament[3] und Nestle-
Aland[26], bieten für die Johannesbriefe wie auch sonst einen einheitlichen Text, unterscheiden sich jedoch im Apparat, der in Nestle-Aland[26]
knapp, aber durchgehend über Varianten informiert, während er in
Greek New Testament[3] nur selektiv bestimmte Stellen mit umfangreicheren Angaben versieht. Erschöpfend fällt ALAND, Text und Textwert I, 125–199, aus, aber mit doppelter Einschränkung: nur im Bereich
der 35 Teststellen und nur für die griechischen Handschriften. Für weitere Informationen sieht man sich u. U. immer noch genötigt, auf die
umfangreicheren Apparate bei TISCHENDORF und SODEN (schwer be-
nutzbar) zurückzugreifen (s. L 03; WETTSTEIN beansprucht weiterhin
Aufmerksamkeit wegen der Parallelstellen aus der antiken Literatur, die
er zusätzlich zu den textkritischen Angaben notiert).

Konjekturen, mit denen man zeitweilig recht großzügig umging
(BALJON), dürften sich für die Johannesbriefe erübrigen. Das gilt auch
für den Vorschlag von WILAMOWITZ, in 3 Joh 4 vor dem ἵνα-Satz ein ἤ
zu lesen: „Eine größere Freude habe ich nicht, als daß ich höre …"
(nach THIELE 401 auch in drei Minuskeln handschriftlich belegt). Die
Abweichungen von Nestle-Aland[26] gegenüber Nestle-Aland[25] halten
sich in engen Grenzen. Nestle-Aland[26] fügt in 3, 13 mit ℵ P Ψ gegen A B
und den Mehrheitstext, ebenso in 3, 19 mit ℵ C P Ψ Byz gegen A B am
Satzanfang ein καί hinzu. Neu in den Text aufgenommen wurden auch
[ἡμῶν] mit ℵ C Byz in 3, 21 und ein [καί] im Versinnern mit ℵ A P Byz
in 5, 1. Zu Wortumstellungen kommt es am Ende von 4, 12, diesmal mit
P[74vid] A gegen ℵ und B, denen Nestle-Aland[25] folgte, außerdem am Anfang von 5, 5 mit ℵ K P, in 5, 11 mit ℵ A P Ψ Byz gegen B und in 2 Joh 5
mit ℵ A gegen B P Byz. Schließlich ist noch die Abwandlung von ἐν
αὐτῷ (A B P Byz) in das reflexive ἐν ἑαυτῷ (ℵ Ψ) in 1 Joh 5, 10 zu vermelden. Insgesamt vermeint man eine neuerliche Bevorzugung des
Sinaiticus wahrzunehmen, was wohl nur ein Zufall ist angesichts von K.
und B. ALAND 118: Der Text in ℵ wurde „stark überschätzt, er steht im
Wert hinter dem von B deutlich zurück".

Die Mehrzahl der übrigen Varianten, die in den Kommentaren diskutiert werden (Listen bei WESTCOTT, JohBr XVIII–XXVII), bewegt sich

innerhalb einer bestimmten Bandbreite: (a) Relativ häufig werden „ihr", „euch" und „wir", „uns" ausgetauscht oder ergänzt; (b) öfter wird „Christus" oder „Gott" eingefügt; (c) die Zeitstufen von Verben ändern sich, (d) ebenso die Anredeformen; (e) Konjunktionen, Präpositionen, Artikel und Partikel werden variiert, manchmal mit nicht unbeträchtlichen Folgen für den Sinn; (f) letzteres führt uns schon auf das Feld der erkennbaren Neuinterpretationen, die sich in gezielten Eingriffen in den Wortbestand niederschlagen. Einige Beispiele, ausgehend von Nestle-Aland[26] als textlicher Bezugsgröße:

(a) 1,4: „Und dies schreiben wir *euch*, damit *eure* Freude vervollkommnet sei" (u. a. C), statt: „Und dies schreiben wir, damit unsere Freude vervollkommnet sei."

2,8: ἐν ἡμῖν (A 049 etc.) statt ἐν ὑμῖν.

2,25: ὑμῖν (B 1241 *pc*) statt ἡμῖν.

3,1: ὑμῖν (B K* 049 *pc*) statt ἡμῖν und ὑμᾶς (א* C P Byz) statt ἡμᾶς.

3,5: „Wir wissen" (א *pc*) statt „ihr wißt" und „unsere Sünden" (א C Ψ Byz) statt „die Sünden".

3,14: „Unsere Brüder" (א Ψ *pc*) statt „die Brüder".

3,21: „Wenn unser Herz *uns* (ἡμῶν א A Ψ Byz) nicht verurteilt."

5,4: „Euer Glaube" (Kᶜ L *al*) statt „unser Glaube".

2 Joh 12: „Eure Freude" (A B 33 *al*) statt „unsere Freude".

(b) 1,7: „Das Blut Jesu *Christi*" (A Byz).

1,8: „Die Wahrheit *Gottes*" (614 630 *al*).

2,15: „Die Liebe Gottes" (A C 33 *pc*) statt „die Liebe des Vaters".

4,7: „jeder, der *Gott* liebt" (A).

4,10: „Darin besteht die Liebe *Gottes*" (א vg^mss sa).

4,15: „Daß Jesus *Christus* der Sohn Gottes ist" (B).

5,10: „Das Zeugnis *Gottes*" (A 81 *al*).

5,20: „Damit wir den wahrhaftigen *Gott* erkennen" (A Ψ *al*).

(c) 2,14: γράφω (Byz) statt ἔγραψα in 14 a; ein Teil der lateinischen Handschriften liest in V. 14 dreimal *scribo*.

4,8: γινώσκει (A 33 *al*) statt ἔγνω.

4,10: ἠγαπήσαμεν (א A Byz) statt ἠγαπήκαμεν.

(d) 2,7: „Brüder" (K L 049 Byz) statt „Geliebte".

3,7: παιδία (A P Ψ *al*) statt τεκνία.

3 Joh 15: „Es grüßen dich die Brüder" (A 33 *al*) statt „die Freunde" und „grüße die Brüder" (630 *pc*) statt „die Freunde".

(e) 3,20: A C *pc* lassen zur Glättung der schwierigen Satzkonstruktion das zweite ὅτι aus.

5,17: Der Ausfall der Negation οὐ in 33 623 *pc* macht aus der „Sünde nicht zum Tode" eine „Sünde zum Tode".

3 Joh 5: Durch Änderung von τοῦτο zu εἰς τούς (P Byz) werden aus den fremden Brüdern zwei Gruppen, die Brüder und die Fremden.

(f) 2,20: Statt „und ihr alle (πάντες) wißt" lesen A C und der Mehrheitstext „und ihr wißt alles (πάντα)".

2,27: Das ungebräuchliche zweimalige χρῖσμα („Gesalbtheit") ersetzen durch das aus Paulus bekannte χάρισμα beim ersten Vorkommen B 1505 2495 pc, beim zweiten Vorkommen 33 1505 2495 pc.

3,10: Für „wer die Gerechtigkeit nicht tut (ποιῶν δικαιοσύνην)" bietet Ψ mit einem Teil der Übersetzungen „wer nicht gerecht ist (ὢν δίκαιος)".

5,18: Die schwierig zu interpretierende Wendung „der aus Gott Gezeugte (ὁ γεννηθείς)" (der Glaubende? Christus selbst?) wird in 1505 1852 al latt zu „die Zeugung (ἡ γέννησις) aus Gott".

2 Joh 9: Παραβαίνων, „übertreten" (K L R Ψ Byz) bzw. recedit, „zurückgehen" (it) löst das lexikalisch und kontextuell schwierigere, aber ursprüngliche προάγων, „voranschreiten", ab.

3 Joh 4: χάριν, „Gnade" (B pc), anstelle von χαράν, „Freude".

Zu den auffälligeren Phänomenen zählt eine Reihe von längeren Zusätzen, fast immer am Vers- und Satzschluß und vorwiegend in der lateinischen Textüberlieferung belegt (ausführliche Bezeugung bei THIELE z. St.):

2,5: „Wenn wir auf ihn hin vollendet wurden" (Ψ vg^mss).

2,17: „Wie (auch) er selbst in Ewigkeit bleibt" (lat z. T.; sa z. T.).

2,26: „Damit ihr wißt, daß ihr die Salbung habt vom Heiligen und alles wißt" (it z. T.).

4,17: „(... daß wir Freimut haben am Tag des Gerichtes) gegenüber dem Menschgewordenen, (weil so wie jener) war in der Welt, fleckenlos und rein, so werden auch wir sein" (2138 pc).

5,9: „(... das Zeugnis Gottes, das er abgelegt hat über seinen Sohn), den er gesandt hat als Retter auf die Erde. Und der Sohn legte Zeugnis ab auf Erden, indem er die Schriften erfüllte. Und wir legen Zeugnis ab, weil wir ihn gesehen haben, und wir verkünden euch, damit auch ihr ebenso glaubt" (vg^mss).

5,20: „(Wir wissen, daß der Sohn Gottes kam) und Fleisch annahm unseretwegen und gelitten hat und auferstanden ist von den Toten; er nahm uns auf (und gab uns Einsicht ...)" (t vg^mss).

2 Joh 11: „Seht, ich habe es euch vorhergesagt, damit ihr am Tage unseres Herrn (Jesus Christus) nicht zuschanden werdet" (vg^mss).

Das sind weithin dogmatisierende Fortspinnungen der Textvorlage, gestaltet z. T. im Rückgriff auf andere, benachbarte (vgl. zu 2,26 v. l. nur 2,20) oder weiter entfernte johanneische Texte (vgl. zu 5,9 v. l. etwa 1 Joh 1,1–3; 4,14). Aufschlußreich sind sie im soeben formulierten Sinn

für die frühe Auslegungsgeschichte des Grundtextes, nicht aber für
seine Rekonstruktion (vgl. BROOKE, JohBr 198: "The evidence adduced
also confirms the view that the tendency to add interpretative and ex-
planatory glosses to the text of the Epistle is both widespread and dates
back to early times"). Die prominenteste längere Glosse dieser Art ist
zweifellos das Comma Johanneum bei 1 Joh 5,7–8. Wir gehen darauf gesondert ein und wenden uns dann noch zwei textkritischen Einzelfragen von einigem Gewicht in 1 Joh 4,3 und 2 Joh 8 zu (zu 3 Joh 9 vgl.
u. II/C).

1. Das „Comma Johanneum"

L 06: AYUSO MARAZUELA, T.: Nuevo estudio sobre el «Comma Ioanneum»,
in: Bib. 28 (1947) 83–112.216–235; 29 (1948) 52–76. – BLUDAU, A.: Der Beginn
der Controverse über die Aechtheit des *Comma Joanneum* (1 Joh 5,7.8) im
16. Jahrhundert, in: Kath. 82/II (1902) 25–51. 151–175. – DERS.: Das Comma
Johanneum bei den Griechen, in: BZ 13 (1915) 26–50. – BORGER, R.: Das
Comma Johanneum in der Peschitta, in: NT 29 (1987) 280–284. – JONGE, H.J.
DE: Erasmus and the Comma Johanneum, in: EThL 56 (1980) 381–389. –
KÜNSTLE, K.: Das Comma Ioanneum. Auf seine Herkunft untersucht, Freiburg
i. Br. 1905. – RIGGENBACH, E.: Das Comma Iohanneum (BFChTh 31/4),
Gütersloh 1938. – THIELE, W.: Beobachtungen zum Comma Iohanneum
(I Joh 5,7 f.), in: ZNW 50 (1959) 61–73.
Weitere, bes. ältere Lit. s. bei H.J. Klauck, 1 Joh (EKK), 4. Exkurs.

Als Comma Johanneum (CJ) bezeichnet man den in der folgenden
Übersetzung in eckigen Klammern stehenden Text, wobei „Comma"
soviel bedeutet wie Satz, Satzteil, Satzstück, CJ in freier Wiedergabe
also „das rätselhafte johanneische Satzstück" meint:

> 1 Joh 5,7 a Denn drei sind es,
>   b die bezeugen
>   [im Himmel:
>   der Vater, der Logos und der Heilige Geist,
>   und diese drei sind eins (ἕν εἰσιν).
>   Und drei sind es, die bezeugen auf Erden]:
>   8 a der Geist und das Wasser und das Blut,
>   b und die drei sind auf das eine hin (εἰς τὸ ἕν εἰσιν).

Zitiert wurde soeben die Standardfassung aus der clementinischen
Vulgata. Die älteste lateinische Texttradition bietet das CJ nicht zwischen V. 7 und V. 8, sondern erst im Anschluß an V. 8. Das gibt für sich
betrachtet schon einen Hinweis darauf ab, daß sich das CJ aus einer in-
terpretierenden Glosse zu 1 Joh 5,7–8 entwickelt hat, die anfänglich an

den bestehenden Text angehängt wurde. Eine inhaltliche Erklärung im
Kontext fällt gar nicht so leicht. Im Verlauf der Auslegungsgeschichte
hat man meist nur reflexhaft die klare trinitarische Ausrichtung wahrge-
nommen und dankbar ausgewertet, ohne sich um die Deutung sonderlich zu bemühen. Das Zeugnis des Vaters versteht man in der Regel als
die Himmelsstimme, die bei der Taufe und bei der Verklärung Jesu laut
wurde. Das Zeugnis des Logos bringt man mit den Selbstaussagen Jesu
im Johannesevangelium in Verbindung. Das Zeugnis des Geistes soll es
wiederum mit der Taufe Jesu zu tun haben, wo der Geist in Gestalt einer
Taube herabsteigt, darüber hinaus mit dem Pfingstereignis und mit dem
Zeugnis des Geistparakleten im Mund der Jünger (Joh 15, 26 f.).

Mit der handschriftlichen Bezeugung des CJ ist es so schlecht be-
stellt, daß die ganze Angelegenheit eigentlich nur eine Fußnote verdienen würde, gäbe es nicht die eigentümliche Nach- und Wirkungsgeschichte des Textstücks. Nur fünf sehr späte griechische Minuskeln
bieten das CJ im Text: 61 (16. Jh.), 629 (14. Jh.), 918 (16. Jh.), 23 (18. Jh.!),
2473 (17. Jh.). Vier weitere kennen es als Zusatz oder Marginallesart: 88
(12. Jh.), 221 (10. Jh.; aber Randglosse wesentlich jünger), 429 (14. Jh.),
636 (15. Jh.). In allen anderen griechischen Handschriften fehlt das CJ,
ebenso in allen alten Übersetzungen mit Ausnahme der lateinischen
(zur syrischen Übersetzung vgl. zuletzt die Klarstellungen von
BORGER). Die Väter des Ostens kennen es bis ins Mittelalter hinein
nicht. In die wenigen jüngeren griechischen Handschriften ist es wohl
als Rückübersetzung aus der Vulgata sekundär eingedrungen. Eine alte,
den Anfängen der lateinischen Überlieferung vorausliegende griechische Form des CJ hat es vermutlich nie gegeben (anders THIELE, Beobachtungen).

Auch die Lateiner stimmen nicht völlig überein; es gibt zuverlässige
lateinische Handschriften ohne das CJ. Geographisch gesehen weist
seine frühere Bezeugung nach Spanien, teils auch nach Nordafrika und
Südgallien. Der früheste unstrittige Beleg findet sich im ›Liber apologe-
ticus‹, das dem spanischen Theologen Priscillian (ca. 380 zum Bischof
von Avila geweiht) zugeschrieben wird, jedenfalls aus seinem Umkreis
stammt (vgl. Tractatus 1, 4 [6, 5–9 CSEL 18]). Als Urheber des CJ
kommt Priscillian entgegen einer manchmal geäußerten älteren Vermutung (KÜNSTLE) dennoch nicht in Frage. Wie weit wir über ihn hinaus
nach vorne gehen müssen, bleibt offen. Sicher nicht bis zu Tertullian,
möglicherweise bis zu Cyprian (THIELE, Beobachtungen 68–70), obwohl die Annahme, er habe das CJ schon gekannt und zitiert, nicht über
alle Zweifel erhaben scheint. Vom 5./6. Jahrhundert an nehmen die un-
zweideutigen Belege für das CJ bei den lateinischen Vätern an Zahl zu.

Das CJ hat sich, so viel können wir festhalten, aus einer trinitarischen Auslegung des Grundtextes von 1 Joh 5,7–8 entwickelt, die in Nordafrika im 3. Jahrhundert ca. in Form einer Glosse festgehalten wurde und in den Text selbst eindrang. Wo der Umschlag oder besser der gleitende Übergang von der exegetischen Erläuterung zur neuen Textform erfolgte, ist mit letzter Sicherheit nicht mehr auszumachen. Seine neuzeitliche Rezeption, die unter massivem Einfluß der Vulgata über die ersten Druckausgaben des griechischen NT verlief, ist eine abenteuerliche Geschichte. Sie braucht hier nicht nachgezeichnet zu werden, da sie inzwischen nach mancherlei Wirren zu einem klaren exegetischen und kirchlichen Konsens geführt hat.

Anmerkungsweise soll aber wenigstens ein historisches und zugleich hermeneutisches Streiflicht geboten werden, das meines Wissens noch keine Beachtung fand. Sein Kontext ist die in England zeitweilig besonders erbitterte Diskussion um die Echtheit des CJ. Darauf zielt vermutlich eine Stelle bei Jonathan Swift ab, die auch die Autoritätsfrage aus überraschendem Blickwinkel angeht: „Deshalb sehen die Freidenker das Christentum auch als ein Gebäude an, in dem alle Teile so aufeinander ruhen, daß der ganze Bau zusammenstürzen muß, wenn man auch nur einen einzigen Nagel herauszieht. Dem hat kürzlich ein Mann glücklich Ausdruck gegeben: er hörte, daß ein Text, den man gemeinhin zum Beweis der Dreieinigkeit anführte, in einem alten Manuskript ganz anders lautete. Er begriff den Wink sofort und kam durch eine Kette von Folgerungen rasch zu dem logischen Schluß: ,Aber wenn dem so ist, wie Sie sagen, so kann ich in aller Ruhe weiterhuren, saufen und dem Pastor Trotz bieten.'"[1]

2. 1 Joh 4,3

L 07: EHRMAN, B. D.: 1 Joh 4,3 and the Orthodox Corruption of Scripture, in: ZNW 79 (1988) 221–243. – GOLTZ, E. VON DER: Eine textkritische Arbeit des zehnten bzw. sechsten Jahrhunderts (TU 17/4), Leipzig 1899, 48–50. – HARNACK: Textkritik (L 05). – KIM, K. W.: Codices 1582, 1739, and Origen, in: JBL 69 (1950) 167–175. – LAKE, K., S. NEW (Hrsg.): Six Collations of New Testament Manuscripts (HThS 17), Cambridge, Ma. 1932, 198. – THIELE: VL 26/1 (L 03).

Alle griechischen Handschriften und alle Übersetzungen außer der lateinischen lesen in 1 Joh 4,3 a: „Und jeder Geist, der Jesus nicht bekennt (μὴ ὁμολογεῖ)." Die Kernaussage von 4,2: „Jeder Geist, der Jesus

---

[1] J. SWIFT, Einwände gegen die Abschaffung des Christentums, in: Ders., Die menschliche Komödie. Schriften, Fragmente, Aphorismen, hrsg. v. M. Freund (KTA 171), Stuttgart 1957, 136–150, hier 149.

Christus als im Fleisch gekommen bekennt", wird in verkürzter und negierter Form wiederholt. Das hält sich in 2 Joh 7 durch: „Denn viele Verführer sind hinausgegangen in die Welt, die Jesus Christus nicht bekennen (μὴ ὁμολογοῦντες) als kommend im Fleisch." In dieser Form paraphrasiert den Satz auch der Polykarpbrief als ältester Zeuge für seine Nachgeschichte: „Denn jeder, der nicht bekennt, daß Jesus Christus im Fleisch gekommen ist ..." (Polyk 7,1), ob nur auf der Basis von 1 Joh 4,2–3 oder ob aufgrund einer Kombination mit 2 Joh 7 (HARNACK 558), wird uns in anderem Kontext noch zu beschäftigen haben (s. u. II/A.1 u. B.1).

Mit „nicht bekennen" konkurriert als Variante: „Jeder Geist, der Jesus auflöst", im Lateinischen *solvit* (so nahezu einhellig die altlateinische Überlieferung und mit ihr die Vulgata), daneben auch *destruit* und *dividet*, im Griechischen λύει (umfassende Belege bei THIELE 328–333). Allerdings stehen für λύει als Lesart im Griechischen nur indirekte Zeugnisse zur Verfügung, in vorderster Front eine Randglosse in der Minuskel 1739 (10. Jh.) vom Berge Athos, die lautet: „der Jesus auflöst. So Irenäus in dem dritten Buch gegen die Häresien und Origenes deutlich in dem achten Buch seiner Auslegung zum Römerbrief und Klemens der Stromateus in dem Buch über das Pascha" (GOLTZ 48; KIM 170; LAKE). Leider besitzen wir in allen drei Fällen nicht die griechischen Texte der zitierten Väterschriften, haben aber Hinweise, die es in ihrer kumulativen Kraft als sicher erscheinen lassen, daß es die Lesart λύει im Griechischen gab.

Die Ausleger des 20. Jahrhunderts optieren erstaunlicherweise mit Vorliebe für λύει als ursprüngliche Textform, ohne aber den Mut zu haben, für 1 Joh schon zu reklamieren, was der Fassung mit λύει erst wirklichen Sinn verleiht: sie nämlich zu lesen als Reaktion auf eine doketisch-gnostische Auflösung der einen Person Jesu Christi in den Menschen Jesus und das Geistwesen Christus. Tatsächlich dürfte λύει erst im 2. Jahrhundert im Kontext christologischer Kontroversen entstanden sein. Bezeichnenderweise steht das fragliche Zitat bei Irenäus in einem Paragraphen, der mit der Feststellung beginnt, daß „alle außerhalb der Heilsordnung stehen, die als Gnostiker zwischen Jesus und Christus einen Unterschied machen"; ihre Lehre „zerlegt den Sohn Gottes in mehrere Stücke" (Haer III 16,8). Die ursprünglichere Lesart stellt mit ziemlicher Sicherheit das farblos scheinende „nicht bekennen" dar (so auch EHRMAN).

3. 2 Joh 8

L 08: Harnack, A. von: Das „Wir" in den johanneischen Schriften, in: SPAW.PH 1923, 96–113.

Zu 2 Joh 8 liegen drei Lesarten vor, die jeweils im Zusammenhang (!) betrachtet werden müssen (Bezeugung in Auswahl):

1. „Habt acht auf euch selbst, damit *ihr* nicht verliert, was *wir* erarbeitet haben, sondern damit *ihr* vollen Lohn empfangt", in B 181 2492 sa.
2. „... damit *ihr* nicht verliert, was *ihr* erarbeitet habt, sondern damit *ihr* vollen Lohn empfangt", in ℵ A Ψ 0232 33 81 u. a., den Altlateinern, der Vulgata, weiteren Übersetzungen und Väterzeugnissen.
3. „... damit *wir* nicht verlieren, was *wir* erarbeitet haben, sondern damit *wir* vollen Lohn empfangen", in K P 056 0142 und neben Übersetzungen, Lektionaren und Väterzeugnissen vor allem im Mehrheitstext.

Die Lesarten Nr. 2 und Nr. 3 haben einheitlich „ihr" oder „wir", nur die Lesart Nr. 1 wechselt vom „ihr" zum „wir" und wieder zurück zum „ihr". Die Lesart des Mehrheitstextes (Nr. 3) wird in der Forschung nur selten verteidigt. Die Ausleger schwanken vielmehr zwischen der Lesart Nr. 2 und der Lesart Nr. 1. Nestle-Aland[26] druckt im Haupttext die Lesart Nr. 1 ab, mit dem Wechsel von „ihr" und „wir". Sie ist gegen Smalley, der sie "well supported" nennt (JohBr 314), schwach belegt, da evidentermaßen die Zeugen für die Lesart Nr. 3 nicht einfach für das isolierte εἰργασάμεθα beansprucht werden dürfen, was man faktisch immer wieder getan hat. Eine beachtliche Zeugenreihe hat vielmehr die Lesart Nr. 2 hinter sich. Das Urteil wird zusätzlich dadurch erschwert, daß nicht klar ist, wie man die Wir-Form in der Versmitte allenfalls verstehen soll. Die ältere Exegese dachte dabei an den Presbyter als Briefautor (vgl. 2 Joh 1) und evtl. an seine Mitarbeiter, die durch die missionarische Evangeliumsverkündigung unter den Adressaten den Mehrwert geschaffen haben, dessen die Gemeinde jetzt nicht verlustig gehen sollte: „Der Styl der Joh. Briefe neigt zur Figur der Communication, aber es hat alles seine Grenze. Das einsame εἰργασάμεθα ist unerträglich, wenn es nicht etwa ganz besonders auf die Wirkung des apostolischen Predigtamtes bey den Empfängern des Briefes verstanden werden kann" (Lücke, JohBr 457). Vor dem neuerdings favorisierten kommunikativen Wir: was die Glaubenden in den Gemeinden insgesamt erarbeitet haben, soll die Einzelgemeinde nicht wieder verlieren (Brown, JohBr 671), scheint diese ältere Position fast den Vorzug zu verdienen. Vielleicht ist aber letztlich die Lesart Nr. 2 die schwierigere, weil hier die Gemeinde etwas tut und dafür ewigen Lohn empfängt (Harnack 97).

Dem suchten Schreiber zunächst zu entgehen durch die Einführung des aus 1 Joh 1, 1–4 bekannten apostolischen „Wir". Von da aus hat sich im Mehrheitstext die durchgehende Wir-Form entwickelt, die am ehesten kommunikativ gemeint ist. Das ist einer der wenigen Fälle, wo in der Textgestaltung der Johannesbriefe von Nestle-Aland[26] abzuweichen wäre.

II. BEZEUGUNG UND KANONISIERUNG

A. Der erste Johannesbrief

1. Frühe Bezeugung

L 09: BROWNSON, J.: The Odes of Solomon and the Johannine Tradition, in: Journal for the Study of the Pseudepigrapha 2 (1988) 49–69. – DIETZE, P.: Die Briefe des Ignatius und das Johannesevangelium, in: ThStKr 78 (1905) 563–603. – HENGEL: Question (L 02) 1–23. – LOEWENICH, W. VON: Das Johannes-Verständnis im zweiten Jahrhundert (BZNW 13), Gießen 1932. – PERKINS, P.: Johannine Traditions in *Ap. Jas* (NHC I,2), in: JBL 101 (1982) 403–414. – VIELHAUER, P.: Geschichte der urchristlichen Literatur. Einleitung in das Neue Testament, die Apokryphen und die Apostolischen Väter (GLB), Berlin ⁴1985 (für die meisten Datierungen).

Beginnen wir mit den einigermaßen gesicherten frühen Zeugnissen. (1) Polykarp von Smyrna, der um 156, nach anderer Datierung erst um 167 (VIELHAUER 554f.) den Martertod erlitt, schreibt in seinem (zweiten?) Brief an die Gemeinde in Philippi: „Denn jeder, der nicht bekennt, daß Jesus Christus im Fleisch gekommen ist, ist ein Antichrist" (Polyk 7,1). Das hat er aus 1 Joh 4,2–3, vielleicht im Verein mit 2 Joh 7 (s. u.). Ein literarisches Abhängigkeitsverhältnis ist anzunehmen, das wird durch die folgenden Beobachtungen noch verstärkt. Wenn es im Kontext bei Polykarp weiter heißt: „Und wer das Zeugnis des Kreuzes nicht bekennt, ist aus dem Teufel" (7,1), „wenden wir uns dem Worte zu, das uns seit Anbeginn (ἐξ ἀρχῆς) überliefert ist" (7,2), wenn das Wort vom „Erstgeborenen des Satans" fällt (7,1), wenn von den „eigenen Begierden" (7,1) und von den „falschen Brüdern", die „irreführen", die Rede ist (unmittelbar zuvor in 6,3), werden wir dafür auf Stellen wie 1 Joh 3,8.10.12 (mit Joh 8,44) und 1 Joh 2,16.24.26; 4,1 verweisen. Die These von einem unabhängigen Rückgriff auf ein bekanntes Schlagwort aus der mündlichen Tradition genügt zur Erklärung dieses Sachverhalts nicht. Die persönliche Bekanntschaft des Polykarp mit dem Apostel Johannes (nach Irenäus bei Eusebius, Hist Eccl V 24,16) wird niemand im Ernst als Erklärung für eine solche Parallele im Wortlaut strapazieren wollen, falls er denn überhaupt den Apostel bei der Verfasserfrage des 1 Joh ins Spiel bringt. Die Verhältnisse umzukehren und 1 Joh vom Polykarpbrief abhängig sein zu lassen oder an der Authentizität von Polyk 1–12 prinzipiell zu zweifeln, besteht kein Grund. Offen bleibt die Datierungsfrage. Ein Ansatz auf 120 oder gar früher würde ein sehr altes Zeugnis für 1 Joh bedeuten, ist aber nicht hinreichend abzusichern, ganz abgesehen davon, daß er mit der neuerdings wieder ins Schwanken geratenen Datierung der Ignatianen steht und fällt. Vorsichtigerweise werden wir als feste Größe nur ein Datum um ca. 140/50 reklamieren. (2) Das führt uns in die zeitliche Nähe des zweiten Belegs. Zwischen 150 und 160 bemerkt der Apologet Justin in seinem Dialog mit Trypho: „Wie nun von jenem einen Jakob, der auch Israel heißt, her euer ganzes (jüdisches) Geschlecht als Jakob und Israel bezeichnet wird, so werden auch wir von dem her, der uns auf Gott hin gezeugt hat, nämlich Christus, Kinder Gottes genannt, und wir sind es, die wir die Gebote des Herrn bewahren" (Dial 123,9). Dazu ist 1 Joh 3,1–2 zu vergleichen: „... damit wir Kinder Gottes genannt werden, und wir sind es ... jetzt schon sind wir Kinder Gottes", daneben auch 1 Joh 2,3; 5,3–4.18 und ähnliche Stellen. Mögliche Anspielungen in Apol 32,7: „zu reinigen durch sein Blut" (vgl. 1 Joh 1,7), und 32,8: „in denen der Same von Gott her, das Wort, wohnt" (vgl. 1 Joh 3,9; 2,14), die man sonst nicht überbewerten würde, gewinnen dadurch an Relevanz. (3) Eusebius berichtet, Papias habe sich auch „auf Zeugnisse aus dem ersten Johannesbrief" berufen (Hist Eccl III 39,17). Die Datierungsvorschläge für die fünf Bücher ›Auslegung von Herrenworten‹ des Papias reichen von ca. 100/110 bis 140. Als weitere leichte Unsicherheit bleibt die Brechung dieser Angabe durch das Referat des Eusebius zu bedenken.

Die Kombination der drei Stellen erlaubt uns den Schluß, daß spätestens um die Mitte des 2. Jahrhunderts der erste Johannesbrief bekannt war und benutzt wurde. Weitergehende Vermutungen können angestellt werden, sind aber nicht mehr beweisbar. Was sonst noch an frühen Texten, d. h. an solchen zwischen ca. 100 und 150 n. Chr., mehr oder minder zuversichtlich, teils auch nur in Frageform beigebracht wird, hat durchweg keine Beweiskraft (anders z. B. WEISS, JohBr 1). Die vermeintlichen Anspielungen beschränken sich auf einen Begriff und wenige Worte; dafür könnte auch ein gemeinsamer Traditionshintergrund Pate gestanden haben; der Einfluß könnte vom Johannesevangelium statt von 1 Joh ausgegangen sein; manchmal ist, wie beim Diognetbrief, die Datierung des Testimoniums selbst so umstritten, daß es letztlich kaum etwas hergibt. Das Wichtigste sei zusammengestellt:

Didache 10,5: „Gedenke, Herr, deiner Kirche, daß du sie ... vollendest in deiner Liebe" (1 Joh 4,12?); 10,6: „Es komme die Gnade, und es vergehe diese Welt" (1 Joh 2,17?); vgl. ferner die abgelehnte Prüfung der Geister der Propheten in Did 11,7 mit 1 Joh 4,1. Die beiden ersten Ähnlichkeiten sind keine, die dritte, die thematisch im Text viel weiter reicht, erwächst aus einer verwandten Problemlage.

Erster Klemensbrief 49,1: „Wer Liebe in Christus besitzt, hält die Gebote Christi" (1 Joh 5,1–3?); 49,5: „In der Liebe gelangten alle Auserwählten Gottes zur Vollendung", und 50,3: „in Liebe vollendet" (1 Joh 2,5; 4,18?); 27,1 und 60,1: Gott als πιστός, „getreu" (1 Joh 1,9?); ohne Ausnahme bloße Wortberührungen.

Zweiter Klemensbrief 3,1: „… ihn nicht zu verleugnen, durch den wir ihn erkannt haben" (?); 6,9: „Oder wer wird unser Beistand (παράκλητος) sein", wohlgemerkt beim himmlischen Gericht. Aber nur für den Parakletentitel, auch in diesem besonderen Sinn, braucht man nicht unbedingt 1 Joh 2,1.

Ignatius von Antiochien, Eph 11,1: „Es sind letzte Zeiten" (1 Joh 2,18?); im Kontext von Liebesthematik und Immanenzsprache heißt es in Eph 15,3: „so wird es vor unserem Angesicht offenbar werden" (1 Joh 3,2?); zu Eph 18,2 (1 Joh 5,6?) und Sm 7,1 (1 Joh 3,14?) vgl. mit negativem Ergebnis LOEWENICH 34f.; anders zuvor DIETZE 595f., der auch noch in Eph 17,2 χάρισμα zu χρῖσμα ändert und 1 Joh 2,27 wiederfindet. Bei Ignatius verhält es sich so, daß man – zumal bei einer Spätdatierung – eine Kenntnis des Johannesevangeliums kaum wird leugnen wollen; aber für 1 Joh fällt dabei nichts Greifbares ab.

Hirt des Hermas, Vis I 1,8: „Die böse Begierde" (1 Joh 2,16–17?); Mand III 1: „Der Herr ist wahrhaftig in jedem Wort, und keine Lüge ist bei ihm zu finden" (1 Joh 2,27?); Mand IX 5,7: „daß du alle die Bitten, die du tust, erfüllt bekommst" (1 Joh 3,22; 5,15?); Mand XII 3,4f.: Der Seher klagt darüber, daß die Gebote zu schwer seien; der Deuteengel gibt ihm zu verstehen: „Du wirst sie leicht halten, und sie werden keineswegs schwer sein" (1 Joh 5,3?); Mand XII 6,2: die „Werke des Teufels" überwinden (1 Joh 3,8?); Sim IX 24,4: „… von seinem Geist habt ihr empfangen" (1 Joh 4,13?). Kenntnis des 1 Joh kann von dieser schmalen Basis aus nicht behauptet werden, zumal angesichts der auch sonst weithin fehlenden Schriftbenutzung bei Hermas, der explizit nur einmal aus dem apokryphen Buch ›Eldad und Modat‹ zitiert (Vis II 3,4).

Barnabasbrief 5,9–11: „… da offenbarte er, daß er der Sohn Gottes sei. Wenn er nämlich nicht im Fleisch gekommen wäre … Der Sohn Gottes kam also im Fleisch", vgl. 12,10: er ist „als Vorbild im Fleisch erschienen" (1 Joh 4,2?; aber das Kommen im Fleisch hat im Barn den ganz anderen Sinn einer Akkommodation an das schwache menschliche Fassungsvermögen); 14,5: „… damit er selbst durch sein Erscheinen … die dem gesetzlosen Irrtum ausgelieferten Herzen erlöse aus der Finsternis" (1 Joh 3,4.7.8?).

Schrift an Diognet 10,2: „Gott hat nämlich die Menschen geliebt…, zu denen er seinen einzigen Sohn gesandt hat" (1 Joh 4,9?); 10,3: „Oder wie wirst du den lieben, der dich zuvor so geliebt hat" (1 Joh 4,19?); 11,4: „der von Anfang war" (1 Joh 1,1; 2,13–14?).

Wir können auch einen anderen Weg einschlagen und einen bestimmten Text aus dem 1 Joh durch verhältnismäßig frühe Schriften

hindurch verfolgen. Dafür eignet sich der Prolog 1 Joh 1, 1–4, erweitert
noch um den Themensatz 1, 5. Die Datierungsvorschläge für die ›Epistula Apostolorum‹, einen in antignostischer Absicht verfaßten Dialog
des Auferstandenen mit seinen Jüngern, reichen von 120 oder früher bis
180, pendeln sich aber bei 150 ein. Sie bezieht sich mit den Worten: „Wir
schreiben …, indem wir euch erzählen und verkünden …, und wir
haben ihn gehört und betastet" (EpAp 2), wohl ausdrücklich auch auf
1 Joh 1, 1–4, nicht nur auf Joh 20, 27, und mit „damit ihr Genossen an
der Gnade des Herrn … seid" (EpAp 6) noch einmal auf 1 Joh 1, 4. Dem
schließt sich nach 200 die ›Passio SS. Felicitatis et Perpetuae‹ in 1, 5 an:
„Daher verkünden wir euch, Brüder und Kindlein, was wir gehört und
erfahren haben, damit ihr … Gemeinschaft habt mit den heiligen Märty-
rern."[2] Zitate dieser Stelle auf den Konzilien von Ephesus (ACO I/5
80, 10–22) und Konstantinopel (ACO IV/2 36, 6–13) verbleiben in dem
orthodoxen Bezugsfeld, führen uns aber in spätere Jahrhunderte. Doch
hat der Briefprolog auch eine eigentümliche Nachgeschichte in der
Gnosis, die früher einsetzt, nämlich mit den Apokryphen Apostelakten
aus dem späten 2. bzw. 3. Jahrhundert und mit den Schriftfunden aus
Nag Hammadi. Letztere können – ungeachtet der schriftlichen Fixierung der koptischen Version im 4. Jahrhundert erst – im Grundbestand
ins 2./3. Jahrhundert hinabreichen. Von den Apostelakten zitiert Act-
Thom 143 unseren Leittext: „dessen menschlichen Leib wir auch mit
Händen betastet, dessen verändertes Aussehen wir mit unseren Augen
gesehen haben", während ActJoh in 93 die Sachaussage in eine eigenartige Geschichte kleidet und in 94 die Metaphorik von 1 Joh 1, 5 auf-
nimmt: „Wir danken dir, Licht, in dem Finsternis nicht wohnt."[3] Von
den Nag-Hammadi-Schriften wird der Brief des Jakobus mehrheitlich
vor 150 n. Chr. datiert. Eine Berührung mit 1 Joh 1, 1–3 will man in der
paradoxen Aussage von EpJac NHC I/2 3, 12–25 erkennen (PERKINS),
die der Grundtendenz des johanneischen Textes gerade entgegenläuft:
„Erinnert euch, ihr habt den Sohn des Menschen gesehen, ihr habt mit
ihm gesprochen, und ihr habt auf ihn gehört … glücklich die, die den
Menschen nicht gesehen haben, die nicht mit ihm zusammen waren, die
nicht mit ihm gesprochen haben, die nicht etwas von ihm gehört
haben."[4] Deutlicher fällt im Wortlaut das ›Evangelium Veritatis‹ aus:

---

[2] Text bei G. KRÜGER, G. RUHBACH, Ausgewählte Märtyrerakten (SQS NF
3), Tübingen ⁴1965, 36.

[3] Vgl. dazu E. JUNOD, J. D. KAESTLI, Acta Iohannis (CChr. Series Apocry-
phorum 1), Turnhout 1983, 487–490. 646.

[4] D. ROULEAU, L'Épître apocryphe de Jacques, L. ROY, L'Acte de Pierre
(BCNH 19), Québec 1989, 40 f. 101 f.

„Denn als sie ihn (den Sohn) gesehen und gehört hatten, ließ er (der Geist) sie von ihm kosten und riechen und den geliebten Sohn berühren" (EV NHC I/3 30,27–32). Andere mögliche Kontaktstellen zwischen 1 Joh und den Nag-Hammadi-Schriften wirken um einiges vager:

Vgl. den Geist der Wahrheit, der lehren und salben wird mit der Salbung (dies nur 1 Joh 2,20.27) ewigen Lebens, in HA NHC II/4 96,35 – 97,3 sowie die „Salbung" in EV NHC I/3 36,17–26 (auch EvPhil 95 u. ö.); den „Samen des Vaters" (1 Joh 3,9) EV NHC I/3 43,14 und den „einwohnenden Samen" Protennoia NHC XIII/1 36,16; die „Söhne des Teufels" (1 Joh 3,10) in AuthLog NHC VI/3 33,26; den Parakleten (1 Joh 2,1) in EpJac NHC I/2 11,12 f.; die Rolle Kains in EvPhil 42 = NHC II/3 61,5–10 (vgl. neben Joh 8,44 auch 1 Joh 3,12); „liebt die Welt nicht" (1 Joh 2,15) in EvPhil 112 (78,21); „du sahst den Vater, du wirst zum Vater werden" (s. 1 Joh 3,2) in EvPhil 44 (61,31 f.); evtl. auch EvPhil 100 und 1 Joh 5,6–8.

Grundsätzlich kann man überlegen, ob überhaupt ein literarischer Bezug angenommen werden soll oder ob nicht in manche gnostische Schriften johanneisches Erbe auf einem anderen Weg eingegangen sein kann, daß es etwa die Sezessionisten, die sich zur Zeit des 1 Joh von der Gemeinde des Briefschreibers trennten, eingebracht haben (s. BROWNSON zu den Oden Salomos). Der hypothetische Charakter solcher Erwägungen sei nicht unterschlagen.

Zu spärlich für eine Bewertung ist die Erwähnung der „Gemeinschaft" (κοινωνία, vgl. 1 Joh 1,3.6) des Vaters gegenüber dem Sohn" bei Athenagoras in seiner Bittschrift (Suppl 12,2) von ca. 177. Eher kann man schon überlegen, ob nicht die zeitgleiche, von Eusebius (Hist Eccl V 1,10) aufbewahrte Aussage über einen der Lugdunensischen Märtyrer, er sei mit Hilfe des inwendigen Parakleten bereit gewesen, sein Leben einzusetzen für die Brüder, Kenntnis von 1 Joh 3,16 verrät.

So oder so betreten wir in diesen Jahren um 180 mit Irenäus, dem aus Kleinasien stammenden Bischof von Lyon, endgültig festen Boden. Irenäus bringt ausführliche, wörtliche und kenntlich gemachte Zitate aus 1 Joh 2,18–22 (in Haer III 16,5) und 1 Joh 4,1–3; 5,1 (in Haer III 16,8), daneben evtl. noch Reminiszenzen an 1 Joh 4,6 (in Haer I 9,5: „Geister des Irrtums") und an 1 Joh 1,1–4 (in Haer V 1,1), aber das ist angesichts der eindeutigen Zitate zweitrangig. Nach Irenäus scheinen sozusagen die Schleusen geöffnet zu sein. Frühe Väter des Westens und des Ostens benutzen 1 Joh ganz selbstverständlich und zitieren häufig daraus. Das gilt für Tertullian (gest. nach 220), Cyprian (gest. 258), Clemens von Alexandrien (gest. vor 215) und Origenes (gest. 253/54). Die Zitate lassen sich anhand der Indices in den neueren Ausgaben (GCS,

CChr.SL, SC) leicht aufspüren. Erinnert sei für Tertullian nur an seine breite Auseinandersetzung mit der Sündenlehre des 1 Joh in ›De pudicitia‹ 19,10–28, für Cyprian an den Rückgriff auf 1 Joh 2,1–2 in Ep 11,5; 55,18, für Clemens an die teils freie Wiedergabe von 1 Joh 2,2–6 im ›Paidagogos‹ III 98,2 f. und für Origenes an die Beschäftigung mit der Verheißung der Gottgleichheit aus 1 Joh 3,2 (vgl. Princ III 6,1 u.ö.). Weiter brauchen wir diese Spur nicht mehr zu verfolgen.

2. Stellung im Kanon

L 10: BLUDAU, A.: Die ersten Gegner der Johannesschriften (BSt[F] 22/1–2), Freiburg i.Br. 1925. – CAMPENHAUSEN, H. VON: Die Entstehung der christlichen Bibel (BHTh 39), Tübingen 1968. – METZGER, B.M.: The Canon of the New Testament: Its Origin, Development, and Significance, Oxford 1987. – PREUSCHEN, E.: Analecta. Kürzere Texte zur Geschichte der Alten Kirche und des Kanons. II. Zur Kanonsgeschichte (SQS 8/2), Tübingen ²1910. – SAND, A.: Kanon. Von den Anfängen bis zum Fragmentum Muratorianum (HDG I/3a [1]), Freiburg i.Br. 1974. – ZAHN, T.: Geschichte des Neutestamentlichen Kanons, Bd. I, 1.2, Erlangen–Leipzig 1888–1892.

Benutzung bedeutet im 2. Jahrhundert noch nicht automatisch Kanonisierung. Bei Irenäus z.B. bleibt eine Rangabstufung bestehen. Die Katholischen Briefe, soweit er sie als echte Apostelbriefe verwendet, dienen bei ihm doch „nicht dazu, den Chor der ursprünglichen Zeugen zu verstärken"; sie „haben offenbar noch nicht eine so allgemeine Anerkennung und Bedeutung gewonnen, daß sie in der Auseinandersetzung mit den Ketzern als unwidersprechliche, ‚kanonische' Autorität eingesetzt werden könnten" (CAMPENHAUSEN 227). Für die Kanonfrage spielen Gesichtspunkte wie katalogartige Auflistung, Exklusivität, Geschlossenheit, Gleichrangigkeit mit dem AT, Abgrenzungen gegenüber anderen literarischen Erzeugnissen eine besondere Rolle. Aber auch in dieser Hinsicht werden wir für den 1 Joh sehr bald fündig. Als ältestes Kanonsverzeichnis gilt der Canon Muratori, der auch eine rudimentäre Behandlung von Einleitungsfragen unternimmt. Die außerordentliche Fehlerhaftigkeit der lateinischen Fassung geht zu Lasten des Abschreibers letzter Hand, nicht zu Lasten des Übersetzers. Ihr liegt ein griechisches Original zugrunde, das um 200 in Rom entstanden sein dürfte (nach einem weniger wahrscheinlichen Alternativvorschlag erst um 400 im Osten). Bei seinen Ausführungen über das Johannesevangelium geht der Canon Muratori zur Bestätigung von dessen Echtheit in Z. 26–34 auf den ersten Johannesbrief ein, bringt als Beispiel aber nur ein ver-

kürztes und freies Zitat aus 1 Joh 1,1–4: „Was Wunder also, wenn Johannes, so sich gleichbleibend, das Einzelne auch in seinen Briefen vorbringt, wo er von sich selbst sagt: ‚Was wir gesehen haben mit unseren
Augen und mit den Ohren gehört haben und unsere Hände betastet
haben, das haben wir euch geschrieben.' Denn damit bekennt er (sich)
nicht nur als Augen- und Ohrenzeuge, sondern auch als Schriftsteller
aller Wunder des Herrn der Reihe nach."[5]

Zu den treibenden Kräften bei der Kanonbildung gehören bekanntlich die Abgrenzungsbestrebungen gegenüber Marcion, der nur Lukas
und Paulus in purgierter Fassung akzeptierte, und gegenüber den Montanisten. In dem Zusammenhang ist für uns aufschlußreich, daß ein führender Montanist der zweiten Generation namens Themison „in Nachahmung des Apostels einen katholischen Brief (καθολικὴν ἐπιστολήν)
zu verfassen" wagte (Eusebius, Hist Eccl V 18,5). Welcher Apostel das
war, ob Paulus (eher unwahrscheinlich, so aber METZGER 103), ob
Petrus oder ob Johannes (so BROWN, JohBr 3 Anm.3), ist kaum zu entscheiden. ›Katholische Briefe‹ als Epitheton für eine bestimmte Schriftengruppe ist damit belegt, allerdings erst für die Zeit des Autors der
Polemik gegen Themison, aus der das Zitat stammt, und das ist nach
Eusebius ein Kirchenschriftsteller namens Apollonius (ca. 197). Die
Gruppe besteht zunächst nur aus den drei großen Briefen: Jakobusbrief
(vgl. Hist Eccl II 23,25), erster Petrusbrief (ebd. VI 25,5) und erster Johannesbrief (ebd. VII 25,7.10). Erst in einem weiteren Durchgang wird
sie auf sieben Briefe erweitert. Die spätere Handschriftenüberlieferung
fügt zu den Texten des öfteren als Überschrift bzw. als Unterschrift ἐπι
στολὴ καθολική hinzu (beim 1 Joh z.B. L 049 614). Der Osten scheint
mit dem Begriff „katholisch" mehr die Adressierung an die universale
Kirche, der Westen eher die universale Akzeptanz eines Briefes verbunden zu haben. Beides stimmt in der Sache schon bei dem kleinen
Kanon der drei Katholischen Briefe nicht ganz, wenn wir an die schwankende Stellung des Jakobusbriefs oder an die konkretere Adressierung
des ersten Petrusbriefs denken; erst recht kommen wir damit angesichts
der Sammlung von sieben Katholischen Briefen in Schwierigkeiten.

Auch die antimontanistische Reaktion kennt ihre Extreme. Sie hat
in Gestalt des römischen Presbyters Gaius und der schwer faßbaren
Gruppe der „Aloger" das Johannesevangelium und die Johannesapokalypse abgelehnt, teils sogar den als Erzketzer verschrienen Kerinth zu

---

[5] Text bei ZAHN II,6; PREUSCHEN 28f.; Übers. nach W. SCHNEEMELCHER
(Hrsg.), Neutestamentliche Apokryphen in deutscher Übersetzung. I. Evangelien, Tübingen ⁵1987, 28; vgl. SAND 60–63.

ihrem Autor erklärt (s. u. VII/B. 3). Ob davon auch der erste Johannesbrief betroffen war oder ob er im Gegenteil ausdrücklich verschont
wurde, geht aus den Texten nicht eindeutig hervor und ist auch in der
Forschung umstritten. Im Mittelpunkt der Kontroverse hat 1 Joh jedenfalls nicht gestanden (vgl. BLUDAU 129–131).

Origenes (bei Eusebius, Hist Eccl VI 25, 10) hat den 1 Joh als kano-
nisch akzeptiert, mit der seltsamen Zusatzbemerkung, der Brief zähle
nur „ganz wenige Zeilen", aber für ihn schrieb auch Paulus an seine Gemeinde „nur einige Zeilen" (ebd. 25, 7)! Sein Schüler Dionysius von
Alexandrien identifiziert 1 Joh an den Eingangsversen und konstatiert
die Nähe zum Evangelium: „Das Evangelium und der Brief nämlich
stimmen miteinander überein und beginnen auf gleiche Weise. Dort
heißt es: ‚Im Anfang war das Wort'; hier: ‚Was vom Anfang an war' …
überall dieselben Grundgedanken und Ausdrücke" (ebd. VII 25, 18–
20). Dionysius will damit den großen Abstand zur Apokalypse beweisen, die nicht den gleichen Autor haben könne wie das Evangelium
und der erste Brief. Eusebius selbst stimmt in diesen Chor mit ein und
rechnet in seiner Kanonliste 1 Joh zur Gruppe der völlig unbestrittenen
Schriften (ebd. III 25, 2).

Einen Sonderweg ging die syrische Kirche, die anfangs keinen der Katholischen Briefe kannte, dann aber zu Beginn des 5. Jahrhunderts die
drei großen Briefe Jak, 1 Petr und 1 Joh in die maßgeblich gewordene
Übersetzung der Peschitta aufnahm und damit im wesentlichen auch
kanonisierte. Leise Zweifel an diesen drei werden ab und zu dennoch
laut (vgl. METZGER 220). Theodor von Mopsuestia (gest. 428) z. B.
könnte durchaus noch an dem älteren syrischen Schriftenbestand ohne
die Katholischen Briefe festgehalten haben (METZGER 215). Ansonsten
gab es hinsichtlich des 1 Joh im Osten wie im Westen schon vom 3. Jahrhundert an keine nennenswerten Widerstände. Er fehlt in keiner der
gängigen Kanonlisten und geht in die Definierung des bis heute ge-
bräuchlichen Kanons durch die Synoden von Hippo Regius 393 und
Karthago 397/419 für Nordafrika und durch den 39. Osterfestbrief des
Athanasius von 367 für Ägypten, jeweils mit weiterreichender Wirkung,
ein.

Ein Wort noch zur äußeren Anordnung der neutestamentlichen
Schriften, insbesondere der Katholischen Briefe und des 1 Joh (vgl.
ZAHN I, 375–383). Während der Canon Muratori grob gesehen die für
uns gewohnte Reihenfolge Evangelien, Apostelgeschichte, Paulusbriefe, Katholische Briefe und Offenbarung vertritt, dokumentieren nahezu alle griechischen Bibelhandschriften eine andere Praxis, bei der die
Katholischen Briefe zwischen der Apostelgeschichte und dem Corpus

Paulinum stehen. Das kann an Gal 2,9 abgelesen sein (METZGER 296): Die drei „Säulenapostel" Jakobus, Kephas und Johannes gehören mit ihren Schriften vor Paulus, den „Geringsten der Apostel" (1 Kor 15,9). Auch die interne Abfolge Jakobusbrief, Petrusbriefe und Johannesbriefe ist mit Gal 2,9 auffällig kongruent. Öfter tauchen daneben die Petrusbriefe und gelegentlich die Johannesbriefe in erster Position auf. Die kirchenpolitische Vorrangstellung des Petrus, aber auch die größere Gesamtlänge der beiden Petrusbriefe oder im letztgenannten Fall die sonst nicht mehr erreichte Dreizahl von Briefen eines Verfassers haben dabei mitgespielt.

B. Der zweite und dritte Johannesbrief

1. Frühe Bezeugung

L 11: CRAMER, J. A.: Catenae Graecorum Patrum in Novum Testamentum. VIII. Catena in epistolas catholicas, Oxford 1840, Repr. Hildesheim 1967. – EHRMAN, B. D.: The New Testament Canon of Didymus the Blind, in: VigChr 37 (1983) 1–21. – HAIDACHER, S.: Chrysostomus-Fragmente zu den katholischen Briefen, in: ZKTh 26 (1902) 190–194. – LEIPOLDT, J.: Geschichte des neutestamentlichen Kanons. I. Die Entstehung, Leipzig 1907. – LIEU: Epistles (L 02) 5–36. – METZGER: Canon (L 10). – POGGEL, H.: Der zweite und dritte Brief des Apostels Johannes geprüft auf ihren kanonischen Charakter, Paderborn 1896. – SCHEPENS, P.: „Iohannes in epistula sua" (Saint Cyprien, passim), in: RSR 11 (1921) 87–89. – STAAB, K.: Die griechischen Katenenkommentare zu den katholischen Briefen, in: Bib. 5 (1924) 296–353.

Die beiden kleinen Johannesbriefe stellen hinsichtlich ihrer Bezeugung und ihrer Aufnahme in den Kanon vor besondere Probleme. Es handelt sich zunächst um zwei sehr kurze Texte, um die kürzesten überhaupt im NT, mit 219 Wörtern für 3 Joh und 245 für 2 Joh. Der Philemonbrief hat zum Vergleich 355 Wörter und der Judasbrief 457.[6] Durch seine Adressierung an „den geliebten Gaius" in V. 1 hat 3 Joh den Status eines Privatbriefes, nicht eines Gemeindebriefes. Genauso konnte 2 Joh aufgefaßt werden, wenn man die „auserwählte Herrin" in der Anschrift nicht als bildhafte Bezeichnung einer Ortsgemeinde, sondern als individuelle christliche Frau verstand. Daß der Autor sich in beiden Fällen als Presbyter bezeichnet, mußte Zweifel an seiner Identität mit dem Apo-

---

[6] Nach BROWN, JohBr 727 Anm. 1. Noch genauer SCHNACKENBURG, JohBr 295: 1 105 Buchstaben für 3 Joh, 1 126 Buchstaben für 2 Joh.

stel Johannes und damit am apostolischen Charakter seiner Schreiben wecken. Abgesehen von V. 10–11 enthält 2 Joh kaum einen Gedanken, der sich nicht auch im 1 Joh finden würde. 3 Joh erweckt beim ersten Lesen den Eindruck, theologisch wenig ergiebig zu sein und längst überholte Zustände mit umherziehenden Wanderpropheten widerzuspiegeln. Es gab für die Theologen der ersten Jahrhunderte wenig Gründe, aus 2/3 Joh zu zitieren. Das rät zu einer gewissen Vorsicht bei der Argumentation *e silentio*, auf die wir in diesem Fall mehrfach angewiesen sind.

Hinzu kommen Eigentümlichkeiten im Sprachgebrauch. Wenn Clemens von Alexandrien von 1 Joh als dem „größeren (μείζονι) Brief des Johannes" spricht (Strom II 66,4) oder Eusebius ihn als den „früheren (προτέραν) Brief" bezeichnet (Hist Eccl III 25,2), würde das nach den klassischen Regeln der Schulgrammatik besagen, daß er der größere oder frühere von nur zwei Briefen war. Eusebius nennt aber im gleichen Atemzug zwei weitere Johannesbriefe (ebd. 25,3), kennt im ganzen also drei. Komparativ und Superlativ wurden in der späteren Gräzität nicht mehr sorgfältig auseinandergehalten. Für Clemens kann man also allein aus dem μείζων noch keine zwingenden Schlüsse ziehen. Nicht viel anders verhält es sich, wenn ein Autor wie Cyprian konstant nur von *dem* Brief des Johannes spricht. Auch das schließt die Kenntnis weiterer Johannesbriefe nicht von vornherein aus, da er ganz ähnlich auch vom Römerbrief oder vom ersten Korintherbrief als *dem* Brief des Paulus reden konnte, in vollem Wissen um die Existenz des Corpus Paulinum. Hier hat *in epistula sua* den Sinn von „in einem seiner Briefe" (vgl. SCHEPENS).

Aus all diesen Gründen erscheint es verständlich, wenn in der Forschung oft Kontroversen darüber entstehen, ob ein bestimmter Autor mehr als einen Johannesbrief kennt, ob er nur 2 Joh zusätzlich einbezieht oder 2 und 3 Joh, ob er einen oder beide Briefe zum Kanon rechnet oder nicht, ob er sie u. U. sogar bewußt übergeht (zu einem Einzelbeispiel, Didymus dem Blinden mit seinem exegetischen Werk, das bei den Johannesbriefen Differenzen zwischen den griechischen Resten und der lateinischen Übersetzung aufweist, vgl. EHRMAN 7: "... not once does Didymus cite 2 or 3 John. Nor does he even allude to their existence"). Hier stehen sehr diffizile Einzelfragen an. Dennoch zeichnen sich einige Grundzüge ab, die in ihrer Art bemerkenswert und auffällig genug sind.

Wir beginnen wieder mit Polykarp und Papias. (1) Die oben schon diskutierte Stelle Polyk 7,1: „Denn jeder, der nicht bekennt, daß Jesus Christus im Fleisch gekommen ist, ist ein Antichrist", ähnelt nicht nur 1 Joh 4,2–3, sondern auch 2 Joh 7: „Denn viele Verführer sind hinausgegangen in die Welt, die nicht bekennen Jesus Christus als kommend (ἐρχόμενον, Part. Präs.) im Fleisch. Dieser ist der Verführer und der Antichrist." Etwas näher bei Polyk 7,1 stehen in 2 Joh 7: der Doppelname „Jesus Christus" (in 1 Joh 4 nur in V. 2, nicht in der negierten Fassung von V. 3), das ἐστιν ... ἀντίχριστος am Versende (in 1 Joh 4,3 statt dessen „und dies ist das des Antichristen"), der Verzicht auf das Pneuma als Subjekt des Bekennens (so aber 1 Joh 4,2–3) und die Tatsache, daß die positive Alternative aus 1 Joh 4,2 fehlt und der ganze Bekenntnissatz von vornherein nur in der negativen Fassung auftaucht. Entgegenzuhalten ist dem aber die Vergangenheitsform ἐληλυθέναι bei Polykarp (wie ἐληλυθότα in 1 Joh 4,2), die Wortstellung im Bekenntnissatz (ἐν σαρκί vor ἔρχεσθαι), das einleitende πᾶς als Aufnahme von πᾶν in 1 Joh 4,2–3, damit verbunden die Singularform und schließlich der Kontext, der etwas mehr an 1 Joh gemahnt. Wir kommen für Polykarp mit der Annahme einer freien Paraphrase von 1 Joh 4,2–3 aus.[7] (2) Wenn Eusebius den Papias Zeugnisse aus dem „früheren Brief" des Johannes (so wörtlich Hist Eccl III 39,17: προτέρας ἐπιστολῆς) benutzen läßt, so sind das seine, des Eusebius, eigene Worte und besagen nichts für Papias (LIEU 6). An früherer Stelle hatte Papias seine besondere Freude an denen, „welche die vom Herrn dem Glauben gegebenen und aus der Wahrheit selbst (ἀπ᾽ αὐτῆς ... τῆς ἀληθείας) entsprungenen Gebote bieten" (ebd. 39,4). Damit wird gern (vgl. z. B. STRECKER, JohBr 11 f.) aus 3 Joh der Anfang von V. 12 parallelisiert: „Für Demetrius wurde Zeugnis abgelegt von allen und von der Wahrheit selbst (ὑπὸ αὐτῆς τῆς ἀληθείας)." Die fragliche, sehr knappe Wendung sollte in ihrer Relevanz nicht überschätzt werden. Ähnliche Ausdrücke werden im Griechischen namentlich bei Gerichtsrednern und Historikern in nicht sonderlich signifikanter Weise zur Verstärkung eingestreut (z. B. Demosthenes, Or 18,22; 59,15; Polybius I 21,3; 84,6). Wie weit die theologische Überhöhung in 3 Joh 12 reicht, wäre bei der Exegese dieses Verses zu klären. Es liegt dort noch nicht vor, was Papias offenkundig anstrebt, nämlich eine personale Deutung der Wahrheit auf Christus, den Herrn (s. PGL 71 s. v. B/3 a). Dafür würde aber auch Joh 14,6 genügen. Eine frühe Bezeugung des 3 Joh wird sich auf dieser fragilen Grundlage nicht postulieren lassen.

Wiederum gewinnen wir einen sicheren Anhaltspunkt erst um 180 bei Irenäus von Lyon, und bei ihm nur für 2 Joh. Mit der Einleitung:

---

[7] Anders etwa POGGEL 53, der aber durchweg viel zu forsch auftritt. Völlig haltlos ist z. B. die Inanspruchnahme von Herm sim IX 25,2 für 2 Joh 4 und 3 Joh 3–4 (POGGEL 57). Bei Ignatius, Sm 4,1: „Ich treffe aber Vorsorge für euch gegen die Bestien in Menschengestalt, die ihr nicht nur nicht aufnehmen, sondern denen ihr womöglich auch nicht begegnen dürft", muß kein direkter Rückgriff auf 2 Joh 10–11 vorliegen (gegen POGGEL ebd.); der Gedankengang ist ähnlich, der Wortlaut nicht. Bei der herkömmlichen Frühdatierung der Ignatianen wäre dieses Zeugnis sonst extrem wichtig, auch bei der Spätdatierung auf ca. 160/70 würde es noch weiter zurückreichen als unser Hauptzeuge Irenäus von Lyon, stünde aber nicht mehr so isoliert da.

„Johannes aber, der Schüler des Herrn, dehnte ihre Verurteilung noch
weiter aus, indem er nicht einmal will, daß wir sie grüßen", zitiert er in
Haer I 16,3 das Grußverbot aus 2 Joh 10 – 11. In Haer III 16,8 führt er
nacheinander im Wortlaut die inhaltlich benachbarten Stellen 2 Joh 7
und 1 Joh 4,1–3 (s. o.) an. Die beiden gemeinsame Zitationsformel
lautet aber: „Johannes befiehlt uns in dem bereits genannten Brief (das
ist 1 Joh in III 16,5), vor ihnen zu fliehen, indem er sagt ..."; ebenso die
Überleitung zu 1 Joh 4,1–3: „Und wiederum sagt er in seinem Briefe."
Mit anderen Worten, es steht nicht fest, ob Irenäus den 2 Joh überhaupt
deutlich vom 1 Joh unterschieden hat. Vermutlich hat er aus dem Gedächtnis zitiert. Vom 3 Joh fehlt jede Spur. Eusebius sagt über Irenäus
nur: „Er erwähnt aber auch den ersten (πρώτη) Brief des Johannes und
führt sehr viele Zeugnisse daraus an" (Hist Eccl V 8,7).

Clemens von Alexandrien hat nach Eusebius mit seinen Hypotypo-
sen einen knappen Kommentar zur ganzen Bibel, darunter auch die
Katholischen Briefe, geschrieben (Hist Eccl VI 14,1). Im Bereich der
Johannesbriefe ist davon nur die von Cassiodor um 540 initiierte Übersetzung der Auslegung von 1 und 2 Joh ins Lateinische erhalten geblieben (209–215 GCS 17²). Da Clemens in seinem Gesamtwerk 3 Joh nie zitiert, kann seine Kenntnis von 3 Joh nicht ohne weiteres vorausgesetzt
werden. Aus Tertullian lassen sich keine Nachweise für 2/3 Joh erbringen (das Fehlen von 2 Joh hält LEIPOLDT 235 für Zufall). Cyprian
von Karthago benutzt weder 2 Joh noch 3 Joh. Bei ihm liegt der Fall
etwas komplizierter, weil er am Konzil von Karthago 256 maßgeblich
beteiligt war. Ihm konnte nicht entgehen, daß bei der Gelegenheit Aure-
lius, der Bischof von Chullabi, 2 Joh 10 – 11 ins Feld führte, um die Notwendigkeit einer erneuten Taufe von Häretikern bei der Wiederauf-
nahme in die Kirche – so auch das einstimmige Votum des Konzils – zu
begründen.[8] Daß Cyprian in seinen ›Testimonia‹ dennoch 2 Joh nicht
als Beweisstück für den empfohlenen Umgang mit Häretikern verwendet, bleibt ein Rätsel, das sich wohl nur quellenkritisch lösen läßt,
durch Annahme der Reproduktion einer älteren Vorlage, falls es nicht
gar eine bewußte Option gegen 2 Joh auf seiten Cyprians impliziert.
Gerade 2 Joh 10 – 11 ist ansonsten der Text, dem eine breite frühe Rezeption zuteil wurde, immer im Rahmen von innerkirchlichen und doktri-
nären Konflikten.

[8] Vgl. H. VON SODEN, Sententiae LXXXVII episcoporum. Das Protokoll
der Synode von Karthago am 1. September 256, textkritisch hergestellt und
überlieferungsgeschichtlich untersucht, in: NGWG.PH 1909, 247–307, hier
275 f.

Vgl. an Belegen aus dem 3. bis 5. Jahrhundert: Firmilian, bei Cyprian, Ep 75, 25; Alexander (Patriarch von Alexandrien ca. 313–328), bei Socrates, Hist Eccl 1, 6; Lucifer von Cagliari, De non conveniendo cum haereticis 13 f.; Optatus von Mileve, Contra Parmenianum 4, 5; Ambrosius, Ep 11, 4; Hieronymus, Ep 89, 2; Augustinus, De baptismo VII 45, 88 f.; Ps.-Augustinus, Speculum 50; Vinzenz von Lerin, Commonitorium 24 (33); s. LIEU 33; vgl. Anm. 6 zu Ignatius.

Vergleichbare explizite Bezugnahmen auf 3 Joh fehlen noch. Sie finden sich im 4. Jahrhundert erst im Ambrosiaster aus Anlaß einer Identifizierung des Gaius aus Röm 16, 23 mit dem Gaius aus 3 Joh 1 (490, 24–26 CSEL 81/1; ebd. 413, 20–22 auch ein Rückgriff auf 2 Joh 7. 10) und bei Hieronymus aus Anlaß der Deutung der Eigennamen Diotrephes und Demetrius aus 3 Joh 9 und 12 (151, 10 f. CChr. SL 72), an anderer Stelle zum Zweck eines Seitenhiebs auf die ungastlichen Bischöfe seiner Tage im Anschluß an 3 Joh 10 (568B PL 26). Die wenigen Katenenfragmente bei CRAMER 146–148 für 2 Joh und 149–152 für 3 Joh sind kaum sehr frühen Ursprungs, auch wenn STAAB 321 über HAIDACHER hinaus ein Scholion zu 3 Joh 5–8 dem Johannes Chrysostomus zuweist, dem die Forschung sonst überwiegend eine Verwendung der kleinen Johannesbriefe abspricht (METZGER 214 f.).[9] Auf diese Weise wären weitere Autoren der ersten Jahrhunderte vom 3. bis zum 6. zu sichten und die Deutungsmöglichkeiten für ihr Schweigen oder ihre partielle Beredsamkeit zu diskutieren. Bei dieser Arbeit, für die hier nur einzelne Beispiele geboten werden können, geraten wir mehr und mehr in die Kanonsgeschichte im engeren Sinn, wo es um Festlegung und Abgrenzung geht, hinein.

2. Stellung im Kanon

L 12: DOBSCHÜTZ, E. VON: Das Decretum Gelasianum de libris recipiendis et non recipiendis. In kritischem Text herausgegeben und untersucht (TU 38/4), Leipzig 1912. – KATZ, P.: The Johannine Epistles in the Muratorian Canon, in: JThS NS 8 (1957) 273–274. – LEIPOLDT, J.: Geschichte des neutestamentlichen Kanons. II. Mittelalter und Neuzeit, Leipzig 1908. – LIEU: Epistles (L 02) 5–36. – MANSON, T. W.: Entry into Membership of the Early Church, in: JThS 48 (1947) 25–33, hier 32 f.: Additional Note: The Johannine Epistles and the Canon of the New Testament. – METZGER: Canon (L 10). – PREUSCHEN: Analecta (L 10). – SIKER, J. S.: The Canonical Status of the Catholic Epistles in the Syriac

---

[9] Die Suda behauptet s. v. Ἰωάννης, Chrysostomus habe alle drei Johannesbriefe akzeptiert, vgl. A. ADLER (Hrsg.), Lexicographi Graeci. I. Suidae Lexicon (Sammlung wissenschaftlicher Commentare), Bd. 2, Repr. Stuttgart 1967, 647.

New Testament, in: JThS NS 38 (1987) 311–329. – THIELE: VL 26/1 (L 03). –
TURNER, C. H.: Latin Lists of the Canonical Books. I. The Roman Council
under Damasus, A. D. 382, in: JThS 1 (1900) 554–560. – ZAHN: Geschichte
(L 10). – ZIEGENAUS, A.: Kanon. Von der Väterzeit bis zur Gegenwart (HDG
I/3 a[2]), Freiburg i. Br. 1990.

Der Canon Muratori spricht um 200 nicht nur von einem Johannesbrief. Er hatte schon in Zeile 28 aus Anlaß des 1 Joh den Plural *in epi-
stulis suis*, was die Forschung fast unisono im Sinne eines Singulars erklärt. Leider macht die barbarische Orthographie des Abschreibers die
andere Schlüsselstelle in Zeile 68 f. nahezu unverständlich. Es heißt dort
(zu Text und Übersetzung s. Anm. 4): *epistola sane iude et superscrictio
iohannis duas in catholica habentur.* Die darauf folgende, einigermaßen
überraschende Erwähnung der Weisheit Salomos als eine Art „Fest-
gabe" seiner Freunde für ihn schließt mit *et* an, nicht mit *ut.* Sie steht für
sich und soll nicht etwa, wie DÜSTERDIECK, JohBr II, 464, noch annahm, per Analogieschluß die Abfassungsverhältnisse der Johannesbriefe – dann im Sinne ihrer zweifelhaften Herkunft – erhellen. Je
nachdem, ob man nun in Z. 68 f. das unmöglich *superscrictio* in *super-
scriptae* verbessert und *duae* (statt *duas*) *epistolae* ergänzt oder ob man
superscripti liest und es zu *iohannis* zieht, resultiert daraus die Übersetzung: „Ferner werden ein Brief des Judas und zwei mit der Überschrift
‚Johannes' in der katholischen Kirche (in Ehren) gehalten", oder: „...
zwei Briefe des oben erwähnten Johannes" (vgl. Zeile 9. 15. 27). Dafür,
am Schluß „in der katholischen Kirche in Ehren gehalten" zu lesen und
nicht etwa „unter die Katholischen Briefe gezählt", spricht auch *in catholicam ecclesiam recepi* wenig vorher in Zeile 66. Die entscheidende
Frage lautet, was die beiden Briefe aus Zeile 69 meinen, (a) 1 Joh, von
dem oben schon die Rede war, im Verein mit 2 Joh oder (b) 2 Joh und
3 Joh in Addition zu 1 Joh. KATZ wollte das mit Hilfe einer ingeniösen,
aber waghalsigen Konjektur klären. Es müsse heißen: *duae sin catholica*, im griechischen Original: δύο σὺν καθολικῇ (auch πρὸς καθο-
λικήν wurde vorgeschlagen), sinngemäß also: zwei weitere Briefe, die
hinzukommen zu dem großen Katholischen Brief, d. h. zu 1 Joh. So verstanden wäre der Canon Muratori das früheste Zeugnis für eine noch
etwas zögernde Aufnahme von 2 und 3 Joh in den Kanon (man beachte
den Nachtragscharakter dieser Zeilen und die Vorbehalte bei ZAHN II,
92 f.). Aber kann *catholica* zu diesem Zeitpunkt überhaupt schon als
technisches Kürzel für den 1 Joh vorausgesetzt werden? Ein erneutes
Aufzählen des schon erwähnten 1 Joh erscheint ohne weiteres möglich,
kommt doch auch die Johannesoffenbarung zweimal vor, in Zeile 57 f.
und in Zeile 71. Wir werden uns mit einem sicheren Beleg für 2 Joh be-

gnügen müssen und auf die allzu hypothetische Argumentation zugunsten von 3 Joh verzichten (vgl. LIEU 23).

Aus dem bisher Gesagten geht hervor, daß es trotz des Protestes von ZAHN (I, 212: „eine Erfindung neuerer Gelehrter") zu bestimmten Zeiten und in bestimmten Kreisen eine Zusammenstellung von 1 Joh und 2 Joh ohne 3 Joh gab, 2 und 3 Joh also keineswegs immer als Zwillingspaar „unter sich untrennbar verbunden" (ebd.; vgl. auch ZIEGENAUS 174) waren. Man will das auch daran ablesen, daß 3 Joh von einer anderen Hand als 1/2 Joh ins Lateinische übersetzt worden sei (MANSON). Doch dabei ist Vorsicht geboten. Tatsächlich verhält es sich so, daß lateinische Versionen des 3 Joh ungeachtet des Alters der jeweiligen Handschrift Spuren älteren Übersetzungsvokabulars und älterer Übersetzungstechnik aufbewahrt haben, die sich für 1 Joh und 2 Joh nur in alten Textzeugen finden, die ihrerseits für 3 Joh ausfallen. Das erfordert nicht unbedingt eine gesonderte Übersetzung für 3 Joh, wohl aber eine zeitliche Verzögerung, einen "time lag" bei der Textüberlieferung. THIELE 91* konstatiert lediglich: „Für eine Erörterung über die ursprüngliche Einheit der lateinischen Übersetzung bietet 3 Joh kein ausreichendes Material", tendiert im ganzen aber zu einer einheitlichen Erstübersetzung der sieben Katholischen Briefe ins Lateinische (ebd. 97*).

Origenes hat Eusebius zufolge 2/3 Joh nur mit Vorbehalten zu seinem Kanon gezählt: „Auch noch einen zweiten und dritten Brief mag er (Johannes) geschrieben haben, dieselben werden jedoch nicht allgemein als echt anerkannt. Beide Briefe zählen indes keine hundert Zeilen" (Hist Eccl VI 25, 10). In seinen Homilien zum Buch Josua vergleicht Origenes die Trompetenstöße vor Jericho mit dem Werk der neutestamentlichen Autoren. Johannes stimme in dieses Konzert auch mit seinen Briefen ein (Hom in Jos 7, 1). Wir besitzen davon aber nur die lateinische Übersetzung des Rufinus (ca. 345–410), der nachgebessert haben könnte. Wenig beachtet werden Anspielungen des Origenes auf 2 Joh 12 und/oder 3 Joh 13 in Hom in Ex 4, 2 und in Comm in Mt Ser 16. Des Origenes Schüler Dionysius von Alexandrien hält zu 2/3 Joh nur fest, daß die Briefe kurz und anonym sind, weil nicht „Johannes" an der Spitze steht, sondern nur „der Presbyter" (Hist Eccl VII 25, 11). Eusebius selbst weiß, daß die beiden kleinen Briefe bestritten werden (ebd. III 24, 17). Er rechnet sie zu seinem Kanon, aber unter den Antilegomena, „welche indes gleichwohl bei den meisten in Ansehen stehen"; die Briefe sind „entweder dem Evangelisten oder einem anderen Johannes zuzuschreiben" (ebd. 25, 3). Großzügiger zeigt er sich in der ›Demonstratio evangelica‹, wenn er dort dem Apostel Johannes neben

dem Evangelium ohne weiteres auch die Briefe zuschreibt, in denen
dieser sich „Presbyter" nennt (Dem Ev III 5, 88).

Die Differenzierung in der Verfasserfrage, die sich hier abzeichnet,
war durch das Auftreten des Presbyters Johannes neben den Apostel-
namen aus der Zwölferliste in dem vieldiskutierten Papiasfragment
(Hist Eccl III 39, 4) bereits angebahnt. Hieronymus vertritt in ›De viris
illustribus‹ 9 und 18 die Meinung, 2 und 3 Joh seien von dem Presbyter
Johannes, nicht von dem Evangelisten Johannes verfaßt. Obwohl Hieronymus in seinen Briefen eigenartigerweise diese Unterscheidung
selbst nicht durchhält (vgl. Ep 53, 9; 123, 11; 146, 5), geht sie in den – hinsichtlich seiner Echtheit umstrittenen – Beschluß einer römischen
Synode von 382 ein, die nur in der älteren Textfassung unter den bekannten 27 Büchern des NT aufzählt: *Iohannis apostoli epistula una,
alterius Iohannis presbyteri epistulae duae* (DOBSCHÜTZ 6; TURNER
559). Das erlaubt eine größere Freiheit in der Kanonsentscheidung; es
hilft auch, die Widerstände gegen 2/3 Joh zu erklären.

Widerstände bleiben auch weiterhin bestehen. Das von Theodor
Mommsen identifizierte Kanonsverzeichnis von ca. 360 weist im Chel-
tenhamcodex die Eigenart auf, daß bei der Auflistung der drei Johannesbriefe und der zwei Petrusbriefe in der nächsten Zeile jedes Mal *una sola*
steht (Text bei ZAHN II, 145; PREUSCHEN 37). Das ist der Protest des un-
willigen Schreibers gegen die seiner Meinung nach zu hohe Zahl der Katholischen Briefe in seiner Vorlage (METZGER 231 f.). Amphilochius von
Iconium (gest. nach 394) hält in Gedichtform die Zweifel daran wach,
ob es wirklich sieben Katholische Briefe gab oder nur drei.[10] Hartnäk-
kige Ablehnung behauptete sich auch in der antiochenischen Schule bis
weit ins 5. Jahrhundert hinein (vgl. u. zum syrischen Kanon). In einer
Homilie zu Mt 21, 23 stellt ein unbekannter Autor (Pseudo-Chryso-
stomus, In qua potestate 6 [424 PG 56]) fest, 1 Joh zähle zu den kirch-
lich anerkannten (ἐκκλησιαζομένων), nicht zu den apokryphen Schriften, während die Väter 2/3 Joh aus dem Kanon ausschlössen (ἀποκανο-
νίζουσι; weiteres bei LIEU 16 f.).

Andererseits gibt um 350 Cyrill von Jerusalem in seinen Katechesen
die Zahl der Katholischen Briefe ohne Wenn und Aber mit sieben an
(4, 36; ZAHN II, 179). Nur mit Vorsicht zu benutzen ist der Kanon der
Synode von Laodicea im Jahre 363, der die drei Johannesbriefe umfaßt:
Der betreffende Paragraph könnte an den Synodenbeschluß später
angehängt worden sein (METZGER 210). Der Katalog der biblischen

---

[10] Iamb Seleuc 310–315, bei E. OBERG (Hrsg.), Amphilochii Iconiensis Iambi
ad Seleucum (PTS 9), Berlin 1969, 39; vgl. METZGER, Canon 212.

Bücher im Codex Claromontanus, vielleicht ins 4. Jahrhundert zu datieren, listet drei Johannesbriefe auf. Die großen Bibelhandschriften des 4. und 5. Jahrhunderts enthalten sie (s. I/A. 1). Um 400 haben auch 2 und 3 Joh mit dem 39. Osterfestbrief des Athanasius und den Synoden von Hippo Regius und Karthago (s. o.) das Ziel ihrer Odyssee im wesentlichen erreicht. Sie sind für die griechische Ostkirche und – vom Osten beeinflußt, von Augustinus maßgeblich gefördert – für die Westkirche in den Kanon der 27 Schriften des NT eingegangen, von Nachhutgefechten, die hier und da aufflackern, abgesehen. Nicht unwesentlich hat wohl mitgespielt, daß die Katholischen Briefe damit endgültig auf die symbolische Siebenzahl aufgestockt sind und so die Hälfte des erweiterten Corpus Paulinum mit 14 Schriftstücken ausmachen.

Sonderentwicklungen des Kanon in der koptischen und in der äthiopischen Kirche betreffen die kleinen Johannesbriefe nicht. Anders sieht es in der syrischen Kirche aus. Die Nestorianer, die sich 431 nach dem Konzil von Ephesus selbständig machten, bleiben beim Kanon der Peschitta stehen und akzeptieren 2/3 Joh nicht mehr. Die philoxenianische Übersetzung von 508 ebenso wie die noch spätere des Thomas von Harkel von 616 enthalten 2/3 Joh, sie sind in ihrem Wirkungskreis aber auf die monophysitische Kirche Westsyriens beschränkt (SIKER).

Dem Nestorianismus und der Theologenschule im syrischen Nisibis ist auch Kosmas Indikopleustes, d. h. „der Indienfahrer", verhaftet. In seiner ›Topographia christiana‹, niedergeschrieben um 550 in Alexandrien, sagt er von den Katholischen Briefen, sie seien seit alters her umstritten: „Die Mehrzahl erklärt sie nicht als Werk von Aposteln, sondern von irgendwelchen einfacheren Presbytern." Manche machen für 1 Joh – neben 1 Petr und Jak – eine Ausnahme, aber: „Der erste, zweite und dritte Johannesbrief sind offensichtlich so geschrieben, daß die drei zusammen von einer einzigen Person stammen." Die Syrer erkennen aber (strenggenommen inkonsequenterweise) 1 Joh an, 2/3 Joh aber nicht. Kosmas, für den im übrigen apostolische Verfasserschaft Hauptkriterium der Kanonizität darstellt, schließt mit der Mahnung: „Ein aufrechter Christ darf sich also nicht auf umstrittene Schriften stützen, zumal da die kanonischen und allgemein anerkannten Schriften zu Genüge alles aufzeigen, was die Himmel, die Erde, die Elemente und jede Lehre der Christen betrifft" (7, 68–70 = 129–133 SC 197; vgl. ZIEGENAUS 62).

Daß sich 2 Joh und vor allem 3 Joh letztlich doch im Kanon behauptet haben, ist keineswegs so selbstverständlich. Möglich war dieser Weg letztlich nur im Schatten der Autorität des Apostels Johannes als vermeintlicher Autor des weithin rezipierten Evangeliums und des großen ersten Briefes. Die kritischen Bedenken, zeitweilig eingegangen in die Zwischenlösung von der doppelten Verfasserschaft, wurden hintangestellt. 2 Joh gelangte, wie bei Irenäus ersichtlich, im Schlepptau des

1 Joh zur Zitationsfähigkeit. Der kleine Brief verstärkte Themen des großen Briefes und bot mit V. 10–11 zusätzlich eine willkommene handliche Regel für den Umgang mit Häretikern. Es muß daneben trotz der verzögerten Rezeption des 3 Joh auch eine weiter zurückreichende Verbindung von 2 Joh und 3 Joh gegeben haben. Für sich allein genommen konnte 3 Joh kaum Gründe bieten, die gerade seine Aufnahme zwingend erscheinen ließen. Zeitweilig sieht es eher so aus, als könne seine Existenz die Akzeptanz des erfolgreicheren Gefährten 2 Joh gefährden. Nur im Tandem mit 2 Joh und auf diese Weise angekoppelt an die großen Erzeugnisse der johanneischen Schule, das Evangelium und den ersten Brief, gelangte auch 3 Joh letztendlich zu kanonischen Ehren.

In der Reformationszeit schien es manchmal so, als würden die alten Kämpfe erneut aufflammen. Zweifel an der Echtheit und an der Verbindlichkeit von 2/3 Joh werden wieder hervorgeholt, von Erasmus (LEIPOLDT 16), von Kajetan (ebd. 36 f.), von Brenz (ebd. 128). Auch Martin Luther macht Unterschiede, die 2/3 Joh mitbetreffen (ebd. 70 f.). Aber es geht dabei meist nicht um die prinzipielle Zugehörigkeit zum Kanon, sondern um den Grad an Autorität innerhalb des bestehenden Kanons. Auf diesem Boden bewegt sich auch Karlstadts ›De canonicis libris libellus‹ von 1520. Drei Autoritätsgrade werden unterschieden. Die beiden kleinen Johannesbriefe gehören zur letzten Gruppe mit der geringsten Autorität, weil sie in der Alten Kirche umstritten waren, ohne daß sie für Karlstadt deshalb aus dem Kanon herausfielen (ebd. 109 f.; ZIEGENAUS 205 f.). Unter historischem Gesichtspunkt spielt bei ihm und anderen Kritikern immer wieder die Abhebung des Presbyters Johannes als Autor der kleinen Briefe vom Apostel herein. Das Trienter Konzil hat mit der feierlichen Promulgation des Dekrets ›De libris sacris‹ vom 8. April 1546 für die katholische Kirche den Kanon des NT im traditionellen Umfang von 27 Büchern, darunter alle drei Johannesbriefe (DS 1503: *Ioannis Apostoli tres*), abschließend festgelegt.

In den letzten 200 bis 300 Jahren hat die Theologie nicht mehr ernsthaft am neutestamentlichen Kanon zu rütteln versucht. Das wäre auch ein wenig sinnvolles Unterfangen. Selbstverständlich wird und muß historische Forschung weiterhin die verschlungenen Pfade der Entstehung des Kanon nachzeichnen und den Finger auf manche Zufälligkeiten legen, die dabei mitgewirkt haben. Aber in seiner Gewordenheit gehört der Kanon zur geschichtlich gewachsenen Grundgestalt der Kirche. Ihn auflösen wollen hieße, diese Hineinverflochtenheit des Glaubensvollzugs in Zeit und Geschichte verkennen (METZGER 275: "In short, the canon cannot be remade – for the simple reason that history cannot be remade"). Randunschärfen bleiben, und sie stellen eine ökumenische Aufgabe dar. Daß dies nicht nur für die deuterokanonischen Bücher des AT gilt, sondern auch für die kleinen Johannesbriefe, wird meist übersehen, da eine geographisch weit entfernte Kirchengemeinschaft wie die ostsyrische außerhalb unseres Gesichtskreises liegt und von der ökumenischen Geschäftigkeit nicht erfaßt wird. Die prinzipielle Frage ist dennoch gestellt. Entscheidend wird es auf die Benutzbarkeit und auf die Benutzung der Schriften ankommen. Wie nahe stehen sie als Zeugnisse beim ursprünglichen Christusgeschehen? Welches Deutungspotential enthalten sie? Haben sie teil an der Selbstevidenz jener Bücher des NT, die als Gründungsurkunden des Glaubens nie umstritten waren? Das Ergebnis der Kanondiskussion ist als Herausforderung zu verstehen, durch Interpretation den theologischen Gehalt der kleinen Johannesbriefe und ihre Botschaft an die Christenheit von heute ins rechte Licht zu rücken.

C. Verlorene Johannesbriefe?

L 13: BARDSLEY, H.J.: Reconstructions of Early Christian Documents, London 1935. – BRESKY, B.: Das Verhältnis des zweiten Johannesbriefes zum dritten, Münster 1906. – BRUNS, J.E.: Biblical Citations and the Agraphon in Pseudo-Cyprian's Liber de Montibus Sura et Sion, in: VigChr 26 (1972) 112–116. – JUNOD, E., J.D. KAESTLI: L'histoire des Actes apocryphes des apôtres du IIIe au IXe siècle: le cas des Actes de Jean (Cahiers de la RThPh 7), Lausanne 1982. – RESCH, A.: Agrapha. Aussercanonische Schriftfragmente (TU 30/3–4), Leipzig ²1906.

In 3 Joh 9 gibt der Presbyter seinem Adressaten Gaius zu verstehen: „Ich habe etwas an die Gemeinde geschrieben", so nach der Lesart in ℵ* A 048 1241 1739 und wohl auch in B (ἔγραψας im Text von B dürfte reiner Schreibfehler sein; „du hast geschrieben" ergibt im Kontext wenig Sinn). Hingegen lesen ℵc 33 81 u. a. ἔγραψα ἄν, die Vulgata ebenso scripsissem forsitan, „ich hätte wohl geschrieben", es tatsächlich aber nicht getan. Diese Lesart (favorisiert wieder von DELEBECQUE, JohBr 44) will den Eindruck vermeiden, ein Apostelbrief könne verlorengegangen sein. Der Mehrheitstext streicht τι, „etwas", ersatzlos, weil es die Bedeutung dieses Briefes ungebührlich zu verringern schien.

Die Textvarianten signalisieren bereits Schwierigkeiten, die man mit diesem Brief des Presbyters hatte. Anders als im ersten Johannesbrief (1 Joh 2,14.21.26; 5,13) kann „ich habe geschrieben" hier nicht als Brieftempus aufgefaßt und auf das vorliegende Schreiben bezogen werden, in dem Sinn von „hiermit schreibe ich". Gegen diese für ἔγραψα in Briefen an sich mögliche Deutung spricht in unserem Fall u.a. das Faktum, daß 3 Joh nicht an eine Gemeinde gerichtet ist, sondern an Gaius als Einzelperson. Man müßte schon zu einer Hilfskon-

struktion greifen, ἔγραψα mit „anbei schreibe ich auch noch der Gemeinde" wiedergeben und ein Begleitschreiben zu 3 Joh postulieren (so
EWALD, JohBr 504.515). Aber all das erübrigt sich, wenn wir an der
nächstliegenden Erklärung festhalten, daß der Verfasser wie Paulus in
1 Kor 5, 9 ein früheres Schreiben erwähnt, das sein Ziel nicht erreichte,
weil der im gleichen Vers attackierte Diotrephes es nicht zur Verlesung
in der Gemeindeversammlung freigab. Nur selten wird 1 Joh als Kan-
didat für den unbekannten Brief von 3 Joh vorgeschlagen.[11] Häufig hingegen ist die These anzutreffen, es handle sich in V. 9 um nichts anderes
als den zweiten Johannesbrief (vgl. nur BRESKY 31–47). Ganz überzeugend wirkt das nicht. Für den Brief von 3 Joh 9 a erscheint am plausibel-
sten noch die Vermutung, daß er neben anderem eine Werbung um Gastfreundschaft und eine Empfehlung für Wandermissionare enthielt, die
sich in der Gemeinde des Diotrephes so schmählich abgewiesen sahen.
Im 2 Joh findet sich dazu nichts. Im Gegenteil wird in 2 Joh 10 die Aufnahme von Sendboten der Irrlehrer untersagt. Sicher trifft es zu, daß das
Verhalten des Diotrephes rein formal mit 2 Joh 10 übereinstimmt, es
kann aber nicht als Reaktion oder Überreaktion auf einen Brief, den
er gleichzeitig verwirft, verständlich gemacht werden. Das Schreiben
von 3 Joh 9 ist verlorengegangen, evtl. sogar von Diotrephes vernichtet
worden.

Verlorengegangene Briefe halten die Neugier in Bewegung. Eine
pseudo-cyprianische Schrift ›De montibus Sina et Sion‹ aus der Zeit vor
250 zitiert in § 13 ein Agraphon: „Ihr seht mich in euch, wie jeder von
euch sich sieht im Wasser oder im Spiegel", und gibt als Quelle an: „In
einem Brief seines Jüngers Johannes ans Volk" (117, 4–6 CSEL 3/3: *in
epistula Iohannis discipuli sui ad populum* ...), das heißt ans Gottesvolk,
an die Kirche. Das angebliche Herrenwort steht nicht in den kanonischen Johannesbriefen, es paßt trotz der darin verarbeiteten johanneischen und paulinischen Splitter (RESCH 135) auch nicht in die johanneische Gedankenwelt. Der Brief des Johannes „ans Volk" gehört zu den
apokryphen Erzeugnissen. Wenig Vertrauen erwecken Vermutungen
wie: Das Agraphon stamme aus einem verlorenen echten Brief des Johannes (BRUNS 116), vielleicht sogar aus dem in 3 Joh 9 vorausgesetzten
Brief (JUNOD-KAESTLI 17). Ob 3 Joh 9 vielleicht einen Anlaß zu der apokryphen Produktion gab, läßt sich nicht mit Bestimmtheit feststellen;
das wäre, wenn es zuträfe, ein verhältnismäßig frühes Zeugnis für eine
weitreichende Benutzung des 3 Joh.

---

[11] Ein Vertreter dieser Identifizierung war G. C. STORR, Ueber den Zweck
der evangelischen Geschichte und der Briefe Johannis, Tübingen 1786, 408.

BARDSLEY 399 entdeckt im Lob der Liebe in 1 Clem 49, 1–6 Sätze aus einem verlorengegangenen Johannesbrief und unternimmt eine Rekonstruktion. Hier trägt allmählich die Phantasie den Sieg über ein methodisch kontrolliertes Vorgehen davon.

D. Die ›Epistola ad Parthos‹

L 14: BAUR, F. C.: Die johanneischen Briefe. Ein Beitrag zur Geschichte des Kanons, in: ThJb(T) 7 (1848) 293–337. – BLUDAU, A.: Die ›Epistola ad parthos‹, in: ThGl 11 (1919) 223–236. – BROWN: JohBr 772–774. – BROWNSON: Odes (L 09) 65. – HOLTZMANN: Problem 4 (L 02) 467f. – LÜCKE: JohBr 46–53. – METZGER: Commentary (L 05) 731. – THIELE: VL 26/1 (L 03). – ZAHN, T.: Supplementum Clementinum (FGNK 3), Erlangen 1884, 100–103.

Die Homilien, die Augustinus zum 1 Joh hielt, tragen in ihrer schriftlichen Fassung den Titel ›In Epistolam Ioannis ad Parthos tractatus decem‹ (104 SC 75[2]). Der Brief wäre also an christliche Gemeinden im Partherreich, d. h. in Persien und Mesopotamien, gerichtet gewesen. Wie es zu dieser Adressierung „an die Parther" kam, hat bis heute keine rundum befriedigende Antwort gefunden. Die Frage gehört zu den ungelösten Rätseln der Überlieferungsgeschichte der Johannesbriefe. Versuchen wir wenigstens eine Bestandsaufnahme der Sachlage und der wichtigsten Lösungsversuche.

In der Zeit nach Augustinus, der noch an zwei weiteren Stellen diese Bezeichnung verwendet (Gal 40 v. l.; Quaest Ev 2,39), stoßen wir auf die Adressierung ad Parthos u. a. (1) um 450 in der antiarianischen Kampfschrift unbekannter Herkunft ›Contra Varimadum‹ 1,5 (20,14 CChr.SL 90), sodann (2) um 550–580 bei Cassiodor in seinen ›Complexiones‹ zu den Katholischen Briefen (1369/70D PL 70), in der ›Expositio Psalmorum‹ 55,11 (504,234f. CChr.SL 97) und mit einer Ausweitung auf alle Johannesbriefe in den ›Institutiones divinae‹ I 14,1 (40,1f. Mynors: Epistulae ... Iohannis ad Parthos), schließlich (3) um 710 bei Beda im Prolog seines Kommentars zu den Katholischen Briefen. Ihre Reihenfolge begründet Beda damit, daß der Jakobusbrief für Christusgläubige aus Israel bestimmt war, die Petrusbriefe für solche aus dem Kreis der Proselyten und nur die Johannesbriefe für echte frühere Heiden, wie man sie unter den Parthern findet. In diesem Sinngefälle steht bei ihm die weiterreichende Aussage: „Viele Kirchenschriftsteller, darunter Athanasius, das Haupt der Kirche Alexandriens, bezeugen, daß sein erster Brief an die Parther geschrieben war" (181,1–19 CChr.SL 121).

Unnötig zu sagen, daß es so viele Kirchenschriftsteller, wie Beda
meinte, gar nicht sind und vor allem Athanasius nicht zu ihnen gehört.
Einige lateinische Handschriften haben diese Designierung aufge-
griffen, in der *inscriptio* (so die St. Gallener Alkuinhandschrift) und in
der *subscriptio* (so 67; weitere Belege bei THIELE 241.381). Es werden
verschiedene alternative Lösungen geboten, die mehr Sinn ergeben
sollen, ohne es immer zu tun: *ad partes* („an die Teile", ein Fehler?), *ad
patres* („an die Väter"), *ad parentes* („an die Eltern"), *ad pastores* („an
die Hirten"). Eine nur aus zweiter Hand bekannte Variante *ad Spartos*
(„an die Spartaner"?, oder „an die Verstreuten", s. u.?) verrät ihr Entstehen aus einer Dittographie des Sigma einer griechischen Vorlage, die
πρὸς Πάρθους hatte. Die griechischen Minuskeln 459 und 325 (beide
11. Jh.) geben dem *zweiten Johannesbrief* die Überschrift ἰωάννου ἐπι-
στολὴ β' πρὸς πάρθους, während 62 (14. Jh.) das zu 2 Joh in der Unterschrift bringt.

Ältere katholische Ausleger sahen sich durch die Autorität der lateinischen Tradition dazu bewogen, die Angabe historisch zu nehmen.[12] Die
Verbreitung des Christentums in Persien und im Zweistromland sei
schon durch die Parther, Meder und Elamiter in der Völkerliste von Apg
2, 9 angebahnt. Als Apostel war für diese Gegend Thomas zuständig,
daneben Matthäus, aber die apokryphen Philippusakten (4. Jh.) erzählen in 30–32 (II/2 16, 5–30 Bonnet), wie Philippus ins Partherreich
kam und dort den Petrus und den Johannes antraf. Doch muß der Apostel Johannes die parthischen Gemeinden gar nicht selbst gegründet
haben. Dazu genügen Christen aus seiner Umgebung in Ephesus, die im
Osten geschäftlich unterwegs waren, oder Anfragen aus dem Osten an
den letzten Überlebenden der Apostelgeneration. Protestantische Erklärer brachten die persische Adresse mit dem Briefinhalt zusammen
(z. B. PAULUS, JohBr 80–83): Die ausgeprägte Metaphorik von Licht
und Finsternis und die Auseinandersetzung mit gnostischem Dualismus gehen auf die besonderen Bedürfnisse einer in Persien beheima-
teten Gemeinde ein. Aber schon die mehr als schmale Überlieferung der
Anschrift *ad Parthos* widerrät allen Konstruktionen historischer Art
(auch der von BROWNSON: der Brief sei nach Edessa an der Grenze zum
Partherreich gegangen).

Höchstwahrscheinlich liegt ein Überlieferungsfehler kaum aufzuhel-

---

[12] Vgl. zum Folgenden W. ESTIUS (1542–1613), In omnes D. Pauli epistolas,
item in catholicas commentarii, Bd. 3, Paris 1891, 658 f.; C. A LAPIDE (1567–
1637), In Epistolas Canonicas (Commentaria in Scripturam Sacram 20, hrsg. v.
A. Crampon), Paris 1879, 502.

lenden Ursprungs vor. Der Vermutungen gibt es viele: zu lesen sei *ad Patmios*, an die Bewohner der Insel Patmos, dem Verbannungsort des Johannes aus Offb 1,9; oder – in hybrider lateinisch-griechischer Mischbildung – *ad pantas*, „an alle", in Einklang mit dem katholischen Horizont des Schreibens. Die beiden anderen großen Katholischen Briefe nennen in der Adresse „die zwölf Stämme in der Diaspora" (Jak 1,1) und „die Auserwählten, die als Fremde ... in der Diaspora leben" (1 Petr 1,1). In Angleichung daran könnte, so ein weiterer Gedanke, 1 Joh mit der Überschrift *ad sparsos* bzw. πρὸς τοὺς διασπαρσαμέ-νους, „an die (Christen) in der Zerstreuung", versehen worden sein, was später zu *ad Parthos* verballhornt wurde (HOLTZMANN).

Am aussichtsreichsten erscheint es, eine wie auch immer geartete Beziehung zwischen Πάρθους und Παρθένου(ς) anzunehmen. Auch hier gibt es zwei Varianten: (1) Zum 1 Joh trat als Verfasser Ἰωάννου τοῦ παρθένου, „von dem jungfräulichen Johannes", hinzu (LÜCKE 52 f.). Daß der Lieblingsjünger unverheiratet blieb, ist altkirchliche Tradition (vgl. schon Tertullian, De monogamia 17,1; dann ActJoh 113). Aus Bibelhandschriften kann dafür nur ein Beleg aus einem sehr späten Manuskript zur Johannesoffenbarung beigebracht werden (s. METZGER). (2) Nicht 1 Joh, sondern 2 Joh wurde von späterer Hand als ein πρὸς (τοὺς) Παρθένους, „an die Jungfrauen", gerichtetes Schreiben charakterisiert. Dazu müssen wir ein wenig weiter ausholen.

Die Adresse des 2 Joh lautet: „An eine auserwählte Herrin und ihre Kinder" (2 Joh 1). Damit steht der Schlußgruß in Relation: „Es grüßen dich die Kinder deiner auserwählten Schwester" (2 Joh 13; vgl. auch Vers 4 und Vers 5). Das sind metaphorische Umschreibungen für die Gemeinde und die ihr angehörenden Christen, die später in das umfassendere Bildfeld von der Kirche als Jungfrau und Mutter zugleich (Eusebius, Hist Eccl V 1,45) übergehen. Nur bei einer individuell-realistischen Deutung der auserwählten Herrin als kinderreiche Mutter entstünde eine Spannung zwischen der Briefadresse und der sekundären Zweckbestimmung „an Jungfrauen". Clemens von Alexandrien kommentiert 2 Joh 1 folgendermaßen: „Der zweite Brief des Johannes, der an Jungfrauen *(ad virgines)* geschrieben ist, ist außerordentlich einfach. Er wurde nämlich geschrieben an eine Babylonierin *(quandam Babylonicam)*, Eclecta mit Namen; sie (oder er, der Name?) bezeichnet aber die Erwählung der heiligen Kirche" (215,3–5 GCS 17²). Mit 2 Joh 1 wird hier anscheinend 1 Petr 5,13 verwoben: „Es grüßt euch die Mitauserwählte in Babylon" (ein Deckname für Rom). Zu den Parthern führt nun gleich eine doppelte Spur, von der geographischen Angabe „Babylon", wörtlich verstanden, aus und von einem falsch gelesenen oder gehörten πρὸς παρθένους. Was Clemens, der sichtlich bestrebt ist, konkurrierende Angaben auszugleichen, selbst tatsächlich beabsichtigt und wie die Beziehungen genauer verlaufen, bleibt immer noch verworren. ZAHN leitet *ad Parthos* aus *Babylonicam* ab, πρὸς παρθένους wiederum aus mißverstandenem πρὸς Πάρθους, und tut damit wohl des Guten zuviel. BLUDAU 233–236 widerspricht. Er meint, der Schöpfer der Anschrift „an Jungfrauen", wer immer es war, habe sich die auserwählte Herrin als Vorsteherin einer Vereinigung von gottgeweihten Jungfrauen vorgestellt, als Äbtissin eines frühchristlichen Frauenklosters. Zu dem unerklärlichen *ad Parthos* sieht er überhaupt keine Verbindung, aber das erscheint kaum glaublich, zumal es die Manuskripttradition im Griechischen ja nur zu 2 Joh kennt. BAUR 325 f. 334 verspürt in der Anschrift das montanistische Ideal der Keuschheit bis hin zur Eheabwertung und die gleichfalls montanistische Sicht der Kirche als reine, jungfräuliche, auserwählte Braut Christi, datiert die Briefe aber zu spät.

Wenn man überhaupt einer Lösung zustreben will, wird man bei den zuletzt referierten Beobachtungen ansetzen. Die Metaphorik des Briefeingangs 2 Joh 1 und des Briefschlusses 2 Joh 13 machte es möglich, das emotional stark besetzte Jungfräulichkeitsideal zu assoziieren. Aus einem mißverstandenen παρθένους wurde *Parthos*. Weil jetzt scheinbar sinnlos, wurde es vom 2 Joh abgelöst und auf 1 Joh übertragen, was rein technisch auch dadurch zustande kommen konnte, daß man eine Überschrift zu 2 Joh als *subscriptio* zu 1 Joh auffaßte. Für 1 Joh sucht man *ad Parthos* dann als geographische Angabe zu interpretieren (s. o. Beda).

III. SPRACHE UND STIL

Wirklich erschöpfende Untersuchungen zu Sprache und Stil der Johannesbriefe sind nicht durchgeführt worden. Sie würden auch, wollte man sie in der an sich gebotenen Gründlichkeit mit Hilfe von Tabellen und Statistiken veranschaulichen, einen stattlichen Band füllen, wenn nicht mehr. Das aber wirft gebieterisch die Frage nach dem Verhältnis von Aufwand und Erfolg auf. Die Alternative besteht in einem exemplarischen Arbeiten, das, gestützt auf eine breitere Materialbasis, anhand von ausgewählten Phänomenen und einzelnen Texten auf signifikante Dinge aufmerksam macht. Im Blick auf die Forschungslage ist anzumerken, daß die Beschäftigung mit der sprachlich-stilistischen Seite fast immer von vornherein instrumentalisiert wird. Sie steht im Dienst der linguistischen Absicherung der einheitlichen Verfasserschaft von Johannesevangelium und Johannesbriefen oder im Dienst ihrer Bestreitung. Wir stellen im folgenden nur einige Daten zu den Johannesbriefen zusammen, ohne Seitenblick auf das Evangelium, und gehen erst bei der Besprechung der Verfasserfrage auf die Diskussion um den Vergleich mit dem Johannesevangelium ein (s. u. VI/A). Es liegt in der Natur der Sache, daß sich angesichts der unterschiedlichen Textlänge die Beschreibung auf 1 Joh konzentrieren wird. 2/3 Joh geben wegen ihrer extremen Kürze nur wenig her.

A. Allgemeine Beobachtungen

L 15: BERGER, K.: Formgeschichte des Neuen Testaments, Heidelberg 1984. – BRAUN, F. M.: La réduction du pluriel au singulier dans l'Évangile et la Première Lettre de Jean, in: NTS 24 (1977/78) 40–67. – DODD, C. H.: The First Epistle of John and the Fourth Gospel, in: BJRL 21 (1937) 129–156. – HAENCHEN: Literatur (L 02) 238–246. – JOHNSON: Antitheses (L 02). – NAUCK: Tradition (L 02). – SALOM, A. P.: Some Aspects of the Grammatical Style of I John, in: JBL 74 (1955) 96–102. – TURNER, N.: The Style of the Johannine Epistles, in: J. H. Moulton, Grammar of New Testament Greek, Bd. 4, Edinburgh 1976, 132–138.

An Charakteristika der johanneischen Sprache, die in besonderer Weise den 1 Joh prägen, hat DODD 130 die folgenden vier ausgemacht:

Parataxe, Asyndeton, Parallelismus und Antithese. Das Griechische
neigt eher zur Hypotaxe, d. h. zu verschachtelten Satzkonstruktionen
mit subordinierten Partizipien und Nebensätzen verschiedenen Grades. 1 Joh kommt in der Regel – eine Ausnahme macht 1, 1–3 – mit
kurzen Sätzen aus, die mit καί aneinandergereiht werden oder unverbunden nebeneinander stehen. Der Einsatz von Partizipien beschränkt
sich auf einfachste Formen wie die Umschreibung von Relativsätzen
durch ὁ λέγων (2, 4 a) oder πᾶς ὁ ποιῶν (3, 10 b). An Nebensätzen ersten Grades finden sich Relativsätze und Sätze mit ὅτι, εἰ, ἐάν, ὡς,
καθώς, ὅταν und ἵνα (Übersicht bei TURNER 134 f.). Allumfassend ist
die Neigung zu Wiederholungen unterschiedlichen Ausmaßes, oft in
der Form von synonymen oder antithetischen Parallelismen mit geringfügigen Verschiebungen und Steigerungen in der zweiten Hälfte.
JOHNSON hat diese kontrastierende Darstellungsweise der Johannesbriefe in 24 Kategorien klassifiziert. Manches von dem bisher Gesagten
wird sofort greifbar, wenn wir uns eine Reihe von typischen Sprachgebilden wie Definitionssätze, Erkenntnissätze, Kennzeichensätze (nach
BERGER 186), Wiederholungen und Antithesen anschauen.

a) Definitionssätze, eingeleitet mit „dies ist" und oft an strategisch wichtigen
Stellen plaziert: „Und dies ist die Botschaft" (1, 5 a); „Dieser ist der Antichrist"
(2, 22 d); „Und dies ist die Verheißung" (2, 25 a); „Denn dies ist die Botschaft"
(3, 11 a); „Denn dies ist die Liebe Gottes" (5, 3 a); „Und dies ist der Sieg" (5, 4 c);
„Dieser ist es, der kommt" (5, 6 a); „Und dies ist das Zeugnis" (5, 11 a); „Und dies
ist der Freimut" (5, 14 a); „Dieser ist der wahrhaftige Gott und ewiges Leben"
(5, 20 f.); „Und dies ist die Liebe" (2 Joh 6 a); „Dies ist das Gebot" (2 Joh 6 c);
„Dieser ist der Verführer und der Antichrist" (2 Joh 7 d).

b) Erkenntnissätze, mit ἐν τούτῳ eingeleitet: „Daran erkennen wir, daß wir
ihn erkannt haben" (2, 3 ab); „Daran erkennen wir, daß wir in ihm sind" (2, 5 cd);
„Daran erkennen wir die Liebe" (3, 16 a); „Und daran werden wir erkennen, daß
wir aus der Wahrheit sind" (3, 19 ab); „Und daran erkennen wir, daß er in uns
bleibt" (3, 24 cd); „Daran erkennt ihr den Geist Gottes" (4, 2 a); „Daran erkennen wir, daß wir in ihm bleiben und er in uns" (4, 13 ab); „Daran erkennen
wir, daß wir die Kinder Gottes lieben" (5, 2 ab); vgl. auch 3, 10; 4, 9. 10. 17 und die
„Wissenssätze", eingeleitet mit „wir wissen" (3, 2. 14; 5, 18. 19. 20), „ihr wißt"
(3, 5. 15) und „du weißt" (3 Joh 12).

c) Kennzeichensätze, in die schlagwortartige Thesen eingebaut sind, mit
Wiederholung der Einleitungsformel und meist antithetisch weitergeführt:
„Wer sagt: ‚Ich habe ihn erkannt', und seine Gebote nicht hält, ist ein Lügner ..."
(2, 4; vgl. 2, 6); „Wer sagt: ‚Ich bin im Licht', und seinen Bruder haßt, ist bis jetzt
in der Finsternis" (2, 9); als besonders deutliches Beispiel 4, 2 b–3 b:

> „Jeder Geist, der bekennt, das Jesus Christus im Fleisch gekommen ist,
>   ist aus Gott.
> Und jeder Geist, der Jesus nicht bekennt, ist nicht aus Gott."

Hierher gehören auch 1, 6. 8. 10 mit der dreimal wiederkehrenden Einleitung „Wenn wir sagen", auf die wir bei den eigentlichen Antithesen noch eingehen wollen.

d) Refrainartige Wiederholungen, auch über größere Abstände hinweg: „… reinigt uns von jeglicher Sünde" (1, 7 e) und „er reinigt uns von jeglicher Ungerechtigkeit" (1, 9 d); „die Wahrheit ist nicht in uns" (1, 8 d) und „in diesem ist die Wahrheit nicht" (2, 4 e); „… aus dem Geist, den er uns gegeben hat" (3, 24 e) und „daß er uns aus seinem Geist gegeben hat" (4, 13 c).

e) Doppelte Wiedergabe eines Sachverhaltes in positiver und negativer Fassung: „Gott ist Licht, und Finsternis ist nicht in ihm" (1, 5 de); „… ist ein Lügner, und in diesem ist die Wahrheit nicht" (2, 4 de); „Es ist wahr, und ist keine Lüge" (2, 27 fg). – Doppelte Wiedergabe mit Hilfe eines sich steigernden synonymen Parallelismus: „… ist in der Finsternis, und er wandelt in der Finsternis" (2, 11 bc); „Furcht ist nicht in der Liebe, sondern die vollkommene Liebe treibt die Furcht aus" (4, 18 ab).

f) Parallel geführte Antithesen: „Wer seinen Bruder liebt, ist im Licht … wer seinen Bruder haßt, ist in der Finsternis" (2, 10 ab. 11 ab); „Jeder, der den Sohn leugnet, hat auch den Vater nicht; wer den Sohn bekennt, hat auch den Vater" (2, 23); „Wer den Sohn hat, hat das Leben; wer den Sohn nicht hat, hat das Leben nicht" (5, 12); „Wer Gutes tut, ist aus Gott; wer Böses tut, hat Gott nicht gesehen" (3 Joh 11 c–f); sehr schön auch 2 Joh 9:
„Jeder, der fortschreitet und nicht in der Lehre Christi bleibt, hat Gott nicht.
Wer in der Lehre bleibt, dieser hat auch den Vater und den Sohn."
Besonders ausgeprägt ist diese antithetische Struktur in dem Abschnitt 1 Joh 2, 29 – 3, 10. Weil er immer wieder Anlaß zu Quellentheorien gab, stellen wir ihn zurück bis zum nächsten Punkt (s. u. IV/A).

Die antithetische Gedankenführung hält sich auch auf der Wortebene durch, wo starke Kontraste in Form von semantischen Oppositionen an der Tagesordnung sind: Licht und Finsternis, Wahrheit und Lüge, Liebe und Haß, Gotteskinder und Teufelskinder, Christus und Antichrist, Gerechtigkeit und Sünde, Bekennen und Leugnen, Bleiben und Weggehen. Der Vokabelbestand ist sehr begrenzt. Wenige Leitworte werden immer und immer wieder verwendet und nur leicht variiert, was eine unleugbare Monotonie zur Folge hat. Dennoch kommen neun neutestamentliche Sondervokabeln vor: ἀγγελία (nur 1 Joh 1, 5; 3, 11; das Verb zweimal im Johannesevangelium); ἀντίχριστος (nur viermal in 1 Joh und 2 Joh 7); ἐπιδέχεσθαι (nur 3 Joh 9. 10); ἱλασμός (nur 1 Joh 2, 2; 4, 10); νίκη (nur 1 Joh 5, 4); φιλοπρωτεύειν (nur 3 Joh 9); φλυαρεῖν (nur 3 Joh 10); χάρτης (nur 2 Joh 12); χρῖσμα (nur dreimal in 1 Joh 2, 20. 27). Auch κυρία (nur 2 Joh 1. 5) sollte man eigentlich hinzurechnen. Seltene Vokabeln sind ferner ἀνθρωποκτόνος in 1 Joh 3, 15 (daneben nur noch in Joh 8, 44) und σφάζειν in 1 Joh 3, 12, das aber auch die Johannesoffenbarung achtmal gebraucht. Mehrfach kommt die *figura etymologica* zum Einsatz: „die Botschaft (ἀγγελία) …, die wir verkünden (ἀναγγέλλομεν)" (1,5 ac); „die Verheißung (ἐπαγγελία), die er selbst verheißen hat" (2,25 ab); „der Sieg, der die Welt besiegt" (5,4 cd); „die Bitte, welche wir erbitten" (5,15 ef); „eine Sünde sündigen" (5,16 b). Stichwortverbindungen über mehrere Verse und selbst über größere Einschnitte hinweg sind beliebt. So wird in 1,3 κοινωνία eingeführt und in 1,6 b.7 c wiederaufgegriffen. Ähnliche Fälle: Licht und Finsternis in 1,5 mit der „Ausstrahlung" in die Verse 1,6–7 und 2,9–11 hinein; Sünde in 3,4 im Singular, daran anschließend in 3,5–9 mehrfach das Substantiv im Singular und im Plural (vgl. dazu BRAUN) und das Verb ἁμαρτάνειν; Pneuma in 3,23, dann in 4,1–6 und 5,6–8; Bezeugen in 5,6–7 und zusammen mit Zeugnis mehrfach in 5,9–11. Auch Glaube und Liebe wären hier zu nennen.

DODD 130 hat den Effekt dieses Sprachstils recht treffend so zusammengefaßt: "It is a slow, regular rhythm, with a measured beat, producing an impression of solemnity and mystery, congruous with the religious tone of the thought." Weiter sollte man aber nicht gehen und vor allem nicht suggerieren wollen, es läge hier strophisch gebundene Sprache vor, die sich der Poesie annähert. Das stimmt selbst für die Antithesenreihen nicht: „es ist redliche Prosa, in der verschiedene Sinnabschnitte sauber aufeinander folgen" (HAENCHEN 245, in Auseinandersetzung mit NAUCK).

Trotz der erstaunlichen Simplizität der Sprache verhält es sich doch nicht so, als ob es keine ernsthaften grammatischen Probleme gäbe. Sehr schwierig zu beurteilen ist z. B. die Konstruktion mit zwei ὅτι-Sätzen in 3,20, an deren Auflösung für den Sinn viel hängt. In 3,2 e bestehen Unsicherheiten bezüglich des Subjekts von φανερωθῇ: Wenn *er* (Christus? Gott?) offenbar wird oder wenn *es* offenbar wird, nämlich das, was wir sein werden. Notorisch unpräzise fällt der Umgang mit den Pronomina aus. Bei den oben genannten Erkenntnissätzen liegt nicht immer auf der Hand, ob das einleitende ἐν τούτῳ auf das, was folgt, verweist (so meist) oder auf das Voranstehende oder auf beides zugleich (vgl. BROWN, JohBr 248 f.). Für 2,10 c: „und einen Anstoß gibt es in ihm nicht", werden unterschiedliche Auflösungen des ἐν αὐτῷ vorgeschlagen: im Licht, im Liebenden oder durch den Liebenden. Nicht viel anders 2 Joh 6 e: „damit ihr in ihr wandelt". Meint das in der Wahrheit, in der Liebe oder in der Weisung? Kaum zu lösende Rätsel gibt mehr als einmal die Entscheidung darüber auf, ob sich eine Form von αὐτός, in 5,20 auch ein οὗτος, auf Gott oder auf Christus bezieht. Bei ἐκεῖνος liegt der Fall klar, damit ist in 2,6; 3,3; 4,17 u. ö. Christus gemeint. Wie aber steht es mit dem siebenfachen αὐτόν, αὐτοῦ und ἐν αὐτῷ in 2,3–5?

Handelt der ganze Abschnitt von Erkenntnis, Gebot und Bleiben im Blick auf Gott oder im Blick auf Christus? Vermutlich im Blick auf Gott, aber ganz eindeutige Kriterien fehlen. Weitere Beispiele dieser Art lassen sich nennen (vgl. z.B. 3,23–24). Am krassesten stellt sich der Sachverhalt in 2,29e dar, wo „aus ihm gezeugt" als Zeugung aus Gott ausgelegt werden sollte, obwohl rein grammatisch alles für eine Zeugung aus Christus spricht. Diese Ungenauigkeiten sind nur zum Teil aus dem formelhaften Charakter einer solchen Wendung zu erklären. Vielmehr gilt auch: „Und weil unser Brief durchweg ‚den Vater nicht ohne den Sohn, den Sohn nicht ohne den Vater denkt', beide durchweg ‚ineinander schaut', werden die Exegeten über der Erklärung von Dutzenden von Versen stets streiten, ob ein αὐτός den Vater oder den Sohn bedeute. Es findet eben ein ganz unmerkbarer Uebergang vom Bilde des Einen zum Bilde des Anderen statt."[13]

Die Eigenheiten dieser Sprache, ihr elementares Griechisch, ihre Redundanz, ihre Nachlässigkeiten, haben Anlaß zu der Überlegung gegeben, ob das nicht der typische Stil eines alten Mannes sei: "... the Epistles might have been the work of the Evangelist in his old age when his powers had begun to fail" (SALOM 98); "as if it were the style of an old man" (TURNER 135). Dazu ist sicher die Frage gestattet, was früher war, die altkirchliche Tradition vom Apostel Johannes, der in hohem Alter seinen Brief schreibt, oder die Beobachtungen zum Text. Was daran u.U. haltbar ist, werden wir bei der Behandlung der Verfasserfrage noch zu überprüfen haben. Ob wir über eine adäquate Methode verfügen, um in griechischen Texten einen typischen Altersstil zu verifizieren, muß sehr bezweifelt werden (ROTHE, JohBr 3, stellt vor über einem Jahrhundert zu „dem angeblich greisenhaften Tone" bereits fest: „denn diese prätendirte Altersschwäche desselben ist ein leeres Phantom der trägen Exegese").

B. Aramaismen, Hebraismen, Semitismen?

L 16: BEYER, K.: Semitische Syntax im Neuen Testament, Bd. I: Satzlehre Teil 1 (StUNT 1), Göttingen ²1968. – DODD: Epistle (L 15) 135–138. – HÉRING, J.: Y a-t-il des Aramaïsmes dans la Première Épître Johannique?, in: RHPhR 36 (1956) 113–121. – HIGGINS, A.J.B.: The Words of Jesus According to St. John, in: BJRL 49 (1966/67) 363–386, hier 373f. 377–379. – SCHLATTER, A.: Die Sprache und Heimat des vierten Evangelisten (1902), in: K.H. Rengstorf (Hrsg.), Jo-

---

[13] HOLTZMANN, Problem 2 (L 02) 141, mit Zitat aus HUTHER, JohBr.

hannes und sein Evangelium (WdF 82), Darmstadt 1973, 28–201, hier 165–172. –
TURNER: Style (L 15) 135–137.

Einige der grammatischen Schwierigkeiten, von denen oben die Rede
war, möchte HÉRING als Aramaismen erklären. Er setzt dafür das inde-
klinable Relativum ‏ד‎ im Aramäischen als Universalwaffe ein: Das Neutrum ὅ in 1 Joh 1,1.3 ist eine unglückliche Übersetzung des ‏ד‎, richtig
wäre das Maskulinum ὅν. In 2,8, wo an ἐντολὴν καινήν ein Relativsatz
mit ὅ anschließt, sollte es richtiger ἥν heißen. Das sechsfache ὅτι in
2,12–14 – in der Übersetzung unten in III/C durch den Doppelpunkt
vertreten – bedeutet weder „daß" noch „weil", sondern „deren" bzw.
„denen". In 3,2 g würde ‏ד‎ nach HÉRING statt mit ὅτι, „weil", besser mit
ὅτε, „im Moment, da (wir ihn sehen werden, wie er ist)", wiedergegeben. Das Neutrum πᾶν in 5,4 a („alles, was aus Gott gezeugt wurde")
geht auf ein indeklinables aramäisches ‏כל‎ zurück und wird besser personal aufgelöst.

Das alles verdient keinerlei Vertrauen. Die Wahl des Neutrums läßt
sich in allen Fällen gut begründen. HÉRING nimmt DODD in Anspruch,
der an einer Stelle einen Aramaismus aufgrund des ‏ד‎ zugestanden habe,
und zwar in 5,9 cd: „Denn dies ist das Zeugnis Gottes, daß (ὅτι) er
Zeugnis abgelegt hat über seinen Sohn." Der Nebensatz müsse vielmehr als Relativsatz mit ἥν an μαρτυρία angeschlossen werden. Aber
DODD 136 äußert sich viel zurückhaltender: man kann durchaus für ὅτι
"its proper meaning" verteidigen.

Weitere syntaktische Merkmale, die ins Feld geführt werden, sind
neben den häufigen πᾶς ὁ-Konstruktionen, die auf ‏כל‎ mit dem Partizip
zurückgehen sollen, die Reihung mit καί, entsprechend einem ‏ו‎, das
Asyndeton und die Parataxe bei logischer Hypotaxe. BEYER hat nur die
Syntax untersucht, und die nach eigenen Worten zu einem Fünftel (17).
Die prinzipielle Tragfähigkeit seines Vorgehens muß uns hier nicht sonderlich beschäftigen.[14] Er konstatiert nur einen einzigen echten He-
braismus, der in 5,18 vorliegt, wenn man dort eine *Casus-pendens*-Kon-
struktion ansetzt: „Wer aus Gott gezeugt wurde, den bewahrt er (Gott),
so daß ihm der Böse nichts anhaben kann" (216 f.). Aber eben dies bleibt
zweifelhaft. Zumindest möglich, m. E. vorzuziehen ist die sprachlich
unproblematische Übersetzung: „Der aus Gott Gezeugte (d. h. Chri-

---

[14] Vgl. die Vorbehalte bei M. REISER, Syntax und Stil des Markusevangeliums
im Licht der hellenistischen Volksliteratur (WUNT II/11), Tübingen 1984, 24–
26; dort auch Grundsätzliches und Praktisches zu manchen vermeintlichen
Semitismen bei Markus, die sich als volkstümliches Griechisch entpuppen.

stus) bewahrt ihn (den seinerseits aus Gott gezeugten Glaubenden), und der Böse tastet ihn nicht an." Was BEYER sonst noch im Bereich der Parataxe (270), des konditionalen Partizips (207) und des konditionalen Relativsatzes (177) auflistet, versieht er selbst mit einem mittleren oder geringeren Wahrscheinlichkeitsgrad, und er verbucht daneben echte Graecismen (208 f. z. B.). Außerdem überwiegt der hebräische Einfluß bei weitem den aramäischen (17). Das Ergebnis: Trotz eines starken semitischen Einflusses kann bei 1 – 3 Joh „von direkter Übersetzung eines semitischen Originals nicht die Rede sein" (297). Die Stärke des semitischen Einflusses auf die Syntax wäre noch einmal genauer zu hinterfragen. Parataxe, Reihung mit καί und Asyndeton fallen im umgangssprachlichen Griechisch der frühen Kaiserzeit so sehr nicht aus dem Rahmen des Möglichen.

Semitismen sucht man auch auf lexikalischem Gebiet (z. B. CHAINE, JohBr 106): „die Wahrheit tun" in 1, 6; „dem Namen glauben" in 3, 23; „sein Inneres (τὰ σπλάγχνα) verschließen" in 3, 17; „wandeln" in 1, 6–7 u. ö. gehören hierher, auch die „Sünde zum Tode" in 5, 16 (vgl. Num 15, 30 f.) und die „Gesetzlosigkeit" in 3, 4 mit ihrer eindeutig apokalyptischen Herkunft. Hier geht die Suche nach Semitismen im Wortschatz bereits in die Erhellung des traditionsgeschichtlichen Horizontes unseres Schreibens über. Dafür sind die alttestamentlich-jüdischen Belege ohne Zweifel wichtig. Auch für manche der stilistischen Beobachtungen wird man ohne Zögern den Parallelismus in den Psalmen und in der jüdischen Spruchüberlieferung mitberücksichtigen (Weiteres bei der Literarkritik in IV).

Wir halten fest: Aramaismen, die uns dazu zwingen würden, nach einem Autor mit Aramäisch als Muttersprache oder alternativ nach aramäischen Quellen zu suchen, gibt es im 1 Joh nicht. Was allgemein an Semitismen reklamiert wird, braucht nicht zu der Annahme zu führen, der Verfasser sei kein "native speaker" des Koine-Griechisch gewesen. Einen jüdischen Hintergrund wollen wir ihm deswegen nicht absprechen.

C. Feinanalyse: 1 Joh 2, 12–14

L 17: KLAUCK, H. J.: Zur rhetorischen Analyse der Johannesbriefe, in: ZNW 81 (1990) 205–224. – LAUSBERG, H.: Handbuch der literarischen Rhetorik. Eine Grundlegung der Literaturwissenschaft, München ²1973. – LOUW, J. P.: Verbal Aspect in the First Letter of John, in: Neot 9 (1975) 98–104. – WATSON, D. F.: 1 John 2. 12–14 as *Distributio, Conduplicatio,* and *Expolitio*: A Rhetorical Understanding, in: JStNT 35 (1989) 97–110. – WENDT, H. H.: Die Beziehung unseres ersten Johannesbriefes auf den zweiten, in: ZNW 21 (1922) 140–146.

Zur Stilanalyse gehört auch das Herausarbeiten sprachlicher Figuren wie Inklusio, Chiasmus, Alliteration und Paronomasie, Metonymie und Metapher. In der Rhetorik wird dieser Bereich traditionellerweise der *elocutio* zugeordnet, der Ausführung der Rede und dem Redeschmuck. Das neuerwachte Interesse an der Rhetorik richtet sich zwar mehr auf die makrostrukturelle Analyse, in den Fachtermini auf die *inventio* und die *dispositio* (s. u. V/1 c. 2 b), kommt aber auch dem Feld der Stiluntersuchung zugute, wie der materialreiche Aufsatz von WATSON zeigt. Daraus geht zugleich hervor, daß in der einzelsprachlichen Gestaltung der johanneische Stil keinesfalls schmucklos genannt werden kann. Die Detailbeschäftigung damit erfordert einen hohen Aufwand an Zeit und Raum, da Perikope um Perikope analysiert werden müßte. Als Beispiel für diesen methodischen Ansatz soll hier das Eingehen auf 1 Joh 2, 12–14 im Anschluß an WATSON genügen. Zunächst der Text der Einheit:

12a Ich schreibe euch, Kindlein:
  b   Vergeben sind euch die Sünden um seines Namens willen.
13a Ich schreibe euch, Väter:
  b   Ihr habt erkannt „den von Anfang an".
  c   Ich schreibe euch, junge Männer:
  d   Ihr habt besiegt den Bösen.

14a Ich habe euch geschrieben, Knäblein:
  b   Ihr habt erkannt den Vater.
  c   Ich habe euch geschrieben, Väter:
  d   Ihr habt erkannt „den von Anfang an".
  e   Ich habe euch geschrieben, junge Männer:
  f   Ihr seid stark,
  g   und das Wort Gottes bleibt in euch,
  h   und ihr habt besiegt den Bösen.

Zur Diskussion steht als erstes die Identifizierung der angesprochenen Gruppen: Kindlein/Knäblein, Väter, junge Männer. Der Briefautor benutzt hier die Stilfigur der *distributio* (LAUSBERG § 675). Die *distributio* benennt ein Ganzes und zählt anschließend seine Teile auf. Für die Auslegung bedeutet dies, daß aller Wahrscheinlichkeit nach Kindlein/Knäblein inklusiv die Gesamtheit der Glaubenden meint, während mit den Vätern und den jungen Männern zwei durch Lebensalter und/oder geistliche Reife unterschiedene Gruppen herausgehoben werden – eine Position, zu der sich derzeit aus anderen Überlegungen heraus auch die Mehrzahl der Ausleger bekennt. Die zahlreichen, auf den ersten Blick sichtbaren Wiederholungen und die Variationen innerhalb dieser Wiederholungen können mit den Begriffen *conduplicatio* und *expolitio* erfaßt werden. Eine Definition der *conduplicatio* lautet: *est cum ratione amplificationis aut commiserationis eiusdem unius aut plurium verborum iteratio* (Rhet ad Her IV 28,38), um aufzufüllen oder Mitgefühl zu erwecken, werden ein oder mehrere Wörter wiederholt (Lausberg § 612). Im Text vergleiche man z. B. 13 b mit 14 d, 13 d mit 14 h, das dreimalige γράφω bzw. ἔγραψα usw. Dennoch wird auch variiert: Aus den τεκνία in 12 a werden in 14 a die παιδία. Die strukturell verwandten Begründungssätze in 12 b und 14 b unterscheiden sich inhaltlich. Am Schluß finden sich in 14 fg zwei überschüssige Zeilen (Achtergewicht). Das nennt die Rhetoriktradition eine *expolitio*. Sie „ist die Auslegung … eines Gedankens … durch Abänderung … der sprachlichen Formulierung … und der zum Hauptgedanken … gehörenden Nebengedanken" (Lausberg § 830).

Watson entdeckt noch eine Reihe von weiteren Stilfiguren. Die Wiederholungen von γράφω ὑμῖν und ἔγραψα ὑμῖν bilden eine Anapher (Lausberg § 629f.). Die verschiedenen Formen von πατήρ, nämlich πατέρες in 13 a/14 c und πατέρα in 14 b, mit unterschiedlichen Referenten, ist als *traductio* zu bezeichnen, denn sie „umfaßt auch die Wiederholung nur scheinbar gleicher Wortkörper mit durchaus verschiedener Bedeutung" (Lausberg § 658). Auf eine Paronomasie stoßen wir in 14 e und 14 h: νεανίσκοι … νενικήκατε. Die Apostrophierung des Teufels als „der Böse" in 13 d/14 h ist ein Beispiel für eine Metonymie, und die Rede vom *Sieg* über das Böse impliziert eine Metapher aus dem Bildfeld des Krieges (oder des Sports).

Die Funktion von 2,12–14 im Kontext bestimmt Watson als *digressio*. Damit gelangen wir bei der Makrostruktur, rhetorisch bei der *dispositio* an. Eine *digressio* kann als exkursartiger Einschub in alle Redeteile eingebaut werden (Lausberg § 340–342). Hier dient sie nach Watson als Abschluß einer *probatio*, einer Beweisführung mit Argument und Gegenargument, die in 1,5 bis 2,11 abgewickelt wurde. Wir sehen, wie die Untersuchung von Stilfiguren in einer begrenzten Texteinheit in Überlegungen zum Gesamtaufbau einmünden kann.

Die stilistisch-rhetorische Analyse hat durchaus Konsequenzen für die Deutung. Um nur einen strittigen Punkt aufzugreifen, den Wechsel von γράφω zu ἔγραψα, der eine Fülle von Erklärungsversuchen provoziert hat: Mit der Vergangenheitsform „Ich habe geschrieben" erinnere der Verfasser an sein Evangelium (Loisy, JohBr 543); er beziehe sich wie in 3 Joh 9 (s. o. II/C) auf einen Brief, der verlorengegangen sei (Schneider, JohBr 144 f.); er habe unseren 2 Joh im Blick, den er zuvor schon an die gleiche Adresse abgesandt hatte (Wendt), oder er habe einfach zwischen V. 12–13 und V. 14 eine längere Pause eingelegt (Gore, JohBr 102).

All das und weiteres mehr wird hinfällig, wenn feststeht, daß in 1 Joh 2, 12–14 eine bekannte Stilfigur Verwendung findet (so auch Louw 103: lediglich "temporal alternation for the sake of avoiding stylistic monotony; and consequently the reader should not try to force aspectual distinctions on to γράφω and ἔγραψα").

IV. LITERARISCHE INTEGRITÄT
UND QUELLENTHEORIEN

A. Dobschütz und Bultmann

L 18: BULTMANN, R.: Analyse des ersten Johannesbriefes (1927), in: Ders., Exegetica. Aufsätze zur Erforschung des Neuen Testaments, Tübingen 1967, 105–123. – DERS.: Die kirchliche Redaktion des ersten Johannesbriefes (1951), ebd. 381–393. – DOBSCHÜTZ, E. VON: Johanneische Studien I, in: ZNW 8 (1907) 1–8. – JONES, P. R.: A Structural Analysis of I John, in: RExp 67 (1970) 433–444, hier 435–439. – ŠKRINJAR, A.: De unitate epistolae 1J, in: VD 47 (1969) 83–95.

Die am deutlichsten identifizierbare Antithesenreihe im 1 Joh steht in dem Abschnitt 2,28 – 3,10. Hier finden sich gleichgebaute Sätze mit einem Partizip im Vordersatz, in sechs von acht Fällen eingeleitet mit πᾶς. Abgesehen von einer Ausnahme in 3,3 ab: „Jeder, der diese Hoffnung auf ihn hat, heiligt sich selbst" (von BULTMANN, Analyse 112, konsequenterweise als Nachahmung der Quelle durch den Verfasser angesehen), ordnen sie sich zu vier gegensätzlichen, durch weitere Elemente wie Kettenschluß, Chiasmus und Inklusio untereinander verbundenen Paaren an:

Jeder, der die Gerechtigkeit tut, ist aus ihm gezeugt	(29 de).
Jeder, der die Sünde tut, tut auch die Gesetzlosigkeit	(4 ab).
Jeder, der in ihm bleibt, sündigt nicht	(6 ab).
Jeder, der sündigt, hat ihn nicht gesehen	(6 cd).
Wer die Gerechtigkeit tut, ist gerecht	(7 bc).
Wer die Sünde tut, ist aus dem Teufel	(8 ab).
Jeder, der aus Gott gezeugt ist, tut die Sünde nicht	(9 ab).
Jeder, der die Gerechtigkeit nicht tut, ist nicht aus Gott	(10 ab).

DOBSCHÜTZ hat diese vier Zweizeiler herausgearbeitet, für das Aufbauprinzip auf die Psalmen und die Weisheitsliteratur verwiesen und eine literarkritische Folgerung gezogen: Die acht lapidaren Sentenzen sind der literarisch fixierte ältere Kern des 1 Joh. Ein späterer Bearbeiter hat diese Grundschrift midraschartig erweitert zum jetzigen Text. Die theologische Ausrichtung der Quelle bestimmt DOBSCHÜTZ als ethisch, die des Bearbeiters als metaphysisch-gnostisch eingetrübt.

Diese Spur nimmt zwei Jahrzehnte später BULTMANN wieder auf. Parallel zur Arbeit am Johannesevangelium wendet er in mehreren Etappen

das dort entwickelte dreistufige Modell von gnostischer Offenbarungs-
rede als Quelle, Tätigkeit des Evangelisten und kirchlicher Redaktion
auch auf 1 Joh an. Zunächst präpariert er eine Vorlage heraus, bestehend
aus antithetisch strukturierten Doppelversen, die er im rekonstruierten
Text abdruckt (Analyse 121–123). Anfangs sind geschlossene Textkomplexe erkennbar: der Hauptbestand aus 1, 5–10; 2, 4–5. 9–11 und die von
Dobschütz schon festgestellte Reihe in 2, 29; 3, 4. 6–10. Dann wird die
Abfolge lockerer: 3, 14. 15. 24(?); 4, 7. 8(?). 12. 16; 5, 1. 4; 4, 5. 6(?); 2, 23;
5, 10. 12; 2 Joh 9(?). Es kommt, wie aus der Aufzählung hervorgeht, zu
Umstellungen und auch zu Eingriffen in den Wortbestand (in 5, 1; 4, 6
und 2 Joh 9). Warum ähnliche Satzgebilde, 4, 20 z. B., keine Berücksichtigung finden, begründet Bultmann mit inhaltlich-theologischen
Argumenten (Analyse 109). Vielleicht gehörten zur Vorlage noch „die
dunklen Verse" 3, 18–20 (ebd. 115 f.; zuversichtlicher in diesem Punkt
H. W. Beyer, ThLZ 54 [1929] 612 f., in seiner Rezension). Der Briefautor hat das Quellenstück in homiletischer Manier paraphrasiert,
seinen gnostischen Gehalt gleichzeitig entschärft.

Als nächster Schritt folgt die Identifizierung einer sekundären Redaktionstätigkeit. Loisy, JohBr 79 f., hatte die Möglichkeit einer zwei-
fachen redaktionellen Überarbeitung des 1 Joh angedeutet. Windisch,
JohBr 136, griff die Quellentheorie auf und verband damit die Frage, ob
nicht auch Sätze wie 1, 2 (oder 1, 1. 3), 2, 18–27; 4, 1–6. 13–16 und anderes mehr auf das Konto einer späteren Redaktion gehen. 1951 bestimmt
Bultmann folgende Texte als Werk der aus dem Johannesevangelium
bekannten kirchlichen Redaktion: den Briefnachtrag 5, 14–21 (Redaktion 381–388), die eschatologischen Aussagen von 2, 28; 3, 2; 4, 17 und
die Sühnetheologie in 1, 7 de; 2, 2; 4, 10 (ebd. 388–393; in 4, 10 ist entweder der ganze Vers redaktionell einschließlich des οὕτως in 4, 11 oder
wenigstens 4, 10 d).

In seinem Kommentar von 1967 schließlich bringt Bultmann einige
Modifikationen an, ohne sie immer hinreichend klar zu markieren.
Einige Sätze nimmt er wieder aus der Vorlage heraus und gibt sie dem
Verfasser: 1, 5 de(?); 4, 12(?); sicher 1, 9; 5, 10; 2 Joh 9; wohl auch
3, 10. 14–15. 24 (s. JohBr 58: „Jedenfalls geht auf den Verfasser der Abschnitt 3, 10–24 zurück, eine Homilie …"), während er sich zu den früheren Quellenversen in 3, 6; 4, 5–6. 16, wenn ich richtig sehe, aus-
schweigt. Neu in den Status einer redaktionellen Glosse erhoben wird
der wichtige Abschnitt über die drei Zeugen in 5, 7–9 (ebd. 83 f.). Vor
allem nimmt Bultmann jetzt an, daß 1 Joh 1, 5 – 2, 27 ein selbständiges
Schreiben oder der Entwurf eines solchen war (ebd. 11), dem ab 2, 28
ungeordnet lockere Materialien angehängt wurden. Da die ältere

Spruchquelle doch weit über 2,27 hinausreichen soll, kann man nicht recht glücklich werden mit der Auskunft, die neue These habe „nichts mit der Quellen-Analyse zu tun" (ebd. 48 Anm. 1; kritisch dazu auch HOULDEN, JohBr 28). Intern wurde diese mehrstufige Analyse eindeutig nicht zu einem befriedigenden Ausgleich gebracht (vgl. ŠKRINJAR; JONES).

B. Nachwirkungen, Neuansätze

L 19: BRAUN, H.: Literar-Analyse und theologische Schichtung im ersten Johannesbrief (1951), in: Ders., Gesammelte Studien zum Neuen Testament und seiner Umwelt, Tübingen ²1962, 210–242. – BÜCHSEL, F.: Zu den Johannesbriefen, in: ZNW 28 (1929) 235–241. – HEISE: Bleiben (L 02) 132–135. – HIRSCH, E.: Studien zum vierten Evangelium (Text / Literarkritik / Entstehungsgeschichte) (BHTh 11), Tübingen 1936, 170–179. – NAUCK: Tradition (L 02). – OKE, C. C.: The Plan of the First Epistle of John, in: ET 51 (1939/40) 347–350. – OLIVIER, A.: La strophe sacrée en St. Jean. Contribution à la critique textuelle de l'*Apocalypse*, du *IVᵉ Évangile* et de la Iᵉ Épître, Paris 1939. – O'NEILL, J. C.: The Puzzle of 1 John: A New Examination of Origins, London 1966. – PREISKER, H.: Anhang zu WINDISCH, JohBr³ 168–171. – TOMOI, K.: The Plan of the First Epistle of John, in: ET 52 (1940/41) 117–119.

BÜCHSEL wollte die Quellentheorie widerlegen, indem er aus der jüdischen Traditionsliteratur, aus Mischna und Midrasch, den antithetischen Stil im Wechsel mit homiletischen Passagen belegte, mit Beispielen also, die auch im Fall von Pirke Abot zeitlich später zu datieren sind als 1 Joh, was noch nichts gegen das Vorliegen von gattungsmäßigen Analogien besagt. HIRSCH 171 weist ohne weitere Begründung einer späteren Hand zu: 1,2.10; 2,14–27; 3,13–17; 4,13–16a; 5,1–13 und die ersten vier Worte von 1,3. BRAUN akzeptiert mit wenigen Änderungen BULTMANNS ersten Versuch, ergänzt die Quelle u. a. noch um 3,3 (211) und 4,2–3 (217), betont aber ihren genuin christlichen Charakter anstelle ihrer vermeintlich dualistisch-gnostischen Herkunft und konstatiert in größerem Umfang Stilmischungen zwischen Vorlage und Endautor (215). PREISKER rekonstruiert eine zweite ältere Vorlage mit eschatologischer Ausrichtung in 2,28; 3,2.13–14.19–21; 4,17; 5,18–19. Er kommt damit zum Teil, was er bei der Niederschrift noch nicht wissen konnte, BULTMANNS kirchlichem Redaktor ins Gehege.

Einen eigenen Weg schlägt NAUCK ein. Die These einer redaktionellen Überarbeitung des 1 Joh weist er zurück, auch für 5,14–21 (128–146). Die Vorlage begrenzt er auf fünf Strophen in 1,6–10, fünf Strophen in 2,4–5.9–11 und die altbekannten vier Distichen in 2,29 – 3,10. Bezüglich der Gattung vergleicht NAUCK sie mit dem apodiktischen Gottesrecht im AT und in Qumran, bezüglich des Sitzes im Leben zusätzlich mit dem frühchristlichen Taufritual. Das Besondere bei ihm: Der Verfasser der Vorlage und der Verfasser des 1 Joh sind identisch (67). An späteren Stellen in Kap. 3, Kap. 4 und Kap. 5, die von anderen Autoren zur Grundschrift gezählt werden, befleißigt sich der Briefautor nämlich exakt des gleichen Stils wie seine Quelle. Er hatte bei früherer Gelegenheit, in der Stunde der akuten Krise, als die Entscheidung auf des Messers Schneide stand, die Antithesenreihe geschaffen, sie vor versammelter Gemeinde vorgetragen und damit Erfolg gehabt. Um letzte Zweifel zu beseitigen, greift er sie bei der Aufarbeitung der Situation in zeitlichem Abstand erneut auf und versieht sie mit einem Kommentar (125 f.). Die Notwendigkeit, überhaupt literarkritisch zu unterscheiden, gerät bei diesem Modell mit erster Ausgabe und bearbeiteter Neuauflage aus einer Hand zunehmend ins Zwielicht.

Ungewöhnlich schwach begründet O'NEILL in seinem schmalen Beitrag einen überraschenden Vorschlag: Die Grundschrift war eine Sammlung von 12 isolierten hymnischen Mahnungen rein jüdischen Charakters, aus einer sektiererischen jüdischen Randgruppe stammend, der auch der Autor angehörte. Im Konflikt mit seinen jüdischen Glaubensbrüdern, die ihm nicht ins Christentum folgen wollten, hat er die traditionellen Texte christologisch zugespitzt. Zusätzlich treibt noch ein Glossator sein Unwesen (66). Die kleinen Einheiten der älteren Sammlung sind:

1. 1, 6–10 (ohne „das Blut Jesu seines Sohnes" 7 d)
2. 2, 1 ab. 3–5
3. 2, 7. 9–11
4. 2, 14–17 a
5. 2, 18. 20–21. 27 (ohne den Schluß: „und so, wie es euch belehrte, bleibt in ihm")
6. 2, 28–29; 3, 1–4. 7–10 a
7. 3, 10 b–12 ab. 15. 17–19 a
8. 3, 19 b. 20 b–22. 24 (ohne „aus seinem Geist, den er uns gab")
9. 4, 1. 4–6
10. 4, 7–8. 12–13 ab. 16 d–18
11. 4, 19–21; 5, 1 c–4 c
12. 5, 14–19. 21

Glossen gibt es in 1,7; 2,8.17; 3,20; 3,24 und 4,13; 5,4 b. 6–8. Aus 2,12–17, um nur dies als Beispiel anzusprechen, wird also V. 12–13 mit dem dreimaligen „Ich schreibe euch" (s. o. III/C) herausgebrochen und dem Überarbeiter zugewiesen; der Schluß von V. 17 ist "a pious gloss" (20). Das spricht jedem methodischen Umgang mit der Literarkritik Hohn.

Weniger weitreichende literarkritische Operationen können summarisch aufgezählt werden: OLIVIER stellt einzelne Verse in 1, 3–10 um. OKE splittert 2, 12–17 (s. o. III/C) auf; er versetzt 2, 12–13 zwischen 1, 10/2, 1 und 2, 14–17 als Anhang zu 5, 21. TOMOI nimmt 4, 1–6 aus dem Kontext heraus und plaziert die Verse zwischen 4, 21 und 5, 1. HEISE erwägt eine sekundäre Einfügung von 2, 15–17. Nicht sehr hilfreich erscheinen auch mehr hingeworfene Gedankenblitze in neueren Kommentaren, so bei BONNARD, JohBr 9: Es wäre nicht sonderlich erstaunlich, wenn 1 Joh aus mehreren Billets bestünde, die der Autor an verschiedene Gemeinden richtete und später zusammenstellte, oder bei GRAYSTON, JohBr 9 u. ö.: Zunächst habe eine Gruppe ein Konsenspapier in Form eines Statements verfaßt, das der Hauptautor benutzte und expandierte. Was sollen diese ungeschützten modernen Analogien? Heuristischen Wert können sie doch nur haben, wenn sie der Gegenkontrolle an antiken Sachverhalten standhalten.

C. Perspektivenwechsel

L 20: HAENCHEN: Literatur (L 02). – MUÑOZ LEÓN, D.: El origen de las fórmulas rítmicas antitéticas en la Primera Carta de San Juan, in: Miscelánea José Zunzunegui, Bd. 5, Vitoria 1975, 221–244. – PIPER, O. A.: I John and the Didache of the Primitive Church, in: JBL 66 (1947) 437–451. – VIELHAUER: Geschichte (L 09) 463–466.

Die Beobachtungen zum mehrfachen Stilwechsel, die den Quellentheorien zugrunde liegen, sind durchaus ernst zu nehmen. Aber es bieten sich dafür andere Lösungen von der Traditionsgeschichte und vom Kontext her an. Gewiß verwendet der Briefautor vorgefertigte Materialien. Aber er entnimmt sie der johanneischen Gemeindetradition und der aktuellen Gemeindesituation, was längst nicht dasselbe ist wie das Arbeiten mit einer vorgegebenen größeren schriftlichen Quelle. PIPER läßt nur für 1, 6–10 offen, ob diese Verse vielleicht ein älterer Hymnus sind, vor der Niederschrift des Briefes schon komponiert und praktisch unverändert übernommen (450). Im übrigen stellt er heraus, daß der Autor sich immer wieder auf allgemein akzeptierte, in kurzen Sätzen komprimierte christliche Wahrheiten beruft und sie mit falschen Meinungen kontrastiert. Die allgemeinen Wahrheiten werden eingeleitet mit „wir wissen", „ihr habt gehört" u. ä., die falschen Meinungen mit „wer sagt", „wenn wir sagen". PIPER ordnet das Material in fünf Kategorien:

1. *Credal Statements.* Beispiele: „Jesus ist der Christus" in 5, 1; „Jesus ist der Sohn Gottes" in 5, 5.

2. *Theological Axioms.* Beispiele: „Gott ist Licht" in 1,5; „Gott ist Liebe" in 4,8.16; „Gott ist größer als unser Herz und erkennt alles" in 3,20.

3. *Eschatological Prophecies and Convictions.* Beispiele: „Es ist letzte Stunde... der Antichrist kommt" in 2,18; „Viele Pseudopropheten sind hinausgegangen in die Welt" in 4,1.

4. *Moral Commandments.* Beispiele: „Liebt nicht die Welt noch das in der Welt" in 2,15; das Gebot der gegenseitigen Liebe in 3,11 u. ö.

5. *Ecclesiastical Rules.* Beispiel: 4,2–3.

Im einzelnen mag man Einwände haben (etwa 443 f. zur Erklärung von λύει in 4,3), die Gesamtrichtung stimmt. Muñoz León erinnert zu Recht daran, daß uns ja auch die Jesusreden des Johannesevangeliums zur Verfügung stehen, die wir als erstes auf verwandte Sprachfiguren untersuchen sollten. An ihnen könnte sich der Briefautor orientiert haben (Beispiele: Joh 3,20–21 und 1 Joh 1,6–7; Joh 11,9–10 und 1 Joh 2,9–11). Brown hat seinen ganzen Kommentar auf die Voraussetzung abgestellt, daß der Autor des 1 Joh Slogans seiner theologischen Gegner zitiert und ihnen seine eigenen Merksätze entgegenhält (z. B. JohBr 42). Dadurch erst entstehen wie von selbst die Antithesen.

Eine wertvolle, unbeachtet gebliebene Bemerkung zur rhetorischen Funktion von kurzen, prägnanten Sentenzen steuerte Haenchen 262 bei, indem er Seneca zitiert: „Leichter nämlich bleiben einzelne Sprüche, genau begrenzt und versartig gestaltet, haften. Deswegen geben wir den Knaben Sinnsprüche auswendig zu lernen..., weil sie der kindliche Geist, der mehr noch nicht aufnehmen kann, leichter zu fassen vermag" (Ep Mor 33,6 f.). Der Briefautor legt seinen „Kindlein" Merkverse vor, Zusammenfassungen des umstrittenen Kerygmas, nicht Exzerpte aus einer gnostischen Offenbarungsquelle.

Auch wenn Vielhauer neuerdings wieder mit kräftigen Worten die Quellentheorie alten Zuschnitts verteidigt (466: „Daß der Verfasser eine Vorlage benutzt, leidet m. E. keinen Zweifel"), dürfte das nicht der zukunftsweisende Weg der Johannesbriefexegese sein. Weiter voran bringt uns vielmehr die Suche nach Tradition(en) und Situation(en).

D. 1 Joh 5, 14–21

L 21: Bultmann: Redaktion (L 18). – Edwards, M.J.: Martyrdom and the *First Epistle* of John, in: NT 31 (1989) 164–171. – Stegemann, E.: „Kindlein, hütet euch vor den Götterbildern!" Erwägungen zum Schluß des 1. Johannesbriefes, in: ThZ 41 (1985) 284–294. – Vielhauer: Geschichte (L 09). – Wengst: JohBr 20 f.

Etwas anders verhält es sich mit der Redaktionshypothese. VIEL-
HAUER und WENGST können beide gegen BULTMANN keine redaktionellen Glossen mit traditioneller Eschatologie (beträfe 2,28; 3,2; 4,17,
s. o.) und Sühnevorstellung (1,7b; 2,2; 4,10, s. o.) erkennen, halten aber
daran fest, daß der Nachtrag in 5,14–21 erst sekundär an das fertige
Schreiben angehängt wurde. Dafür gibt es tatsächlich einige sehr beachtliche Gründe, trotz der stilistischen Einheitlichkeit, die sich in
5,14–21 durchhält. Daß der eigentliche Schluß des 1 Joh in 5,13 vorliegt
und 5,14–21 ein Postskript von zweiter Hand darstellt, hat eine hohe
Wahrscheinlichkeit für sich.

An der gut johanneischen Diktion des Textstücks in 5,14–21 kann kein
Zweifel bestehen. Es tauchen neben Leitthemen aus dem ganzen Schreiben wie
Gebetserhörung, Sündenproblematik und Glaubensgewißheit auch Stichworte
aus V. 13 wieder auf (das Wissen, das Leben, der Gottessohn). Aber bei näherem
Hinsehen sind doch eine Reihe von Akzentverschiebungen auszumachen, die zu
denken geben. Die Sündenlehre des 1 Joh ist schwierig genug, durch das neue
Thema von der Sünde zum Tode in 5,16–17 gerät sie vollends in eine kaum noch
zu überwindende Aporie. Das gängige Thema der Gebetserhörung scheint in
5,14–15 von vornherein auf diesen Sonderfall der Sünde zum Tode zuge-
schnitten zu sein. Die einfachste Erklärung für das grammatische Rätsel von
V. 18 (s. o. in III/B) wäre, „der aus Gott Gezeugte" in 18d auf Christus zu beziehen. Das widerspricht dem sonstigen Sprachgebrauch des 1 Joh, könnte eben
deshalb aber als Indiz für eine spätere Stufe gewertet werden. Die gängige metaphorische Deutung der Schlußwendung „Hütet euch vor den Götzen" in V. 21
im Sinn von: Hütet euch vor den Irrlehrern, hütet euch vor Glaubensabfall und
vor der Sünde, macht erhebliche, meist unzulänglich reflektierte Schwierigkeiten. Wenn man sie, was naheliegt, einfach wörtlich nimmt (dafür plädieren
auch STEGEMANN; EDWARDS), braucht man eine vom Briefkorpus etwas unterschiedene neue Verfolgungssituation (anders STEGEMANN, der die in 5,21 voraus-
gesetzte Lage auf den ganzen Brief ausdehnt; s. auch – überzogen – EDWARDS),
wo wirklich wieder der Götzendienst zur Gefahr wurde, vor der gewarnt
werden muß und zu deren Bewältigung die polemischen und paränetischen Traditionen aus dem Korpus des 1 Joh einer Aktualisierung bedürfen. Die unge-
zwungenere Lösung scheint sich mehr als einmal zu ergeben, wenn man auf an-
gestrengt wirkende Harmonisierungen mit dem Haupttext verzichtet und für
5,14–21 mit einem anderen Autor rechnet (daß ein und derselbe Autor sein
eigenes Schreiben zu einem späteren Zeitpunkt ergänzte, kann natürlich nicht
völlig ausgeschlossen werden, doch s. im folgenden).
Eine konvergierende Überlegung ergibt sich von der Verwandtschaft mit dem
Johannesevangelium her. Wie sich der Prolog 1 Joh 1,1–4 am Evangelienprolog
Joh 1,1–18 orientierte, so scheint sich der Epilog den Schlußabschnitt des Evangeliums als Vorbild zu nehmen. 1 Joh 5,13 läuft weithin mit Joh 20,31, dem ursprünglichen Schlußvers des Evangeliums, parallel. 1 Joh 5,14–21 stellt somit

strukturell gesehen, bei fehlender inhaltlicher Nähe, ein Äquivalent zu dem Nachtragskapitel Joh 21 dar, das redaktionell an das Werk des Evangelisten angefügt wurde. Wenn wir davon ausgehen, daß sich diese Ähnlichkeit nicht reinem Zufall verdankt, wenn wir ferner daran festhalten, daß 1 Joh später zu datieren ist als das Johannesevangelium in seiner Grundgestalt, bliebe als eine Möglichkeit bestehen: Der Briefautor hat den Gesamttext bis hin zum Nachtrag so organisiert, daß er konsequent dem Evangelienrahmen einschließlich Joh 21 entspricht. Aber es fragt sich, ob der Briefautor Joh 21 als zeitlich späteste Schicht der Evangelienschrift überhaupt kennt, jedenfalls teilt er den theologischen Standort dieses Kapitels nicht. So spricht mehr dafür, Briefnachtrag und Evangeliennachtrag entweder einem gemeinsamen Herausgeberkreis des johanneischen Schriftenkorpus zuzuweisen oder den Briefnachtrag auf einer zeitlich noch späteren Stufe in bewußter Nachahmung des jetzigen Evangelienschlusses entstanden zu sehen.

V. AUFBAU UND GATTUNG

A. Der erste Johannesbrief

1. Aufbau

L 22: ANTONIOTTI, L. M.: Structure littéraire et sens de la Première Épître de Jean, in: RThom 88 (1988) 5–35. – BOGAERT, M.: Structure et message de la première épître de saint Jean, in: BVC 83 (1968) 33–45. – CURTIS, E. M.: The Purpose of 1 John, Diss. theol., Dallas 1986, 188–241. – DU RAND, J. A.: A Discourse Analysis of 1 John, in: Neot 13 (1979) 1–42. – DU TOIT, B. A.: The Role and Meaning of Statements of 'Certainty' in the Structural Composition of 1 John, in: Neot 13 (1979) 84–100. – ERDMANN, D.: Primae Joannis epistolae argumentum, nexus et consilium, Berlin 1855. – EZELL, D.: The Johannine Letters in Outline, in: SWJT 13 (1970) 65–66. – FEUILLET, A.: Etude structurale de la première épître de saint Jean, in: Neues Testament und Geschichte. Historisches Geschehen und Deutung im Neuen Testament (FS O. Cullmann), Zürich–Tübingen 1972, 307–327 = The Structure of First John, in: BTB 3 (1973) 194–216. – GINGRICH, R. E.: An Outline and Analysis of the First Epistle of John, Grand Rapids 1943. – GIURISATO, G.: Struttura della prima lettera di Giovanni, in: RivBib 21 (1973) 361–381. – HÄRING, T.: Gedankengang und Grundgedanke des ersten Johannesbriefs, in: Theologische Abhandlungen (FS C. von Weizsäcker), Freiburg i. Br. 1892, 171–200. – HUTHER, J. E.: Die Structur des ersten Briefes des Apostels Johannes, in: JDTh 18 (1873) 584–630. – JONES: Analysis (L 18). – LAW: Tests (L 02) 1–24. – LOHMEYER, E.: Über Aufbau und Gliederung des ersten Johannesbriefes, in: ZNW 27 (1928) 225–263. – MALATESTA, E.: The Epistles of St. John. Greek Text and English Translation Schematically Arranged, Rom 1973. – NAGL, E.: Die Gliederung des ersten Johannesbriefes, in: BZ 16 (1924) 77–92. – SCHWERTSCHLAGER, R.: Der erste Johannesbrief in seinem Grundgedanken und Aufbau, Coburg 1935. – SEGOVIA: Love Relationships (L 02) 33–38. – ŠKRINJAR, A.: Die divisione epistolae primae Joannis, in: VD 47 (1969) 31–40. – SMIT SIBINGA, J.: A Study in I John, in: Studies in John (FS J. N. Sevenster) (NT.S 24), Leiden 1970, 194–208. – THOMPSON, P. J.: Psalm 119: a Possible Clue to the structure of the First Epistle of John, in: StEv 2 (1964) 487–492. – VAN STADEN, P. J.: Die struktuur van die eerste Johannesbrief, Diss. theol., Pretoria 1988 (mir zugänglich über ein 42seitiges Manuskript: The Debate on the Structure of 1 John, 1989). – WADE, L. E.: Impeccability in 1 Joh. An Evaluation, Diss. phil., Andrews University 1986, 128–156. – WESTCOTT, A.: The Divisions of the First Epistle of St. John. Correspondence between Drs. Westcott and Hort, in: Exp. VII/3 (1907) 481–493. – WIESIN-

GER, A.: Der Gedankengang des ersten Johannesbriefes, in: ThStKr 72 (1899) 575–581.

Wer „auf Gerathewohl zwischen 2 und 10 Hauptabschnitten des Briefs räth, kann so ziemlich immer eine exegetische Autorität für sich in Anspruch nehmen" (HÄRING 174), dieser Ausspruch charakterisiert recht treffend die Verlegenheit, in der sich die Forschung befindet, wenn es darum geht, den Aufbau des 1 Joh herauszufinden. Poetische Metaphern sind an der Tagesordnung. Wir hören vom „Wogenspiel des Meeres" (HAUCK, JohBr 111) und von der „kreisförmige(n) Bewegung" des Gedankensgangs (DÜSTERDIECK, JohBr I, XXIX). Der Fluß Mäander in der kleinasiatischen Heimat des Autors mit seinen vielen Windungen und Krümmungen muß zur Illustration herhalten (WILDER, JohBr 210). Beliebt ist das Bild von der Spirale, die sich nach oben schraubt, oder von der Wendeltreppe, die sich um ein Zentrum dreht, dabei aber ständig an Höhe gewinnt (LAW 5).

Es lohnt sich, zunächst einen Blick auf die Geschichte unserer Fragestellung zu werfen.[15] Die alten griechischen Ausleger blieben bei einer stichometrischen Aufteilung in sieben sehr ungleichmäßige Kephaleia stehen: 1,1 – 2,6; 2,7–17; 2,18 – 3,10a; 3,10b – 4,6; 4,7–21; 5,1–15; 5,16–21. Ablesen kann man dieses Schema u.a. am Aufbau von CRAMERS Katene (L 11). In der Reformationszeit überwog der Eindruck eines losen Nebeneinanders der Gedanken ohne klares Ordnungsprinzip, was man je nachdem mit dem freien Wirken des Heiligen Geistes oder mit dem geschwätzigen Greisenalter des Apostels begründete. Vermitteln sollte der Vorschlag, der Autor habe sich nach Art der väterlichen Ermahnung an geliebte Söhne einer aphoristischen Methode bedient. So gliedert LANGE in seinem Kommentar den Stoff in zwölf einzelne Aphorismen auf.[16] Darüber führt LÜCKE, JohBr 38–45, mit seinem zehnteiligen Aufbau im Grunde nicht hinaus, obwohl er selbst die aphoristische Betrachtungsweise für überwunden erklärt.[17] Eine

[15] Die näheren Informationen bei LÜCKE, JohBr 20–32; LUTHARDT, JohBr 220–225; ERDMANN 6–29; SCHWERTSCHLAGER 9–23.

[16] Vgl. J. LANGE, Exegesis Epistolarum S. Ioannis, Halle 1713, 8–15; die zwölf Aphorismen sind: 1,1–4; 1,9–10; 2,1–6; 2,7–17; 2,18–29; 3,1–24; 4,1–6; 4,7–21; 5,1–5; 5,6–13; 5,14–16; 5,18–21.

[17] Siehe auch noch A. JÜLICHER, Einleitung in das Neue Testament (GThW III/1), Tübingen 5/61906, 208: „Aphoristisch, in der Form von Meditationen werden kleinere und grössere Gedankenkomplexe nebeneinander gestellt"; in der 7. Aufl. von 1931 ist dieser Satz getilgt, während die süffisante Eröffnung des Paragraphen stehen blieb: „Die zahllosen Versuche, in I Joh eine wohlüberlegte

thematische Disposition, die aber noch den vorgegebenen fünf Kapiteln
verhaftet blieb, trug 1741 der Göttinger Theologe J. OPORINUS vor.[18]
Kühner und auch gewaltsamer verfährt J. A. BENGEL, dessen berühmtes
›Gnomon‹ im gleichen Jahr zum ersten Mal erschien. Ausgehend von
den drei großen Blöcken Exordium 1,1–4, Tractatio 1,5–5,12 und Con-
clusio 5,13–21 gliedert er die Tractatio noch einmal in den längeren
Hauptteil 1,5–4,21, wo er den Dreischritt von Gemeinschaft mit dem
Vater, mit dem Sohn und mit dem Geist aufspürt, und in den kürzeren,
zusammenfassenden Hauptteil 5,1–12, wo das dreifache Zeugnis den
Schwerpunkt ausmacht. In dieser trinitätstheologischen Auswertung des
Aufbaus ist ihm von den älteren Auslegern nur SANDER, JohBr, gefolgt.

ERDMANN scheint der erste gewesen zu sein, der eine Abfolge von
dogmatischen und paränetischen Partien beobachtete. Mit nachhalti-
gerem Erfolg entwickelte HÄRING auf dieser Linie einen Bauplan, der
auf einem Wechsel zwischen christologischen und ethischen Aussagen
und ihrer schließlichen Durchdringung basiert. Im Endergebnis kon-
vergiert damit die Zyklentheorie von LAW, derzufolge in dem Brief verschiedene Testanordnungen für die Überprüfung der Echtheit christlichen Lebens, gegründet auf Gerechtigkeit, Glaube und Liebe, erstellt
werden. Als Resultat kommt bei den zuletzt genannten Autoren einhellig eine Grobgliederung in drei Hauptteile heraus, die insgesamt
wohl – bei mannigfachen Variationen in der Durchführung – die meisten Stimmen auf sich vereinigen kann, ohne daß sie sich jedoch restlos
durchzusetzen vermochte.

Die wichtigsten Gliederungsvorschläge von den zweiteiligen bis zu
den siebenteiligen seien im folgenden tabellarisch dargeboten und in
Auswahl aus der Literatur belegt (ergänzend s. BROWN, JohBr 764; SE-
GOVIA 37 f.). Erfaßt werden davon nur die Hauptabschnitte des Briefes,
nicht die weitere Aufteilung in Unterabschnitte und Perikopen, wiewohl auf der Hand liegt, daß eine siebenteilige Gliederung eher auf eine
weitere Hierarchisierung der Teiltexte verzichten kann als eine zwei-
gliedrige. Schwierigkeiten bereitet auch der Umgang der einzelnen Erklärer mit dem Prolog 1,1–4 und dem Epilog 5,13–21. Manche setzen
Prolog und Epilog von vornherein vom Briefkorpus ab, andere zählen

---

Disposition nachzuweisen, haben das Verdienst, sich gegenseitig aufzuheben"
(224).
[18] J. OPORINUS, Joannis apostoli paraenesis ad primos Christianos de con-
stanter tenenda communione cum Patre ac Filio eius Jesu Christo i. e. Joannis
epistola prima nodis interpretum liberata et luci vere innatae suae restituta,
Progr. Göttingen 1741.

Prolog und Epilog oder nur den Epilog als einen Hauptteil mit. Der
Epilog beginnt wahlweise bei 5,13 oder 5,14, manchmal auch erst bei
5,18. In der Tabelle bleiben Prolog und Epilog als Briefteile prinzipiell
unberücksichtigt. Nur wenn ein Autor sie ganz oder teilweise zu einem
anderen Hauptabschnitt zieht, werden die entsprechenden Verse mit-
genannt.

Zweiteilig:

1,5 – 2,28	/ 2,29 – 5,5	DÜSTERDIECK, JohBr
1,5 – 2,28	/ 2,29 – 5,12	BRAUNE, JohBr; PLUMMER, JohBr
1,5 – 2,28(29)	/ 3,1 – 5,12(13)	FEUILLET; SMALLEY, JohBr
1,5 – 3,10	/ 3,11 – 5,12	BROWN, JohBr

Dreiteilig:

1,5 – 2,11	/ 2,11 – 3,18	/ 3,18 – 5,12	ERDMANN
1,5 – 2,17	/ 2,18 – 3,24	/ 4,1 – 5,12	SCHNACKENBURG, JohBr[19]
1,1 – 2,17	/ 2,18 – 4,6	/ 4,7 – 5,21	EWALD, JohBr
1,1 – 2,26	/ 2,27 – 4,6	/ 4,7 – 5,21	SMIT SIBINGA
1,5 – 2,27	/ 2,28 – 4,6	/ 4,7 – 5,12	HÄRING; JONES
1,5 – 2,27	/ 2,28 – 4,19	/ 4,20 – 5,17	CURTIS
1,5 – 2,28	/ 2,29 – 4,6	/ 4,7 – 5,13(21)	LAW; MALATESTA
1,5 – 2,28	/ 2,29 – 4,6	/ 4,7 – 5,12(19)	ŠKRINJAR; NAGL
1,5 – 2,28	/ 2,29 – 4,12	/ 4,13 – 5,13	DODD, JohBr
1,5 – 2,29	/ 3,1 – 4,6	/ 4,7 – 5,21	EZELL
1,1 – 3,10	/ 3,11 – 4,21	/ 5,1–21	ANTONIOTTI

Vierteilig:

1,5 – 2,11	/ 2,12–28	/ 2,29 – 3,22	/ 3,23 – 5,17	HUTHER
1,5 – 2,11	/ 2,12 – 3,24	/ 4,1–21	/ 5,1–21	WIESINGER
1,5 – 2,17	/ 2,18 – 4,6	/ 4,7 – 5,5	/ 5,6–12	GINGRICH

Fünfteilig:

1,5 – 2,2	/ 2,3–27	/ 2,28 – 4,6	/ 4,7 – 5,5	/ 5,6–17	STOTT, JohBr
1,5 – 2,6	/ 2,7–29	/ 3,1–24	/ 4,1 – 5,3a	/ 5,3b–21	EBRARD, JohBr
1,5 – 2,17	/ 2,18–27	/ 2,28 – 3,24	/ 4,1–6	/ 4,7 – 5,12	WADE

Sechsteilig:

1,5 – 2,17 / 2,18–27 / 2,28 – 3,24 / 4,1–6 / 4,7 – 5,4(a) / 5,4(b)–12 BELSER,
JohBr; STRECKER, JohBr

---

[19] Diese Aufteilung, der auch unten im eigenen Entwurf der Vorzug gegeben
wird, liegt den einflußreichen Handausgaben des griechischen Textes (West-
cott-Hort, Nestle-Aland) zugrunde; von den Kommentaren vertreten sie u. a.
noch HAUCK; SCHNEIDER; SCHUNACK; WENGST; ferner HAAS u. a., Handbook
(L 02). Nur eine Modifikation bringt VAN STADEN daran an: Er weist 3,18–24
eine Sonderstellung zu "as an independent unit", welche die ersten beiden
Hauptteile beschließt und den Übergang zum dritten herstellt (21).

Siebenteilig:

1,5 – 2,6 / 2,7–17 / 2,18–28 / 2,29 – 3,10 / 3,11–22 / 3,23 – 5,4 / 5,5–17

GIURISATO

1,5 – 2,11 / 2,12–17 / 2,18–27 / 2,29 – 3,24 / 4,1–6 / 4,7–21 / 5,1–12

HOULDEN, JohBr

Sieben Teile hat auch das vieldiskutierte und vielkritisierte, allzu kunstvolle Aufbauschema, das LOHMEYER vorgestellt hat. Dabei sind aber Prolog und Epilog als Hauptteile mitgezählt. Den Prolog ausgenommen werden alle anderen Abschnitte noch einmal in sieben Einheiten unterteilt. In 2,18–27, in 3,2–6 und 3,7–12 erfaßt das Siebenerschema sogar eine untergeordnete dritte Ebene der Einzelverse, ganz zu schweigen von 4,1–21, wo sich auf Ebene 2 und 3 sieben Perikopen und drei Siebenergruppen von Einzelversen überlagern. LOHMEYER gelangt zu dieser Konstruktion eingestandenermaßen von der Johannesoffenbarung her, wo die Siebenzahl eine herausragende Rolle spielt. Mit einer Außensteuerung arbeitet auch THOMPSON, wenn er ein Akrostichon in Anlehnung an Ps 119 zu entdecken vermeint.

Manche Versuche lassen sich in der obigen Tabelle nicht gut unterbringen. Das gilt für BOGAERT, der trotz detaillierter Einzelbeschreibung keine klar erkennbare Gliederung liefert, das gilt aber auch für das an sich wohlüberlegte und wohlbegründete, wenn auch nicht restlos überzeugende Modell von DU RAND, der 1,1–4; 1,5 – 2,17; 2,18 – 4,6; 4,7 – 5,5; 5,6–21 als Hauptteile unterscheidet. Wenn MARSHALL, JohBr, es im Korpus auf 12, mit Prolog und Epilog auf 14 Teile bringt oder wenn BONNARD, JohBr, 13 Abschnitte bzw. mit Prolog und Epilog 15 Abschnitte ausgrenzt, nähert sich das unverkennbar unserem Ausgangspunkt, der aphoristischen Methode, an. Bei den Einheiten mittlerer Größe kommt es dann aber doch zu einer Reihe von Konvergenzen mit den anderen Ansätzen, nur daß sich dort die entsprechenden Beobachtungen nicht in der Großgliederung, sondern erst auf einer in der Tabelle nicht mehr sichtbaren zweiten Stufe niederschlagen. So sehen MARSHALL und BONNARD übereinstimmend 2,12–17; 2,18–27 und 4,1–6 als geschlossene Textkomplexe an und treffen sich darin mit den meisten anderen Gliederungen, vor allem was 4,1–6 angeht. In diesem Bereich der feineren Aufteilung und der Perikopenabgrenzung ist der Konsens überhaupt größer, als man angesichts der disparaten Gesamtentwürfe erwarten möchte.

Wir müßten eigentlich für alle oben tabellarisch erfaßten Vorschläge die weitere Gliederung angeben und die Begründungen diskutieren. GIURISATO postuliert, um nur das ein oder andere hervorzuheben, für jeden seiner sieben Teile einen Dreischritt von Kerygma, Paränese und Kasuistik. STRECKER, JohBr, leitet

seine Sechs- bzw. mit Epilog Siebenteilung aus dem kontinuierlichen Wechsel
von Paränese und dogmatischen Ausführungen ab. WADE hat unter seinen fünf
Abschnitten drei mit aufmunternder und darin eingebettet zwei mit warnender
Tendenz. SMIT SIBINGA zählt in einem problematischen Verfahren die Silben und
tariert sie in drei Gruppen einigermaßen aus.

Ein Wort noch zur *Zweiteilung*, weil sie von FEUILLET und BROWN, JohBr,
vom Johannesevangelium aus entwickelt wird. Das Johannesevangelium hat in
1,1–18 einen Prolog, in Kap. 21 einen Epilog; es besteht im Korpus aus zwei
Hauptteilen, dem "book of signs" und dem "book of glory". Der Schnitt liegt
zweifelsohne zwischen Joh 12 und Joh 13. Mit einer feierlichen Einleitung beginnt in 13,1 der zweite Hauptteil, der die Abschiedsreden, die Passionsgeschichte und die Ostererzählungen aus Joh 20 beinhaltet. Daran soll der Briefautor Maß genommen, sein eigenes Werk mit Prolog und Epilog versehen und in
der Mitte geteilt haben. Das wirkt in mancher Hinsicht zunächst sicher bestechend, hat aber auch seine Probleme. Ob der Briefautor das Johannesevangelium in seiner Endgestalt kannte, ist nicht so sicher. Weder 3,1 (bzw. 2,29) noch
3,11 (trotz der Parallele zu 1,5) haben im Kontext des 1 Joh den strukturellen
Stellenwert, der ihnen bei einem Einschnitt von solchem Gewicht zugewiesen
wird. Wenn auch nicht so massiv wie bei LOHMEYER und THOMPSON stellt sich
doch erneut die Frage der Außensteuerung: Nur in zwingenden Fällen – bei
echten Kommentaren z. B. – sollte man die Gesamtanlage eines Textes von einer
Vorlage gesteuert sehen. PLUMMER, JohBr, hingegen gelangt zu seiner Zweiteilung auf textinternem Weg über die Themasätze „Gott ist Licht" in 1,5 und
„Gott ist Liebe" in 4,8.16, aber dabei stört doch die unterschiedliche Positionie-
rung des Themasatzes im jeweiligen Hauptteil. Ähnlich wird manchmal die
Dreiteilung begründet, indem man noch „daß er (Gott) gerecht ist" aus 2,29
hinzunimmt (NAGL). Aber dieser Satz steht keinesfalls auf der gleichen Stufe
wie die beiden anderen. Außerdem handelt er eher von Christus als von Gott.

All die vorgelegten Konzepte eingehender zu diskutieren wäre ein
endloses Unterfangen. Wir fragen statt dessen noch schärfer nach den
Kriterien, den Schwierigkeiten und den Zielen dieses Zugangs zum
Text, um dann eine eigene Skizze vorzulegen.

Die *Kriterien* müssen aus dem Text selbst gewonnen werden und sich
dort verifizieren lassen. Nützlich sind dafür Beobachtungen zur
Syntax, zur Semantik und zur Pragmatik. Einen hohen Stellenwert wird
man syntaktischen Signalen wie Anredeformen, Imperativen, Perso-
nenwechsel u. ä. zubilligen. Alles, was sich zur Stilistik sagen läßt, zu
den rhetorischen Figuren, und was teils Anlaß zu Quellentheorien gab,
kehrt nun bei der Abgrenzung von Texteinheiten wieder. Dreiergrup-
pen von gleichgebauten Sätzen mit „wenn wir sagen" in 1,6–10 oder
„wer sagt" in 2,3–11, aber auch die vier Antithesenpaare in 2,28 – 3,10
legen es nahe, die betreffenden Texte auf irgendeiner Ebene als Abschnitte anzusetzen. Anapher, Parallele, Kettenschluß und Inklusio

tragen das Ihrige bei. In der Semantik ist die Verteilung und Zuordnung von Wortfeldern, Bildfeldern, Leitbegriffen und Oppositionen zu berücksichtigen. So gibt in 1,6 – 2,11 die Metaphorik von Licht und Finsternis eine starke Klammer ab. Der Pneumabegriff, am Ende von 3,24 eingeführt, kommt in 4,1–6.13; 5,6–8 zum Tragen. Die Sprache der Immanenz übergreift größere Textblöcke. Pragmatisch gesehen gewinnen direkte Appelle an die Adressaten und Bezugnahmen auf die Situation an Bedeutung. 2,18–27 z. B. wird nicht nur durch „Antichrist" (2,18.22) und „Chrisma" (2,20.27) zusammengehalten, sondern auch durch die Polemik in 2,19.26 und durch die mehrfache direkte Anrede „und ihr". Für die Großgliederung kann es auch nicht ohne Folgen bleiben, daß dreimal immer weiter ausgreifend, zugleich vertiefend und steigernd, die Liebe zu den Brüdern und Schwestern in den Mittelpunkt rückt (in 2,7–11; 3,11–17; 4,7–21).

Die erheblichen *Schwierigkeiten*, die einen Konsens verhindern, haben es mit der relativ gleichförmigen Denk- und Schreibweise unseres Autors zu tun. Mehrfach streut er typische Übergangsverse ein, die, eben weil sie den Übergang von einer thematischen Einheit zur nächsten erleichtern sollen, zum Vorstehenden oder zum Folgenden gezogen werden können. So erklärt es sich, daß hinsichtlich der Stellung von 2,27; 2,28; 2,29 und 3,1 fast schon heillose Verwirrung herrscht, trotz der schönen Anredeform in 2,28, der in 3,1 nichts Gleichwertiges an die Seite tritt. Weitere Übergangsverse sind 3,18; 3,24 und 5,4–5. Im Extremfall nimmt eine komplette Perikope diesen eigentümlichen Doppelcharakter an. Über die Stellung von 4,1–6 z. B. haben sich schon WESTCOTT und HORT nie einigen können.

Nicht zuletzt resultiert manche Schwierigkeit auch daraus, daß man sich zu wenig Rechenschaft über Tragweite und *Ziel* dieser Gliederungsversuche gibt. Allzu ausgefeilten Schemata wird gern entgegengehalten, daß der Autor so kompliziert nicht gedacht und disponiert haben kann. Dem ist z. T. wohl beizupflichten, nur muß man auch vor dem anderen Extrem warnen, das darin besteht, dem Text jede Ordnung abzusprechen. Vollkommen ungeordnete sprachliche Äußerungen gibt es nicht oder doch nur unter ganz besonderen Bedingungen. Solange mit einem Text kommunikative Absichten verbunden sind, weist er auch bestimmte Strukturen auf, die zu seiner Rezeption beitragen. Die Suche richtet sich primär zunächst auf die textimmanenten Strukturen und nicht auf das Autorbewußtsein im Text. Das Autorbewußtsein, innerhalb dessen noch einmal verschiedene Reflexionsniveaus zu unterscheiden sind, kommt als kontrollierender Faktor mit ins Spiel. Was können wir einem bestimmten Autor noch zutrauen? Was konnte er bewußt oder auch vorbewußt, mehr aus Übung und Erfahrung denn aus gezielter Planung heraus, an formgebenden Merkmalen in seinen Text einbringen? Angesichts der sehr einfachen Sprache des Verfassers des 1 Joh sollten das möglichst einfache Mittel sein, was nicht heißt, daß sie völlig kunstlos zu sein brauchen (s. o. III/C).

Von diesen Überlegungen her ergibt sich aber erneut ein starkes Argument für die *Dreizahl*, die nicht umsonst in der Forschung favorisiert wird, als hauptsächliches Konstruktionsprinzip. Die Dreizahl ist, wie hinlänglich bekannt, das wohl verbreitetste und urtümlichste Formelement überhaupt.[20] Es bietet sich wie von selbst an, wenn einem Gedanken Nachdruck verliehen werden soll, ohne daß lange danach gesucht werden muß. Im 1 Joh zeigt der Autor auch in kleineren Texteinheiten eine Neigung für den Dreischritt: je drei Schlagworte in 1,6–10 und 2,3–11, dreimal γράφω und dreimal ἔγραψα in 2,12–14 mit je drei Personengruppen, drei Laster in 2,16, drei Zeugen in 5,6–8 (vgl. Brown, JohBr 123). Das dient als zusätzliche Bestätigung. Einfache Verfahrensweisen haben auch eine Vorliebe für eine gewisse – nicht übersteigerte – Symmetrie, die sich mit Hilfe der Dreizahl leicht herstellen läßt. Das spricht gegen Gliederungsversuche mit sehr ungleichwertigen Teilen (bei Lohmeyer z. B. steht 1,1–4 mit vier Versen auf der gleichen Ebene wie 2,18 – 3,24 mit 36 Versen). Daß die dreimalige Thematisierung des Liebesgebotes von Stufe zu Stufe eine Ausweitung erfährt, stimmt mit dem Gesetz der Endbetonung als Komplement zur Dreizahl überein.[21]

Der im folgenden dargebotene Gliederungsvorschlag beruht auf diesem Grundsatzentscheid und versucht, möglichst viele weitere Beobachtungen zum Text zu integrieren. Prolog und Epilog werden vom Briefkorpus abgesetzt. Das Korpus weist drei Hauptteile auf. Daß sie sich in jeweils drei Unterabschnitte einteilen lassen, mag Zufall sein oder auch nicht. Es hat zugegebenermaßen u. a. die Zuordnung von 2,18–27 und 4,1–6 beeinflußt. Maßgebend waren dafür aber noch andere Gesichtspunkte, für 2,18–27 z. B. die Verwandtschaft in der eschatologischen Ausrichtung zwischen 2,18 und 2,28 – 3,2, für 4,1–6 die Pneumabegrifflichkeit im Blick auf 5,6–8 und der Zusammenhang von Bekenntnis und Zeugnis des Glaubens als Rahmen für das Hohelied der Liebe. Für die unterste Ebene der Perikopen ist ein übergreifendes Ordnungsprinzip nicht mehr intendiert.

---

[20] Vgl. A. Olrik, Epische Gesetze der Volksdichtung, in: ZDA 51 (1909) 1–12, hier 3 f. 11 f.

[21] Ebd. 7: „achtergewicht mit dreizahl verbunden ist das vornehmste merkmal der volksdichtung."

    b) Die drei Zeugen (5, 6–8)
    c) Das Zeugnis Gottes (5, 9–12)

C. Epilog: Ewiges Leben (5, 13–21)
  1. Briefschluß: Glaube und Leben (5, 13)
  2. Postskript: Mit Freimut und Zuversicht (5, 14–21)
    a) Gebetserhörung (5, 14–15)
    b) Die Sünde zum Tode (5, 16–17)
    c) Glaubenswissen (5, 18–20)
    d) Schlußmahnung (5, 21)

Aus einer sehr ähnlichen Gliederung im großen wie im kleinen folgert SCHUNACK, JohBr 15: „Es erscheint nicht zu weit gegriffen, den inneren Zusammenhalt vergewissernder Auslegung des Christseins in 1.Joh. 1, 5 – 5, 12 trinitätstheologisch zu bestimmen." Auch VAN STADEN zentriert die drei Hauptteile der Reihe nach auf Vater, Sohn und Geist (21). Allein auf den formalen Stellenwert der Dreizahl für den Bauplan des 1 Joh würde ich eine so weitreichende These noch nicht stützen. Nimmt man inhaltliche Gesichtspunkte hinzu, wird man etwas zurückhaltender sagen können, daß auch im 1 Joh innerhalb der „ntl. Überlieferung Sprachformen und Vorstellungen" geschaffen werden als eine „Voraussetzung, ohne welche die dogmatische Fixierung" der Trinitätslehre letztlich „nicht denkbar ist".[22]

2. Gattung

L 23: BERGER, K.: Apostelbrief und apostolische Rede / Zum Formular frühchristlicher Briefe, in: ZNW 65 (1974) 190–231. – BULTMANN: Redaktion (L 18) 381 f. – DEISSMANN, A.: Licht vom Osten. Das Neue Testament und die neuentdeckten Texte der hellenistisch-römischen Welt, Tübingen ⁴1923. – DOTY, W. G.: Letters in Primitive Christianity (Guides to Biblical Scholarship. New Testament Series), Philadelphia ³1979. – ESCHLIMANN, J. A.: La rédaction des épîtres Pauliniennes d'après une comparaison avec les lettres profanes de son temps, in: RB 53 (1946) 185–196. – FRANCIS, F. O.: The Form and Function of the Opening and Closing Paragraphs of James and I John, in: ZNW 61 (1970) 110–126. – HAENCHEN: Literatur (L 02) 246–248. – KARRER, M.: Die Johannesoffenbarung als Brief. Studien zu ihrem literarischen, historischen und theologischen Ort (FRLANT 140), Göttingen 1986, 41–83. – KOSKENNIEMI, H.: Studien zur Idee und Phraseologie des griechischen Briefes bis 400 n. Chr. (AASF B/102,2), Helsinki 1956. – MALHERBE, A.J.: Ancient Epistolary Theorists (SBL.SBibSt 19), Atlanta 1988. – MIEHLE, H. L.: Theme in Greek Hortatory

---

[22] M. GÖRG, Art. Dreifaltigkeit, in: Neues Bibellexikon I, 447 f.

Discourse: Van Dijk and Beekman-Callow Approaches Applied to I John, Diss. Arlington 1981; vgl. DissAb 42 (1982) 3584–A. – ROLLER, O.: Das Formular der paulinischen Briefe. Ein Beitrag zur Lehre vom antiken Briefe (BWANT 58), Stuttgart 1933, 213–238. – STOWERS, S. K.: Letter Writing in Greco-Roman Antiquity (Library of Early Christianity 5), Philadelphia 1986. – THRAEDE, K.: Grundzüge griechisch-römischer Brieftopik (Zet. 48), München 1970. – WHITE, J. L.: New Testament Epistolary Literature in the Framework of Ancient Epistolography, in: ANRW II/25,2 (1984) 1730–1756. – DERS.: Ancient Greek Letters, in: D. E. Aune (Hrsg.), Greco-Roman Literature and the New Testament: Selected Forms and Genres (SBL.SBibSt 21), Atlanta 1988, 85–105.

Die traditionelle Einordnung des 1 Joh unter die Katholischen Briefe und der eindeutige Briefcharakter von 2/3 Joh ließen Jahrhunderte hindurch die Bezeichnung „Brief" für 1 Joh völlig problemlos erscheinen, zumal die anderen neutestamentlichen Gattungen Evangelium, historische Monographie mit romanhaftem Einschlag (Apg) und Apokalypse sowieso nicht in Frage kamen. Die Theologen schreiben nach dem Beispiel des großen Augustinus Erläuterungen und Kommentare ›In Epistolam Primam Ioannis‹. Das ändert sich zunehmend in der Neuzeit. Es werden Zweifel an der brieflichen Form laut, ohne daß sich jedoch eine klare Alternative herausbildet. Dazu als erstes ein Überblick in chronologischer Reihenfolge:

„epitome ... enchiridion" (1681, nach DÜSTERDIECK, JohBr I, VIII); „epistola dedicatoria", Widmungs- und Begleitbrief oder Vorrede zum Johannesevangelium (EBRARD, JohBr 8); ein „ächtes sendschreiben, ... an die ganze Christenheit gerichtet", vergleichbar aber einem „spruchbuch" aus dem AT (EWALD, JohBr 441); „Encyklika", „Cirkularschreiben" (BRAUNE, JohBr 8); "Pastoral Epistle", "comment on the Gospel" (PLUMMER, JohBr XLII.XLV); „Abhandlung oder Predigt" (LUTHARDT, JohBr 213); „ein an die ganze Christenheit gerichtetes Manifest" (JÜLICHER, Einleitung [s. Anm. 17] 209/226); geschriebene Predigt, pastorales Rundschreiben (BAUMGARTEN, JohBr 185); „religiöse Diatribe" (DEISSMANN 207); „ein der Traktatform sich nähernder Brief" (BÜCHSEL JohBr 1); "informal tract or homily" (DODD, JohBr XXI); „religiöser Traktat", der „an die gesamte Christenheit sich richtet" (WINDISCH, JohBr 136); "a true letter" (ALEXANDER, JohBr 23); katholischer „Hirtenbrief" (GAUGLER, JohBr 27); "circular letter" (HORNER, Introduction [L 02] 44); «une vraie lettre, écrite pour une Église déterminée» (LE FORT, Structures [L 02] 17); „ein predigtartiger Aufruf" (BALZ, JohBr 155); "a doctrinal and ethical treatise" (MICHAELS, Reflections [L 02] 257); "a written sermon or address" (MARSHALL, JohBr 99); "letter-essay form" (DOTY 68); "comment patterned on (the) G(ospel of) John" (BROWN, JohBr 90); "an enchiridion, an instruction booklet" (GRAYSTON, JohBr 4); ein „paper" im modernen akademischen Sinn (SMALLEY, JohBr XXXIII); „Kampfschrift" (RUCKSTUHL, JohBr 40); „briefartige Homilie" (STRECKER, JohBr 49).

Was anstelle des Briefes an Gattungsbestimmungen angeboten wird, befriedigt in der Regel nicht. Was soll man z. B. unter einer Homilie in Briefform verstehen? Wir wissen nicht, wie die frühchristliche Homilie aussah, zumindest aber sollte sie mündlich vorgetragen worden sein. 1 Joh jedoch enthält gehäufte Hinweise auf den Schreibakt: „Und dies schreiben wir euch" (1, 4); „Dies habe ich euch geschrieben" (2, 26) etc. (vgl. 2, 1. 7. 12–14. 21; 5, 13). Eine eindeutige briefliche Form ist der vermeintlichen Homilie gerade *nicht* gegeben worden, denn die eigentlichen brieflichen Merkmale fehlen, darin besteht ja das Problem (auch die Materialschlacht bei BERGER führt hier nicht wirklich weiter). Philosophische Lehrschriften, die theoretische Gehalte in Briefform einkleiden (die Pythagorasbriefe, die Lehrbriefe Epikurs, die Kynikerbriefe, Senecas moralische Briefe), bilden deswegen keine echte Analogie. Auf die obsolet gewordene, weil viel zu globale Unterscheidung von echtem Brief und literarischer Epistel brauchen wir in dem Zusammenhang nicht näher einzugehen, da ihr Begründer DEISSMANN 1 Joh selbst anders einordnet, als Diatribe (s. o.). Andere Gattungsbestimmungen wie „Encheiridion" oder „Traktat" bedürften unbedingt der historischen Vermittlung. Epiktets Handbüchlein mit seinen Merksätzen und Beispielen in 53 Paragraphen und die Traktate im Corpus Hermeticum sehen doch sehr viel anders aus. 1 Joh richtet sich auch nicht an die gesamte Christenheit, dafür sind die wenigen Hinweise auf die Situation der Adressaten wie 2, 19 und 3, 17 zu konkret, was die Verteidiger des brieflichen Charakters mit Recht betonen.

Die Hauptschwierigkeit resultiert offenkundig aus dem Fehlen eines formgerechten Briefpräskripts und daneben aus dem Fehlen der Schlußgrüße. Der Vergleich mit 2/3 Joh (s. u. B. 1) läßt das nur noch schärfer hervortreten. Auch der Hebräerbrief hat kein Präskript, wohl aber Schlußwünsche und -grüße (Hebr 13, 22–25), falls diese nicht erst sekundär hinzugetreten sind. Der Jakobusbrief hat ein förmliches Präskript (Jak 1, 1), aber keinen brieflichen Schluß. Hier von einer allgemeinen Tendenz innerhalb der Katholischen Briefe auszugehen, die in 1 Joh an ihren Endpunkt gelangt sei, würde das Problem aber nur verschieben. Außerdem wird man die johanneische Briefproduktion für sich betrachten müssen, sie auch nicht unbedingt an den Paulusbriefen messen. Das könnte zugleich eine erste weiterführende Feststellung sein: Der johanneische Traditionsbereich im weitesten Sinn kennt einen eigentümlichen Umgang mit der literarischen Form des Briefes, der nicht unter dem in der übrigen frühchristlichen Briefliteratur zu konstatierenden massiven Einfluß der Paulusbriefe als prägendem Vorbild steht. Die beiden kleinen Johannesbriefe befinden sich näher beim hel-

lenistischen Privatbrief als Paulus, auch wenn sie mit diesem die Zwei-
teiligkeit des Briefpräskripts als Merkmal der vorderorientalischen
Briefkonvention gemeinsam haben (Mischformen dieser Art kennt
auch die jüdische Literatur, s. KARRER 68f.). In Offb 1,1–8 ist ein
– zweiteiliges – Briefpräskript in freier Weise eingearbeitet; die sieben
Sendschreiben in Offb 2–3 tragen einen unverkennbar eigenen Charakter. KARRER erklärt die briefliche Rahmung der Johannesoffenbarung zwar als Rückgriff auf die paulinische Brieftradition, stellt aber
auch fest, daß dies „keineswegs ungebrochen" geschieht (82).

Macht man die Abweichungen von einer paulinischen Idealnorm zum
Maßstab, bildet 1 Joh keinen Einzelfall. WHITE hatte den Gang der Dinge zunächst so beurteilt, daß sich unter dem Eindruck der Paulusbriefe ein Teil der
späteren Schreiben, darunter 1 Joh, in Richtung auf "the systematic treatise or
homily" entwickelte, während andere wie 2/3 Joh von Paulus ausgehend
wieder stärker "conventional epistolary features" inkorporierten (Epistolary
Literature 1752). Neuerdings rückt er davon ab und gesteht selbständige
Adaptionsprozesse außerhalb des übermächtigen paulinischen Paradigmas zu
(Greek Letters 100).

Dennoch müssen wir von 2/3 Joh aus das Ganze noch einmal zu-
spitzen, denn die beiden kleinen Briefe beweisen, daß man in der johanneischen Schule sehr wohl das konventionelle Briefschema zu hand-
haben wußte. Wenn man dazu noch eine Verfasseridentität für 1 Joh und
2/3 Joh für möglich hält, gilt es um so entschiedener zu fragen, wie sich
die Besonderheiten des 1 Joh erklären. Erstaunlich oft wurde die Vermutung geäußert, der ursprüngliche Briefeingang mit den Formalien,
evtl. auch der ursprüngliche Briefschluß mit den Grüßen seien wegge-
fallen, aus Versehen, aus Absicht oder aus technischen Gründen bei der
Zusammenstellung der johanneischen Schriften oder der Katholischen
Briefe zu einem Korpus.[23] Dem widerspricht der feierliche Charakter
der Eingangsverse 1,1–4, die keine vorgeschaltete Adresse vertragen.
Ebensowenig bewährt sich ROLLERS These vom vorderasiatischen Bo-
tenbrief, der das griechische Präskript nicht übernahm, weil der Brief-
bote diese Dinge mündlich vortrug und dann das eigentliche Schreiben
verlas (ROLLER 237; so auch ESCHLIMANN 195; Kritik bei HAENCHEN).
Aus einer mündlichen Botenformel hat sich das Briefpräskript zwar
einst entwickelt (s. KOSKENNIEMI 156), aber das ist inzwischen Jahrhunderte her. Die jüdischen Briefe von der Makkabäerzeit (2 Makk 1,1.10)
bis zu Bar Kochba (DJD II, 42–46) kennen sehr wohl ein Präskript.

---

[23] Vgl. LÜCKE, JohBr 18; WENDT, JohBr 5; CLEMEN, Beiträge (L 40) 279;
SIMPSON, Letters (L 40) 486.

Einen anderen Weg schlägt FRANCIS ein. Er isoliert in der literarischen Wiedergabe von Briefen bei jüdisch-hellenistischen Autoren eine doppelte Eröffnungsformel, die wesentliche Aspekte des Briefthemas bzw. der Briefthemen vorwegnimmt. Dieser Kunstgriff liege auch in 1 Joh vor. Die Doppelung der Eröffnung werde durch die teilweise Wiederholung von 1 Joh 1,1–2 in 1,3 erreicht, sie kehre in den zwei Hauptteilen des Briefkorpus wieder. Aber die zweiteilige Struktur mit thematischer Antizipation läßt sich auch in den von FRANCIS herangezogenen Beispielen nur mit Mühe überhaupt identifizieren. Außerdem geht der Einführung ausnahmslos ein Präskript, teils sogar ein formvollendetes, voraus (vgl. Josephus, Ant 8,51.53; 11,123; 1 Makk 10,18.25; Eupolemos, bei Eusebius, Praep Ev IX 33,1; 34,1). Was FRANCIS herausgearbeitet hat, entspricht mit Abstrichen eher einem Briefproömium.

Nach BULTMANN hat der Verfasser in 1,1–4 „die Motive des brieflichen Präskripts frei verwertet". Der Schluß des Proömiums in 1,4 ist dem „Segenswunsch des brieflichen Präskripts … nachgeahmt". Aus χάρις, Gnade, wurde in spezifisch johanneischer Terminologie (vgl. Joh 15,11 u. ö.) χαρά, Freude. Als klarer Briefschluß fungiert 5,13, wenn man nur das ἔγραψα in Phlm 21; Gal 6,11 u. ö. vergleicht. Dazu ist zu bemerken, daß ἔγραψα allein noch nicht die in den anderen Fällen darauf folgenden Schlußgrüße ersetzt. Brieftypisch wäre – im Proömium, nicht im Präskript – eine Freudenäußerung über den Empfang guter Nachrichten oder die Erwartung, daß der Brief selbst Freude auslöst (KOSKENNIEMI 74–76). Auf all diesen Wegen werden wir nicht zum Aufweis der brieflichen Form gelangen können.

Gattungsbestimmungen erfordern immer auch einen Textvergleich. Die evidente Nähe von 1 Joh 1,1–4 zu Joh 1,1–18 und von 1 Joh 5,13 zu Joh 20,31 kann daher nicht ignoriert werden. Sie bietet wohl auch einen Schlüssel zur Lösung wenigstens eines Rätsels. Die eigenartige Form des 1 Joh kommt zum Teil dadurch zustande, daß sich der Autor für den Prolog 1,1–4 und für den eigentlichen Schlußvers in 5,13 am Johannesevangelium (im Umfang von Joh 1–20) orientiert. Ob er durch diese Nachahmung suggerieren wollte, der Evangelist führe auch im 1 Joh die Feder (so WENGST, JohBr 27f.), ist noch einmal eine Angelegenheit für sich, die bei der Verfasserfrage neu aufzunehmen sein wird. Gattungskritisch jedenfalls spricht viel für die Imitation des Evangeliums seitens des Briefautors und damit auch für eine zeitliche Nachordnung des 1 Joh nach dem Hauptstück des Evangeliums. Der Verzicht auf Präskript und Schlußgrüße leuchtet unter dieser Voraussetzung ohne weiteres ein.

Wenn wir das in eine Funktionsbestimmung ummünzen, können wir sagen, daß 1 Joh als theologische Lesehilfe für das rechte Verständnis des Johannesevangeliums gedacht war. Aber Funktionsbestimmung heißt noch nicht Gattungsbestimmung. BROWN, JohBr 90f., will sich mit der Beschreibung dessen, was 1 Joh faktisch tut, begnügen und spricht von einem "comment", gestaltet im Anschluß an das Johannesevangelium. Er weitet das, wie wir gesehen haben, auch auf die Struktur des 1 Joh aus, dies wohl zu Unrecht. So weit reichen die Angleichungen nicht. Es besteht bei "comment" ein wenig die Versuchung, „Kommentar" zu assoziieren. Der Kommentar ist ohne Zweifel eine identifizierbare Gattung, die zu 1 Joh aber ebenso sicher nicht paßt. Einen regelrechten Kommentar zum Johannesevangelium stellt das Schreiben nicht dar. Insofern hilft uns dieser Exkurs in die Analyse der Funktion nur ein Stück weit voran.

Man wird sich von Zeit zu Zeit generell vergegenwärtigen müssen, was die Gattungsdiskussion überhaupt beabsichtigt und was sie im günstigsten Fall erbringen kann.[24] Gattungsbegriffe gehören als theoretische Konstrukte der Beschreibungsebene, nicht der Objektebene an. Gattungen selbst versteht man am besten als kommunikative Redemuster, die einen unentbehrlichen Dienst für die Verständigung leisten, als Bestandteile des gemeinsamen Repertoires von Texterzeuger und Textempfänger. Der Interpret kann aus einer Reihe von Einzelbeispielen den reinen Gattungstyp herausdestillieren und zur Erfassung von neuen Texten benutzen. Im konkreten Verwendungszusammenhang sind Gattungsmerkmale in den seltensten Fällen komplett und unvermischt realisiert. Die Sprechsituation und die Funktion der sprachlichen Äußerung in der betreffenden Situation bestimmen die Gestaltung wesentlich mit. Das Durchbrechen von relativ festen Gattungsregeln kann sogar als bewußtes Aufmerksamkeitssignal eingesetzt sein. Die Regelabweichung macht die besonderen Anliegen des Einzeltextes in seinem je eigenen Verwendungszusammenhang transparent.

Kehren wir von da aus noch einmal zum Brief zurück. Briefe bestehen glücklicherweise nicht nur aus Präskript und Schlußgruß. Obwohl sie an diesen standardisierten Elementen am leichtesten zu erkennen sind, ihr Inhalt erschöpft sich darin nicht. Für den Briefinhalt hat KOSKENNIEMI (vgl. auch THRAEDE) sehr schön die Momente der Philophronesis, der Parusia und der Homilia herausgearbeitet. Das will sagen: Briefe beruhen ihrem innersten Wesen nach auf der freundschaftlichen Gesinnung zwischen dem Absender und dem Adressaten; sie

---

[24] Vgl. K. W. HEMPFER, Gattungstheorie. Information und Synthese (UTB 133), München 1973; spezieller noch K. ERMERT, Briefsorten. Untersuchungen zu Theorie und Empirie der Textklassifikation (Reihe Germanistische Linguistik 20), Tübingen 1979; H. BELKE, Literarische Gebrauchsformen (Grundstudium Literaturwissenschaft), Düsseldorf 1973, 142–157.

wollen das räumliche Getrenntsein überwinden, die Abwesenheit in Anwesenheit verwandeln, und sie sind als Teil eines fortgehenden Gespräches dialogisch angelegt. Bezieht man anstelle einer rein formalisierten Betrachtungsweise verstärkt solche Gesichtspunkte mit ein, tut man sich nicht mehr so schwer damit, das Korpus des 1 Joh als Brief anzusehen (vgl. SCHUNACK, JohBr 9f.). Der Autor wendet sich an konkrete Adressaten, die er direkt anspricht, in einer unverwechselbaren Situation. Er ist um ihr geistliches Wohlergehen ernstlich besorgt. Seine Einstellung ihnen gegenüber ist sicherlich nicht verzeichnet, wenn man sie als liebevoll charakterisiert. Er reflektiert ansatzweise den notwendigen Akt des Schreibens. Er bezieht sich auf gemeinsame Erfahrungen und auf die gemeinsame Geschichte.

Die Brieftheoretiker der Spätantike haben im Rückgriff auf eine lange Tradition Briefe in verschiedene Typen klassifiziert. Pseudo-Demetrius, Τύποι Ἐπιστολικοί, hat 21 solcher Typen gezählt, während Pseudo-Libanius, Ἐπιστολιμαῖοι Χαρακτῆρες, es auf 41 brachte (Texte bei MALHERBE). Ein gutes Dutzend davon hat STOWERS ausgewählt und zur frühchristlichen Briefliteratur in Relation gesetzt. Darunter befindet sich bei Pseudo-Libanius 5.52 auch der paränetische Brief, zu dessen Hauptanliegen gutes Zureden und Raten bzw. Abraten gehören. Dem ähnelt – trotz verbaler Gegenwehr des Autors selbst – der symbuleutische Brief bei Pseudo-Demetrius 11, der aufmuntern und von Schädlichem fernhalten will (MALHERBE 36.68.74). Damit ist der Hauptduktus des 1 Joh getroffen (s. STOWERS 96; ferner die Klassifizierung von 1 Joh als "hortatory text with the perlocutionary function of persuasion" bei MIEHLE). Die heftige Gegnerpolemik ordnet sich diesem Anliegen ebenso unter wie die lobenden Äußerungen über den Glaubensstand der Adressaten. Man muß diese weiteren Gesichtspunkte nicht unbedingt entsprechenden Brieftypen zuordnen (dem preisenden Brief, dem tadelnden Brief etc.), die in den Briefstellern freilich gleichfalls zur Verfügung stehen.

Wenn man die Gattung des 1 Joh mit einem Wort benennen soll, gibt es zum Brief wohl keine Alternative. Im gleichen Atemzug gilt es aber auf die Besonderheiten gerade dieses Schreibens hinzuweisen, die sich in massiven Regelabweichungen äußern. Sie sind durch die Situation und die intendierte Funktion veranlaßt, die eine enge Anlehnung an Evangelienprolog und -schluß sinnvoll erscheinen ließen.

3. Rhetorische Analyse

L 24: KLAUCK: Analyse (L 17). – LAUSBERG: Handbuch (L 17). – VOUGA, F.:
La réception de la théologie johannique dans les épîtres, in: J. D. Kaestli, J. Zum-
stein (Hrsg.), La communauté johannique et son histoire. La trajectoire de
l'évangile de Jean aux deux premiers siècles (Le Monde de la Bible), Genf 1990,
283–302. – WATSON: 1 Joh 2.12–14 (L 17).

In der neueren Exegese stand die Rhetorik längere Zeit hindurch
nicht sonderlich hoch im Kurs. Wo man dennoch auf sie zurückgriff,
beschränkte man sich in der Regel auf einen Bereich, der in den Hand-
büchern der *elocutio* zugeordnet wird. Dazu gehören die Stilfiguren
und die Tropen, der sprachliche Schmuck und die sprachlichen Bilder.
Daneben wurde mit den Gedankenfiguren auch das Feld der *inventio*
betreten. Ausgespart blieb z. B. die *dispositio*, ausgespart blieben die
verschiedenen Redegenera: das *genus iudiciale* oder die dikanische
Redesituation (Beispiel: die Verteidigungs- und Anklagerede vor Gericht), das *genus deliberativum* oder die symbuleutische Redesituation (Beispiel: die beratende Rede vor der Volksversammlung), das
genus demonstrativum oder die epideiktische Redesituation (Beispiel: die preisende Rede vor einer Festmenge oder auch die Grab-
und Leichenrede).

Die Situation hat sich rasch verändert. Rhetorische Kategorien
werden verstärkt eingesetzt, nicht nur für die Untersuchung von Mikro-
strukturen (als Beispiel s. o. III/C), sondern mehr noch für die Analyse
von Makrostrukturen, d. h. in unserem Fall von ganzen Briefen. Nicht
immer wird dabei hinreichend klar, ob die These dahin geht, die neutestamentlichen Autoren hätten die Regeln der Rhetorik bewußt ange-
wandt, gelegentlich auch durchbrochen, oder ob die antike Rhetorik
und ihre moderne Fortschreibung nur als Instrumentarium der Be-
schreibungssprache ohne Anspruch auf historische Vermittlung zum
Einsatz kommt. Die größere Brisanz käme sicher der erstgenannten
Möglichkeit zu. Dazu wäre aber noch zu bedenken, daß ein Regelwerk
auch unreflektiert durch Umgang mit sprachlichen Äußerungen und
aus Erfahrung aufgenommen werden kann. Uns geht es hier im Einklang mit dem Trend der neueren Forschung um die Hilfen, die von der
rhetorischen Analyse bei der Eruierung der Gliederung und evtl. noch
bei der Gattungsbestimmung zu erwarten sind.

Für 1 Joh hat VOUGA einen ersten Schritt in diese Richtung getan. Er
rechnet 1 Joh als *Brief* der deliberativen Rede zu, was sich vertreten läßt,
wenn nur die genannten drei Größen zur Verfügung stehen. Die Bestimmung des Aufbaus des 1 Joh in Analogie zur *dispositio* einer Rede fällt

unter Verzicht auf das Briefpräskript in 1, 1–4 und den Briefschluß ab 5, 13 folgendermaßen aus:

(1) *captatio benevolentiae* – 1, 5 – 2, 17
(2) *narratio* – 2, 18–27
(3) *propositio* – 2, 28–29
(4) *probatio* – 3, 1–24
(5) *exhortatio* – 4, 1–21
(6) *peroratio* – 5, 1–12

(1) Ein eigentliches *exordium* ist nicht ausgewiesen. An sich zählt die *captatio* zu den Exordialtopoi, sie fällt mit 1, 5 – 2, 17 aber reichlich lang aus, zumal eigentliche Momente einer Verbeugung vor den Adressaten strenggenommen nur in 2, 12–14 vorhanden sind. Die rhetorische Analyse sieht denn auch bei Watson etwas anders aus. Von 2, 12–14 als *digressio* aus beurteilt er 1, 5 – 2, 11 als *probatio*, als eine Beweisführung mit Argument und Gegenargument.

(2) Die Aufgabe der *narratio* besteht in der Darlegung des Sachverhaltes, was oft, daher der Name, in erzählender Form geschieht. In 1 Joh 2, 18–27 informiert sie uns über den betrüblichen Vorgang, der den Anlaß für das Schreiben abgibt: „Aus unserer Mitte sind sie hervorgegangen …" (2, 19). Das im Vollzug befindliche Schisma im johanneischen Gemeindeverband taucht am Horizont auf.

(3) Die *propositio* „ist der gedankliche Kernbestand des Inhalts der *narratio*", erscheint gern als Zusammenfassung am Ende und leitet die *argumentatio* ein (Lausberg § 346). Hier fragt man sich nun doch schon mit mehr Nachdruck, wieso 1 Joh 2, 28–29 das inhaltlich gesehen leisten soll.

(4) Die *probatio* ist der positiv beweisende Teil der *argumentatio*, während die Aufgabe der Widerlegung gegnerischer Argumente der *refutatio* zukommt (Quintilian, Inst Orat III 9, 1). Ein Problem der Abgrenzung von 3, 1–24 als *probatio* besteht darin, daß ein unverkennbares Gliederungssignal überspielt wird, nämlich 3, 11: „Denn dies ist die Botschaft …" (vgl. 1, 5).

(5) Eine *exhortatio*, unter Exegeten besser bekannt als Paränese, behandeln die klassischen rhetorischen Handbücher nicht. Das kann daran liegen, daß sie zur Hauptsache an der Gerichtsrede orientiert sind. Doch selbst wenn wir die *exhortatio* als festen rhetorischen Baustein akzeptieren, fragt sich immer noch, ob sich 1 Joh 4, 1–24 zwanglos so einordnen läßt. Die wenigen Imperative und Aufforderungen (z. B. in 4, 1. 7. 11. 19) prägen den ganzen Abschnitt mit seinen tiefgreifenden Aussagen über die Liebe doch nicht derart, daß man ihn leichten Herzens als Paränese einstufen möchte.

(6) Die *peroratio* faßt zusammen, wiederholt, unterstreicht; sie „frischt das Gedächtnis des Richters auf, stellt ferner den ganzen Fall in einem Gesamtbild anschaulich vor Augen und zeigt seine Stärke ... in der gedrängten Übersicht" (Quintilian, Inst Orat VI 1,1). Gerade hier „kann man, wenn irgendwo, alle Schleusen der Beredsamkeit öffnen" (ebd. 1,51). Teilweise Wiederholungen früherer Themen liegen in 1 Joh 5,1–12 vor, und zu den Effektmitteln mag man die triumphierende Sprache von 5,4–5 rechnen. Daß wir uns dem Briefschluß nähern, liegt auf der Hand. Affinitäten zur *peroratio* wird man konzedieren, aber wo bleibt 5,13–21?

Die Nützlichkeit einer rhetorischen Analyse soll prinzipiell nicht bezweifelt werden, aber man muß sich dabei bewußt bleiben, auf welcher Ebene man sich bewegt und was die Analyse leisten kann und soll. Mit bloßen Etikettierungen ist es ebensowenig getan wie mit dem Überstülpen eines festen Schemas über Texte jeglicher Art. Für das Beschreiben von Rede- und Gedankenfiguren, für das Aufhellen vor Argumentationsstrukturen und Überzeugungstrategien bietet sich die Rhetorik förmlich an. Gerade bei der *dispositio* aber bleibt Vorsicht geboten. Zweifel an ihrer universalen Verwendbarkeit für Texte aller Art, die von Hause aus keine Reden sind, können nicht von der Hand gewiesen werden. Daß 1 Joh eine Rede sei, etwa eine sekundär verschriftlichte Homilie, war weder Voraussetzung des oben vorgestellten rhetorischen Zugangs noch sein Resultat. Was den Brief angeht, zeigten sich die antiken Rhetoriker um einiges zurückhaltender, da sie darauf verzichteten, das Schema der rhetorischen *dispositio* in die Epistolographie zu übernehmen.[25] Zu denken gibt auch die Tatsache, daß der gerade bei Briefen typische Eingangs- und Schlußteil nicht oder nur mit großer Mühe in die rhetorische *dispositio* integriert werden kann (s. weiter u. in B.2).

---

[25] In diesem Sinn äußerte sich der Göttinger Altphilologe C.J. CLASSEN, ein kompetenter Fachmann für die antike Rhetorik (vgl. sein Buch: Recht – Rhetorik – Politik. Untersuchungen zu Ciceros rhetorischer Strategie, Darmstadt 1985), auf einer exegetischen Tagung im März 1990. Es steht zu hoffen, daß seine Stellungnahme auch in Aufsatzform erscheinen wird.

B. Der zweite und dritte Johannesbrief

1. Briefliche Form und Aufbau

L 25: AUNE, D. E.: The New Testament and Its Literary Environment (Library of Early Christianity 8), Philadelphia 1987, 158–225. – COTTON, H. M.: Greek and Latin Epistolary Formulae: Some Light on Cicero's Letter Writing, in: AJPh 105 (1984) 409–425. – DU RAND, J. A.: Structure and Message of 2 John, in: Neot 13 (1979) 101–120. – DERS.: The Structure of 3 John, in: Neot 13 (1979) 121–131. – EXLER, F. X. J.: The Form of the Ancient Greek Letter of the Epistolary Papyri (3rd c. B. C. – 3rd c. A. D.). A Study in Greek Epistolography, Chicago 1976 = Washington 1923. – FUNK, R. W.: The Apostolic Presence: John the Elder, in: Ders., Parables and Presence. Forms of the New Testament Tradition, Philadelphia 1982, 103–110 = The Form and Structure of II and III John, in: JBL 86 (1967) 424–430. – HARRIS, J. R.: A Study in Letter-Writing, in: Exp. V/8 (1898) 161–180. – KEYES, C. W.: The Greek Letter of Introduction, in: AJP 56 (1935) 28–44. – KIM, C. H.: Form and Structure of the Familiar Greek Letter of Recommendation (SBLDS 4), Missoula 1972. – KOSKENNIEMI: Studien (L 23). – LIEU: Epistles (L 02) 37–51. – MALHERBE: Theorists (L 23). – MULLINS, T. Y.: Petition as a Literary Form, in: NT 5 (1962) 46–54. – DERS.: Greeting as a New Testament Form, in: JBL 87 (1968) 418–426. – SCHNIDER, F., W. STENGER: Studien zum neutestamentlichen Briefformular (NTTS 11), Leiden 1987. – SCHUBERT, P.: Form and Function of the Pauline Thanksgivings (BZNW 20), Berlin 1939. – STEEN, H. A.: Les clichés épistolaires dans les lettres sur papyrus grecques, in: CM 1 (1938) 119–176. – STOWERS: Letter Writing (L 23). – WHITE, J. L.: The Form and Function of the Body of the Greek Letter. A Study of the Letter-Body in the Non-Literary Papyri and in Paul the Apostle (SBLDS 2), Missoula 1972. – DERS.: Light from Ancient Letters (Foundations and Facets), Philadelphia 1986. – Weitere Briefliteratur in L 23.

Bei den beiden kleinen Johannesbriefen müssen wir Aufbau und Gattung gemeinsam behandeln, denn ihr Aufbau hängt untrennbar an ihrem brieflichen Charakter. 2/3 Joh haben eigentlich immer als Musterbeispiele für die Adaption des gängigen hellenistischen Briefformulars durch das Urchristentum gegolten. Neuere Arbeiten zur Theorie und Praxis der antiken Epistolographie haben diesen Eindruck noch verstärkt und zu manchen Verfeinerungen in der Analyse geführt (vgl. FUNK). Die Kürze der beiden Schreiben trägt sicher zu ihrem konventionellen Stil bei. Je kürzer, desto konventioneller, kann man fast als Regel für die Tausende von Privatbriefen, die auf Papyrus erhalten sind, formulieren. Dabei wird keineswegs verkannt, welche Freiheiten sich die beiden kleinen Johannesbriefe im Umgang mit dem Briefformular nehmen, wo sie unverkennbar eigene Akzente setzen und dies gerade durch das Variieren vorgegebener Bausteine signalisieren. Die brieflichen Gattungs- und Aufbauelemente sind in die Synopse auf den folgenden Seiten eingegangen, die nur weniger erläuternder Bemerkungen bedarf. Beachtlich ist von vornherein die große formale und teils auch inhaltliche Nähe zwischen beiden Texten, die in der Synopse zutage tritt.

2 Joh	*3 Joh*
1. Briefpräskript (1–3)	**1. Briefpräskript** (1)
1 a Der Alte an (eine) auserwählte Herrin und ihre Kinder,	1 a Der Alte dem Gaius, dem Geliebten,
b die ich liebe in Wahrheit,	b den ich liebe in Wahrheit.
c – und nicht ich allein, sondern auch alle, die die Wahrheit erkannt haben –	
2 a wegen der Wahrheit, die in uns bleibt,	
b und mit uns wird sie sein in Ewigkeit.	
3 a Es wird mit uns sein Gnade, Erbarmen, Friede	
b von Gott dem Vater	
c und von Jesus Christus, dem Sohn des Vaters,	
d in Wahrheit und Liebe.	
2. Briefproömium (4)	**2. Briefproömium** (2–4)
	a) *Wohlergehenswunsch* (2)
	2 a Geliebter, in jeder Hinsicht wünsche ich,
	b daß du dich wohlbefindest
	c und gesund bist,
	d so wie sich wohlbefindet deine Seele.
	b) *Freudenäußerung* (3–4)
4 a Ich freue mich sehr,	3 a Denn ich freute mich sehr,
b daß ich (welche) von deinen Kindern gefunden habe,	b als Brüder kamen
c (wie sie) wandeln in Wahrheit,	c und Zeugnis gaben für deine Wahrheit,
d so wie wir ein Gebot empfangen haben vom Vater.	d so wie du in Wahrheit wandelst.
	4 a Eine größere Freude als darüber habe ich nicht,
	b daß ich höre,
	c meine Kinder wandeln in der Wahrheit.

2 Joh	3 Joh
3. Briefkorpus (5–10)	**3. Briefkorpus** (5–12)

<table>
<tr><td>

a) *Bitte: Das anfängliche Gebot* (5–6)

    5 a Und jetzt bitte ich dich, Herrin,
       b nicht als ob ich ein neues Gebot dir schriebe,
       c sondern (das), welches wir hatten von Anfang an,
       d daß wir einander lieben sollen.

    6 a Und dies ist die Liebe,
       b daß wir wandeln gemäß seinen Geboten.

       c Dies ist das Gebot,
       d so wie ihr gehört habt von Anfang an,
       e daß ihr in ihr [in ihm?] wandelt.

b) *Information: Das Auftreten von „Irrlehren"* (7)

    7 a Denn viele Verführer sind hinausgegangen in die Welt,
       b die nicht bekennen

       c Jesus Christus als kommend im Fleisch.
       d Dieser ist der Verführer und der Antichrist.

</td><td>

a) *Bitte: Gastfreundschaft für Wandermissionare* (5–8)

    5 a Geliebter, treu tust du,
       b was immer du wirkst an den Brüdern
       c – und dies (an) fremden –,

    6 a die Zeugnis geben für deine Liebe vor der Gemeinde;
       b du wirst gut daran tun,
       c sie weiterzuleiten (auf) Gottes würdig(e Weise).
    7 a Denn für „den Namen" sind sie ausgezogen,
       b nichts nehmend von den Heidnischen.
    8 a Wir nun, wir sind verpflichtet,
       b solche zu unterstützen,
       c damit wir Mitarbeiter (mit) der Wahrheit werden.

b) *Information: Die Feindseligkeiten des Diotrephes* (9–10)

    9 a Ich habe der Gemeinde etwas geschrieben,
       b aber der es liebt, der Erste von ihnen zu sein, Diotrephes,
       c nimmt uns nicht auf.

    10 a Deswegen, wenn ich komme,
       b werde ich erinnern an seine Werke,
       c die er tut,
       d indem er uns mit bösen Worten verunglimpft
       e und sich nicht begnügt mit solchen (Dingen):
       f weder nimmt er selbst die Brüder auf,
       g und die (es tun) wollen,
       h hindert er
       i und wirft sie aus der Gemeinde hinaus.

</td></tr>
</table>

c) *Mahnung: Gefährdung durch „Fortschritt"* (8–9)   c) *Mahnung: Zur Nachahmung empfohlen* (11)

8 a Achtet auf euch,

b   damit ihr nicht verliert,

c   was ihr [wir?] erarbeitet habt,

d   sondern vollen Lohn
       empfangt.

9 a Jeder, der fortschreitet,

b   und nicht in der Lehre Christi
       bleibt,

c   hat Gott nicht.

d   Wer in der Lehre bleibt,

e   dieser hat sowohl den Vater
       als auch den Sohn.

d) *Anweisung: Umgang mit*
„Abweichlern" (10–11)

10 a Wenn jemand zu euch kommt,

b   und nicht diese Lehre bringt,

c   nehmt ihn nicht ins Haus auf

d   und sagt ihm keinen Gruß.

11 a Denn wer ihm einen Gruß sagt,

b   hat Anteil an seinen bösen
        Werken.

11 a Geliebter, ahme nicht das
        Schlechte nach,

b   sondern das Gute.

c   Wer Gutes tut,

d   ist aus Gott.

e   Wer Böses tut,

f   hat Gott nicht gesehen.

d) *Empfehlung: Drei Zeugen für*
Demetrius (12)

12 a Für Demetrius wurde Zeugnis
        abgelegt von allen

b   und von der Wahrheit selbst.

c   und auch wir, wir legen Zeugnis
        ab,

d   und du weißt,

e   unser Zeugnis ist wahr.

4. Briefschluß (12–13)

a) *Die Besuchsabsicht* (12)

12 a Vieles hätte ich euch zu
        schreiben,

b   ich wollte (es aber) nicht mit
        Papier und Tinte (tun),

c   sondern ich hoffe,

d   zu euch zu kommen

e   und von Mund zu Mund zu
        reden,

f   damit unsere Freude
        vervollkommnet sei.

b) *Der Schlußgruß* (13)

13   Es grüßen dich die Kinder deiner
       auserwählten Schwester.

4. Briefschluß (13–15)

a) *Die Besuchsabsicht* (13–14)

13 a Vieles hätte ich dir zu schreiben,

b   aber ich will nicht

c   mit Tinte und Rohr dir
        schreiben.

14 a Ich hoffe aber,

b   rasch dich zu sehen,

c   und von Mund zu Mund
        werden wir reden.

b) *Schlußgrüße* (15)

15 a   Friede dir.

b   Es grüßen dich die Freunde.

c   Grüße die Freunde namentlich.

(1) *Briefpräskript:* In 2 Joh 1–3 geben die drei Bestandteile eines
formgerechten Briefpräskripts das Gerippe ab, wie in den Präskripten
der Paulusbriefe, aber mit einigen Besonderheiten. Bei der Absenderangabe im Nominativ verzichtet der Autor des 2 Joh im Unterschied zu

Paulus auf Eigennamen und auf jede Näherbestimmung. Nach der Nennung der Adressaten im Dativ setzt mit 1 b die erste Erweiterung ein, die bis 2 b reicht. In V. 3 ist eine *salutatio* deutlich auszumachen, die syntaktisch abgesetzt wird (ein Erbe des zweiteiligen vorderorientalischen Briefeingangs). In 3 Joh 1 weist das Präskript nur *superscriptio* und *adscriptio* mit einem kurzen, zu 2 Joh 1 b parallellaufenden Zusatz auf. Die *salutatio* fehlt.

(2) *Briefproömium:* Die Freudenäußerung treffen wir häufig in antiken Privatbriefen an, z. B. PGiess 21, 3 f.: „Ich freute mich sehr, als ich hörte, daß es deiner Schwester Soeris gleichfalls gut geht." Inwieweit mit der Freudenäußerung in 2 Joh 4 und 3 Joh 3–4 ein echtes Gegenstück zum Proömium der Paulusbriefe geschaffen wurde, das in der Regel aus einer Eucharistie, einer Danksagung an Gott für den erfreulichen Zustand der Gemeinde, besteht, kann für unsere Zwecke offenbleiben, auch wenn einiges dafür spricht, daß es sich so verhält (SCHUBERT 177; FUNK 105). 3 Joh 2 bietet darüber hinaus noch einen gleichfalls stereotypen Wohlergehenswunsch (vgl. FUNK 109: "The conventional health wish in 3 Joh 2 marks this letter as the most secularized in the New Testament"). Hier greift ein profanes Standardbeispiel, die Korrespondenz des Flottensoldaten Apion, in der es heißt: „Vor allem wünsche, daß du gesund bist und es dir stets gut geht ... Ich danke dem Herrn Sarapis ..." (BGU 423, 2–6); „vor allem wünsche ich, daß du gesund bist. Bin doch auch ich selbst gesund. Während ich deiner gedachte vor den hiesigen Göttern ..." (BGU 632, 3–6).

(3) *Briefkorpus:* Das Briefkorpus beginnt in beiden Fällen mit einer brieflichen Bitte, die idealtypisch folgende Bestandteile enthält: ein Verb des Bittens, eine Anrede im Vokativ, eine Höflichkeitsfloskel und die Benennung der gewünschten Aktion. Vorhanden sein muß auch ein entsprechender Hintergrund, der die Bitte vorbereitet und motiviert (MULLINS, Petition). Mit Ausnahme der Höflichkeitsfloskel sind diese Bestandteile in 2 Joh 5 mit einleitendem ἐρωτῶ σε gegeben. In 3 Joh 5 wird ἐρωτῶ σε ersetzt durch die Höflichkeitsformel καλῶς ποιήσεις, „du wirst gut daran tun" oder einfach „bitte"; trotz zunehmend hoher Belegdichte in Papyrusbriefen (STEEN 127–152) taucht sie im NT so nur hier auf. An die Bitte zur gegenseitigen Liebe (2 Joh 5–6) oder zur Gewährung von Gastfreundschaft (3 Joh 5–8) schließen sich Informationen über das Auftreten von Irrlehren (2 Joh 7) bzw. über die Feindseligkeiten des Diotrephes (2 Joh 9–10) an. Diese Sachverhalte haben letztlich verursacht, daß die beiden Briefe geschrieben werden mußten. Nach zwischengeschalteten Mahnungen in 2 Joh 8–9 und 3 Joh 11 stoßen wir auf den je eigenen Akzent, der jedem der beiden Briefe sein

besonderes Charakteristikum verleiht. Das ist in 2 Joh 10–11 die Anweisung, Irrlehrer nicht ins Haus aufzunehmen, sie nicht einmal zu grüßen, und in 3 Joh 12 die Empfehlung des Demetrius, dem offenbar weiterhin gastfreundliche Aufnahme zu gewähren ist.

(4) *Briefschluß:* Das kurze Schlußstück kann noch einmal unterteilt werden. (a) Als Übergang vom Briefkorpus zu den Schlußgrüßen entspricht 2 Joh 12 par 3 Joh 13–14 mit der Reflexion auf den Kommunikationsvorgang und dem Ausblick auf einen möglichen Besuch dem Proömium in 2 Joh 4 par 3 Joh 2–4. (b) Der eigentliche Schlußgruß 2 Joh 13 par 3 Joh 15 legt sich mit dem jeweiligen Präskript zusammen als äußerer Rahmen um das Ganze. Brieftypische Besuchswünsche und Besuchsankündigungen kommen auch bei Paulus an verschiedenen Stellen vor, gerne am Ende thematischer Einheiten und nicht selten mit drohendem Unterton versehen (z. B. 1 Kor 4, 18–21; 2 Kor 13, 1 f.). In 2/3 Joh dient der Besuchswunsch eindeutig als Freundschaftsbeweis. Wir kennen ihn in seiner unterschiedlichen emotionalen Färbung aus zahlreichen Papyrusbriefen: „Ich will versuchen, so die Götter wollen, zum Fest der Amesysia zu euch zu kommen" (POxy 1666, 15–17); „denn ich hoffe auch selbst, schnell zu euch zu kommen" (PMich 481, 14 f.). Als Schlußgruß genügt in 2 Joh 13 eine einzige Zeile vom "third-person-type" (der Briefautor gibt Grüße von dritter Seite an die Adressaten weiter, vgl. MULLINS, Greeting). So auch 3 Joh 15 b, doch geht dort ein Friedenswunsch voraus, und es folgt noch ein Grußauftrag vom "second-person-type" (der Adressat soll Grüße des Briefautors an Personen in seiner Umgebung ausrichten). Eine nahezu wörtliche Parallele zu dem Doppelgruß in 3 Joh 15 bc liegt auf einem Ostrakon aus dem 2. Jh. n. Chr. vor, wo Zeile 14–17 lautet: Ἀσπάζεταί σε οἱ φίλοι. Ἀσπ[άζου] … [κατ' ὄ]νομα.[26]

Wenn sich etwas bewährt hat, dann die Gattungsbestimmung von 2/3 Joh als Brief und das Sichtbarmachen ihres Aufbaus anhand von brieflichen Kategorien. Nun ist Brief noch nicht gleich Brief. Wir sind zu 1 Joh bereits auf die Brieftypen eingegangen (s. o. V/A. 2). Für 2 Joh eignet sich am besten wieder die Bezeichnung „paränetischer Brief". Andere Tendenzen, die im 2 Joh zutage treten, wie die freundschaftliche Zuwendung zu den Adressaten im Rahmen, Anklage und Tadel in V. 7, die Bitte in V. 5–6 u. a. sind nicht so stark, daß man eine Mischung mit anderen Brieftypen (Freundschaftsbrief, Drohbrief, Bittbrief) ansetzen müßte.

---

[26] Bei J. SCHWARTZ, Deux ostraca de la région du wādi Ḥammāmāt, in: Chronique d'Égypte 31 (1956) 118–123, hier 120.

3 Joh gewinnt von der Empfehlung des Demetrius in V. 12 und von der Empfehlung der reisenden Brüder in V. 5–8 her den Charakter eines Empfehlungsbriefes. Das Handbuch des Pseudo-Demetrius hat dafür folgendes Musterbeispiel: „N.N., der dir diesen Brief überbringt, ist von uns geprüft worden und wird von uns wegen seiner Zuverlässigkeit (πίστιν) gelobt. Du wirst gut daran tun, wenn du ihn der Gastfreundschaft würdigst, um meinetwillen, um seinetwillen und auch in deinem eigenen Interesse …" (bei MALHERBE 32 f.). Wenn man den Maßstab des Briefstellers anlegt und formvollendete Empfehlungsschreiben vergleicht (Textsammlungen bei KEYES; KIM; vgl. auch COTTON), muß man feststellen, daß 3 Joh nicht als reiner Empfehlungsbrief gelten kann. Aber Empfehlungen können auch eingestreut werden in anders ausgerichtete Briefe (STOWERS 155), so in der zweiten Texthälfte in POxy 743, 33–35: „Was immer er von dir brauchen sollte, unterstütze ihn, denn er wird für dich so angenehm im Umgang sein wie für mich." Neben die Empfehlung, die man als ein dominierendes Textmerkmal gegen LIEU 119 nicht herunterspielen sollte, tritt besonders noch der Tadel, der den Diotrephes trifft, und das Lob, das dem Gaius gilt, so daß man auch noch den Typ des lobenden und des tadelnden Briefes (STOWERS 77–90: "Letters of Praise and Blame") bei Pseudo-Demetrius 3. 10 und bei Pseudo-Libanius 53. 77 in Anschlag bringen darf. Wieder treten das freundschaftliche, das bittende und das paränetisch-mahnende Element im Vergleich dazu mehr in den Hintergrund. Im übrigen sind Mischformen in antiken Briefen nicht die Ausnahme, sondern die Regel (vgl. Pseudo-Libanius 45. 92 und WHITE, Light 197).

2. Rhetorische Analyse

L 26: KLAUCK: Analyse (L 17). – WATSON, D.F.: A Rhetorical Analysis of 2 John according to Greco-Roman Convention, in: NTS 35 (1989) 104–130. – DERS.: A Rhetorical Analysis of 3 John: A Study in Epistolary Rhetoric, in: CBQ 51 (1989) 479–501.

Die in der Antike nicht geleistete Integration von Epistolographie und rhetorischer Theorie möchte WATSON in seinen vor Materialfülle schier berstenden, exegetisch durchaus ergiebigen Beiträgen zu 2/3 Joh nachholen. Die Analyse führt er im Anschluß an die von KENNEDY entwickelte Methode durch.[27] Sie umfaßt fünf Schritte: (1) Abgrenzung

---

[27] G. KENNEDY, New Testament Interpretation Through Rhetorical Criticism (SR), Chapel Hill 1984; weitere bibliographische Hinweise bei D.F.

der rhetorischen Einheit; (2) Beschreibung der rhetorischen Situation; (3) Bestimmung des Redegenus (deliberativ beim 2 Joh, epideiktisch beim 3 Joh), der Fragestellung und des Status bzw. der Stasis; (4) Analyse von *inventio, dispositio* und *elocutio*; (5) Bewertung der Rhetorik. Wir konzentrieren uns auf den vierten Punkt, das Herzstück der Durchführung auch bei WATSON. Die Ergebnisse vorweg in vergleichender Übersicht:

		2 Joh	3 Joh
(1)	*exordium:*	V. 4 (V. 1–3)	V. 2–4 (V. 1)
(2)	*narratio:*	V. 5	V. 5–6
(3)	*probatio:*	V. 6–11	V. 7–12
(4)	*peroratio:*	V. 12 (V. 13)	V. 13–14 (V. 15)

(1) Im 2 Joh übernimmt V. 4 die traditionelle Aufgabe eines Exordiums, das „den Hörer wohlwollend, gespannt und aufnahmebereit zu machen" hat (Quint., Inst Orat IV 1, 5). Das Wohlwollen erreicht der Autor vor allem durch die Betonung seiner Freude in 4 a. Er gibt das Hauptthema an: Gehorsam gegenüber der Wahrheit, und stellt mit dem Gebot in 4 d ein wichtiges Stichwort für das Folgende bereit. Eine Annäherung an die Brieftheorie nimmt WATSON dadurch vor, daß er auf die schon länger festgestellte Nähe von V. 4 zu einer brieflichen Danksagung zurückgreift. Außerdem versucht er in einem weiteren Schritt, auch das Präskript V. 1–3 in seiner Funktion als *exordium* zu bestimmen, ohne es direkt als Bestandteil des Exordiums zu bezeichnen. Dem Präskript exordiale Aufgaben zuzuweisen fällt nicht sonderlich schwer, weil dort mit den Begriffen Wahrheit und Liebe, die sich hindurchziehen, die theologische Substruktur des Folgenden schon angesprochen wird und ein metaphorisches Sprachspiel die freundschaftliche Relation des Presbyters zu der auserwählten Herrin und ihren Kindern, daß heißt zur Gemeinde, bereits etabliert. Was 3 Joh angeht, ist zu begrüßen, daß WATSON gegen zahlreiche Ausleger V. 2–4 zusammenfaßt und von V. 1 abhebt. Der Wohlergehenswunsch gehört in 3 Joh nicht mehr zum Präskript – dagegen spricht u. a. die Anrede „Geliebter" in 2 a –, sondern mit der Freudenäußerung zusammen zum Briefproömium, bei WATSON zum *exordium*. Daß die Verse 2–4 in 3 Joh

WATSON, The New Testament and Greco-Roman Rhetoric: A Bibliography, in: JETS 31 (1988) 465–472; J. LAMBRECHT, Rhetorical Criticism and the New Testament, in: Bijdr. 50 (1989) 239–253; H. J. KLAUCK, Hellenistische Rhetorik im Diasporajudentum: Das Exordium des vierten Makkabäerbuchs (4 Makk 1, 1–12), in: NTS 35 (1989) 451–465.

Topoi des Briefkorpus vorwegnehmen und zugleich eine *captatio* vor der Person des Gaius darstellen, ist ohne weiteres einsichtig. Aber das hat auch die Brieftheorie immer schon vom Briefproömium gesagt. Auch zu 3 Joh unterbreitet WATSON den Vorschlag, das offenkundig doch eher störende Präskript V. 1 als ein *exordium* aufzufassen.

(2) Die *narratio*, die in deliberativer und epideiktischer Rhetorik im übrigen nicht unbedingt erforderlich wäre, umfaßt in 2 Joh nur V. 5, in 3 Joh V. 5–6. Es verwundert schon etwas, die briefliche Bitte als *narratio* wiederzufinden. Restlos überzeugend wirken die Begründungen für die Eruierung der *narratio* bei WATSON denn auch nicht. In 2 Joh 5 werde, so WATSON, präzise, kurz, klar und plausibel – alles Forderungen, die an eine *narratio* zu stellen sind – der Kasus des Schreibens genannt: Wir sollen einander lieben. 3 Joh 5–6 schildere die loyale Gastfreundschaft, die Gaius gewährt hat und die er weiter gewähren soll, und erfasse damit den Kernpunkt des ganzen Briefes. Vom Briefschema her bestimmt WATSON 2 Joh 4–5 und 3 Joh 2–6 als "body-opening", Korpuseröffnung. Die Integration von rhetorischer und epistolarer Analye besteht in der These, daß sich das mit "body-opening" zu bezeichnende Briefstück als eine Kombination von *exordium* und *narratio* enthüllt. Die *narratio* setzt WATSON schließlich noch gleich mit der *propositio* einer an sich möglichen, in 2/3 Joh aber fehlenden *partitio*, deren Punkte es in der *probatio* zu entwickeln gilt.

(3) Die *probatio* oder *argumentatio* fällt mit 2 Joh 6–11 und 3 Joh 7–12 beide Male recht lang aus, entspricht aber in etwa (mit Ausnahme der Eingangsverse) unserem Briefkorpus und wird auch von WATSON direkt mit dem Hauptbestand des Briefkorpus ("body-middle") verglichen. Im einzelnen werden eine Fülle von wertvollen Beobachtungen zur Stilistik beigebracht.

(4) In 2 Joh wäre V. 12 die *peroratio*, in 3 Joh V. 13–14. WATSON rechnet diese Verse noch als "body-closing" zum Briefkorpus. Er stellt selbst fest, daß eine echte *peroratio* mit diesem konventionellen Besuchswunsch nicht gegeben ist. Es kommt nicht zu einer Zusammenfassung und emotionalen Steigerung wesentlicher Briefinhalte. Als zusätzliche *peroratio* möchte WATSON aber auch das "post-script" in 2 Joh 13 und 3 Joh 15 veranschlagen.

Ein Hauptproblem dieses Vorgehens besteht darin, daß die lange *probatio* intern gar nicht oder nur unzureichend weiter untergliedert wird. Vorhandene syntaktische Signale wie der Imperativ in 2 Joh 8, wie ἔγραψά τι in 3 Joh 9 oder der Vokativ „Geliebter" in 3 Joh 11 werden überspielt bzw. zu wenig berücksichtigt. Vermutlich ließe sich hier noch manches nachbessern, aber ein sehr viel anderes Bild als bei der an den

brieflichen Merkmalen orientierten Gliederung dürfte dabei kaum her-
auskommen. Die Briefform erweist sich überhaupt als einigermaßen wi-
derständig und spröde, vor allem am Beginn (Präskript) und am Schluß
(Besuchswunsch, Grüße), aber nicht nur dort. Am gezwungensten
erscheint die Identifizierung der *narratio*. Es kann nur wiederholt
werden, was wir schon zu 1 Joh andeuteten: Es ist wohl doch kein Zufall, daß die antiken Rhetoren die *dispositio* der Rede nicht in die Epistolographie transferiert haben. Darin dürfte sich ein Gespür für die Besonderheiten der Briefgattung verbergen und ein Respektieren ihrer
Eigenart, die sie für eine rhetorische Bearbeitung nur partiell geeignet
erscheinen läßt.

VI. VERFASSERFRAGE UND ZEITLICHE ABFOLGE

Die Frage nach dem Verfasser – oder sollten wir besser sagen: nach den Verfassern? – der drei Johannesbriefe hat viele Facetten. Im ersten Brief meldet sich der Autor in der Ich-Form zu Wort (2,1 etc.) und reiht sich im Prolog 1,1–4 in eine Wir-Gruppe ein, nennt seinen Namen aber nicht. In den beiden kleinen Briefen stellt er sich als „der Presbyter" vor, mit einem Decknamen oder Symbolnamen also, wenn man will. Neben unverkennbaren Gemeinsamkeiten weisen die drei Texte schon in der äußeren Form solche Divergenzen auf, daß die neuere Exegese zunehmend von der Annahme einer einheitlichen Verfasserschaft für die drei Briefe abrückte und mit zwei oder gar drei Autoren rechnete (ganz abgesehen von den Quellen- und Redaktionshypothesen zu 1 Joh, auf die wir hier nicht erneut eingehen werden; vgl. IV). Die Hauptaufgabe besteht aber in der Abklärung des Verhältnisses der Johannesbriefe, namentlich des großen ersten Briefs, zum Johannesevangelium. Dazu zwingt uns nicht nur die altkirchliche Tradition, die von einem einheitlichen Korpus johanneischer Schriften ausging, unter Einschluß der Johannesoffenbarung, auch wenn letzteres nicht unwidersprochen blieb. Schon die Berührungspunkte zwischen 1 Joh und dem Johannesevangelium machen Überlegungen in dieser Richtung unumgänglich. Damit aber stoßen wir wie ein Wespennest mitten hinein in die nach wie vor dornige „johanneische Frage", die wir hier nur in einem engen, streng auf die Johannesbriefe konzentrierten Ausschnitt behandeln können.

A. 1 Joh und das Johannesevangelium

L 27: BACON, B. W.: The Gospel of the Hellenists, hrsg. von C. H. Kraeling, New York 1933, 359–369. – BAUR, F. C.: Das Verhältniss des ersten johanneischen Briefs zum johanneischen Evangelium, in: ThJb(T) 16 (1857) 315–331. – HOEKSTRA, S.: Oorsprong der verwantschap van den eersten brief van Johannes met het vierde Evangelie, in: ThT 1 (1867) 137–188. – HOLTZMANN: Problem 1–2 (L 02). – LAW: Tests (L 02) 339–363. – MORGEN, M.: L'évangile interprété par l'épître: Jean et I Jean, in: FV 86 (1987) 59–70. – PAINTER: John (L 02) 103–108. – ROOS, F.: Das Verhältniss zwischen dem Evangelium Johannis und den johanneischen Briefen, in: ThSW 2 (1881) 186–209. – SOLTAU, W.: Die Verwandtschaft zwischen Evangelium Johannes und dem 1. Johannesbrief, in: ThStKr 89 (1916) 228–233.

Mit lange Zeit unerreichter Gründlichkeit hat 1881/82 HOLTZMANN Gemeinsamkeiten und Unterschiede zwischen 1 Joh und dem Johannesevangelium erörtert. Er hat dazu umfängliche Tabellen erstellt, die in der Forschung – mit ganz gegensätzlichen Schlußfolgerungen – vielfach ausgewertet wurden, oft aus zweiter Hand, nämlich vermittelt durch BROOKE, JohBr.[28] Manches wurde modifiziert, anders ergänzt. Wir greifen aus der Fülle des Materials das Wichtigste heraus.

1. Sprachlich-stilistischer Vergleich

Bei der Beschäftigung mit Sprache und Stil des 1 Joh (s. III) sagten wir bereits, daß dieser Arbeitsschritt durchweg von vornherein instrumentalisiert wird, insofern er Kriterien für die einheitliche Verfasserschaft von Evangelium und erstem Brief oder für ihre Bestreitung liefern soll. Wir hatten oben deshalb bewußt auf den Vergleich verzichtet und müssen nun darauf zurückkommen.

a) Gemeinsamkeiten

L 28: CHARLES, R. H.: A Critical and Exegetical Commentary on the Revelation of St. John (ICC), Bd. 1, Edinburgh 1920, XXXIV–XXXVII. – HOLTZMANN: Problem 1 (L 02).

Am hohen Ausmaß der sprachlich-stilistischen Einheitlichkeit von Johannesevangelium und erstem Johannesbrief kann kein Zweifel bestehen. Nahezu alles, was wir in III/A als Charakteristika des 1 Joh herausgearbeitet hatten, können wir auch aus dem Johannesevangelium belegen. Auch das Evangelium kennt die parataktische Reihung mit καί und die Asyndese, es kennt Parallelismus und Antithese. Wie im Brief kommen einfache Partizipialkonstruktionen vor (Joh 3,16: πᾶς ὁ πιστεύων, mit Antithese verbunden in 3,18: ὁ πιστεύων ... ὁ δὲ μὴ πιστεύων, vgl. 1 Joh 5,1.10). Wir stoßen wieder auf Definitionssätze (Joh 3,19: „Dies ist das Gericht"; 6,29: „Dies ist das Werk Gottes";

---

[28] BROOKE weist ebd. I selbst auf dieses Abhängigkeitsverhältnis hin: "In the present section (das sind ca. 30 Seiten!) the freest use has been made of his (d.h. HOLTZMANNS) article, and most of the lists are practically taken from his."

15, 12: „Dies ist mein Gebot"), auf das einleitende ἐν τούτῳ (Joh 4, 37; 9, 30: „Denn darin besteht das Verwunderliche"; 13, 35: „Daran werden alle erkennen") und auf die doppelte Wiedergabe eines Sachverhalts in positiver und negativer Fassung (Joh 1, 3: „Alles wurde durch ihn, und ohne ihn wurde nicht eines"). Es begegnen Konstruktionen mit καί ... δέ (Joh 6, 51; vgl. 1 Joh 1, 3), οὐ ... ἀλλά (Joh 1, 8. 13. 31. 33 etc.; vgl. 1 Joh 2, 16; 2 Joh 1 u. ö.), ἀλλ᾽ ἵνα (z. B. Joh 9, 3; vgl. 1 Joh 2, 19), καθώς ... καί (Joh 13, 15; 1 Joh 2, 6) und οὐ καθώς (Joh 6, 58; 14, 27; vgl. 1 Joh 3, 12). Besonders ins Auge fällt der parallele Aufbau einer ganzen Satzperiode bei nicht einmal sonderlich enger Berührung im Wortlaut. Ein Beispiel:

1 Joh 2, 2	Joh 11, 51 f.
Und er ist Sühnopfer für unsere Sünden	... daß Jesus sterben sollte für das Volk,
und nicht allein für unsere Sünden,	und nicht allein für das Volk,
sondern auch für die ganze Welt.	sondern auch um die verstreuten Gotteskinder zu sammeln ...

Zu den Gemeinsamkeiten gehören auf idiomatischer Ebene der eigentümliche Gebrauch des Neutrums πᾶν mit einer Personengruppe als Bezugsgröße (Joh 6, 37; 1 Joh 5, 4), die Anredeform τεκνία (Joh 13, 33), Ausdrücke wie „die Wahrheit tun" (1 Joh 3, 21; 1 Joh 1, 6), „die Sünde tun" (Joh 8, 34; 1 Joh 3, 4), „die Wahrheit kennen (bzw. wissen)" (Joh 8, 32; 1 Joh 2, 21) und vor allem „aus der Wahrheit sein" (Joh 18, 37; 1 Joh 2, 21) mit der typischen Sprachfigur des εἶναι ἐκ (vgl. Joh 3, 31; 15, 19 mit 1 Joh 4, 5; Joh 8, 47 mit 1 Joh 4, 6; Joh 8, 44 mit 1 Joh 3, 8). Der Vokabelschatz des Evangeliums ist naturgemäß reicher als der des Briefs, dennoch in seiner Art ebenfalls begrenzt, gelegentlich bis zur Eintönigkeit. Eine Sondervokabel, die beide Schriften gemeinsam haben, ist neben dem oben III/A schon erwähnten ἀνθρωποκτόνος noch παράκλητος (nur Joh 14–16 und 1 Joh 2, 1). Mit den semantischen Oppositionen, die sich im Brief wie im Evangelium durchhalten (Wahrheit und Lüge, Gerechtigkeit und Sünde, Liebe und Haß u. a.), nähern wir uns bereits der Inhaltsseite. Herausgehoben sei hier nur noch als ein markantes Verwandtschaftssignal die Vorzugsstellung der aus dem Brief bestens bekannten Metaphorik von Licht und Finsternis auch im Evangelium (Joh 1, 4 f. 8 f.; 3, 19–21; 8, 12; 9, 4 f.; 11, 9 f.; 12, 53 f. 46).[29] Man

---

[29] Dazu jetzt O. SCHWANKL, Die Metaphorik von Licht und Finsternis im johanneischen Schrifttum, in: K. Kertelge (Hrsg.), Metaphorik und Mythos im Neuen Testament (QD 126), Freiburg i. Br. 1990, 135–167.

kann es niemandem verdenken, wenn er angesichts dieses Befundes
schon aus sprachlich-stilistischen Gründen 1 Joh demselben Verfasser
zuschreibt wie das Johannesevangelium. Ihre Nähe ist eingestandenermaßen (HOLTZMANN 134 u. a.) größer als die zwischen Lukasevangelium und Apostelgeschichte und vergleichbar mit dem Verhältnis von
Kolosser- und Epheserbrief. Aber gerade damit ist auch die Schwierigkeit angedeutet, denn die kritische Forschung rechnet nicht mehr mit
einer Verfasseridentität für Kol und Eph, sondern versteht die sprachliche Verwandtschaft als Ergebnis bewußter Aufnahme und Imitation
des früheren Textes durch einen anderen, späteren Autor.

b) Unterschiede

L 29: DODD: Epistle (L 15). – FREED, E. D.: Variations in the Language and
Thought of John, in: ZNW 55 (1964) 167–197, bes. 194–196. – HAENCHEN: Literatur (L 02) 238–242. – HOLTZMANN: Problem 2 (L 02). – HOWARD, W. F.: The
Common Authorship of the Johannine Gospel and Epistles, in: JThS 48 (1947)
12–25; aufgenommen in: The Linguistic Unity of the Gospel and Epistles, in:
Ders., The Fourth Gospel in Recent Criticism and Interpretation, London
⁴1955, 276–296. – POYTHRESS, V. S.: Testing for Johannine Authorship by Ex-
amining the Use of Conjunctions, in: WThJ 46 (1984) 350–369, hier 365f. –
SALOM: Aspects (L 15). – TURNER: Style (L 15). – WILSON, W. G.: An Examination of the Linguistic Evidence Adduced against the Unity of Authorship of the
First Epistle of John and the Fourth Gospel, in: JThS 49 (1948) 147–156.

In der richtigen Erkenntnis, daß ein Restbestand an „Differenzen
grammatischer und stilistischer Art" besonders wichtig werden könnte,
weil davon „dem bewussten Gebrauch sich entziehende Dinge" betroffen sind (135), hat HOLTZMANN bereits versucht, auch die sprachlich-stilistischen Unterschiede zu akzentuieren. Er geht auf den Gebrauch von Artikeln und Präpositionen ein (z. B. wird ἀκούειν, αἰτεῖν
und λαμβάνειν in 1 Joh mit ἀπό, im Evangelium mit παρά konstruiert), wendet sich dann vor allem aber lexikalischen Beobachtungen zu.
Im Brief vermißt man Vorzugsvokabeln des Evangeliums wie δόξα und
δοξάζειν, κρίσις (s. aber 1 Joh 4,17) und κρίνειν und einige andere
mehr. Außerdem spürt HOLTZMANN eine Reihe von Wortverbindungen
auf, die in 1 Joh fehlen (aber auch im Evangelium des öfteren nur an ein
oder zwei Stellen vorkommen und insofern längst nicht immer idioma-
tisch genannt werden können). Das „ausschliessliche Eigenthum des
Briefes" (137) faßt HOLTZMANN in 50 Positionen zusammen. Zumeist
handelt es sich um Vokabeln, die im Evangelium fehlen (z. B. κοινωνία,

σκάνδαλον, ἀλαζονεία, βίος, παρουσία, κόλασις etc.). Nach der kritischen Musterung durch BROOKE, JohBr XI–XVI, nimmt sich das
gesammelte Material sehr viel weniger beeindruckend aus als zunächst
angenommen. Die Zahl der relevanten Unterschiede wird kräftig dezi-
miert. Für BROOKE bringen selbst die Eigentümlichkeiten des Briefes
oft genug "the resemblance rather than the difference" (XVI) zum Vor-
schein. Es gibt eben auch den breiten Zwischenraum bewußter und un-
absichtlicher Variationen (s. FREED), und damit gerät der sprachliche
Vergleich in ein fast unaufhebbares Dilemma.

Die höhere Objektivität grammatisch-stilistischer Gegebenheiten als "un-
conscious index of the way in which a writer's mind works" (132) sucht sich
auch DODD zunutze zu machen. Er beginnt mit den Präpositionen: 14 im 1 Joh,
23 im Evangelium, darunter 13 aus 1 Joh. Ähnlich die adverbialen Partikel (ἄρτι,
ἔξω, νῦν etc.): 9 im 1 Joh, 36 im Evangelium, darunter alle aus 1 Joh, und die
Konjunktionen: 18 im 1 Joh, 36 im Evangelium, darunter mit einer Ausnahme
alle aus 1 Joh. Besonders fällt auf, daß 1 Joh das im Evangelium häufige γάρ
(64mal) nur zweimal verwendet,[30] während kausales ὅτι erheblich häufiger als
im Evangelium vorkommt, und daß οὖν (202mal im Evangelium) in 1 Joh völlig
fehlt (textkritisch strittig lediglich in 1 Joh 2,24; gesichert nur in 3 Joh 8).
Außerdem zeigt 1 Joh eine Vorliebe für ἐάν statt εἰ (ob man mit HAENCHEN 241
darauf insistieren sollte, daß 1 Joh anders als das Evangelium ἄν für ἐάν nicht
kenne, entscheidet sich an der Textkritik; Nestle-Aland[26] optiert an den besagten Stellen im Evangelium mehrfach für ἐάν). Bei den Verben hat 1 Joh nur 11
Komposita, das Evangelium hingegen 105, die 11 miteingeschlossen. Ein Vergleich von Redestücken gleicher Länge belegt für 1 Joh erheblich dichteren
Gebrauch des substantivierten Partizips, der rhetorischen Frage, von Defini-
tionssätzen und bestimmten Formen des Bedingungssatzes. Das sind zwar teils
allgemein johanneische Spracheigentümlichkeiten, aber man gewinnt den Eindruck, daß 1 Joh sie bis zum Überdruß strapaziert. Über Aramaismen im Johannesevangelium kann man diskutieren, im 1 Joh fallen sie aus (vgl. III/B). Bei den
Vokabeln gelangt DODD zu ähnlichen Erkenntnissen wie vor ihm schon HOLTZ-
MANN: Signifikante Termini des Evangeliums fehlen im Brief, z.B. auch die theologisch gewichtigen Verben ἀναβαίνειν, καταβαίνειν und ὑψοῦν oder der christologische Titel κύριος (überhaupt nicht im 1 Joh, je nach Lesart über 40mal im
Evangelium). DODD folgert, daß man die einheitliche Verfasserschaft von Johannesevangelium und 1 Joh ernsthaft in Zweifel ziehen müsse.

Die Gegenkritik, vertreten besonders durch HOWARD und WILSON, hat nicht

---

[30] Die Zahlen gebe ich in der Regel ohne eigene Überprüfung nach
K. ALAND, Vollständige Konkordanz zum griechischen Neuen Testament. II.
Spezielle Übersichten (ANTT IV/2), Berlin 1978. Sie unterscheiden sich z.T.
von den in der Literatur gebotenen Angaben. So arbeitet BROWN, JohBr 23, mit
68 Vorkommen von γάρ im Johannesevangelium.

geruht und Dodds Argumente Punkt um Punkt erschüttert. Im NT kennen überhaupt nur die Evangelien mehr als 20 Präpositionen, von der Länge her mit 1 Joh vergleichbare Briefe (z. B. 1 Tim, 1 Petr, Jak) haben genau wie 1 Joh zwischen 14 und 16 (Wilson 148 f.). Mit den Adverbialpartikeln und Konjunktionen sieht es ähnlich aus. Im Römerbrief kommt γάρ 144mal vor, im Philipperbrief nur 13mal. Das Fehlen von οὖν im 1 Joh macht sicher aufhorchen, man muß aber hinzunehmen, daß οὖν vor allem in erzählenden Texten Verwendung findet. In den Abschiedsreden des Evangeliums begegnet es von den erzählenden Rahmenversen abgesehen nur ein einziges Mal in 16,22 (Brown, JohBr 23). Die Apostelgeschichte hat 205 Komposita, die das Lukasevangelium nicht kennt (Wilson 153). κύριος als christologischer Titel steht im Evangelium mehrheitlich im Vokativ in Redestücken (Howard 18).

Das führt uns zu einigen grundsätzlichen Überlegungen, die bei jedem Vergleich zu berücksichtigen sind und jeden Vergleich erschweren (vgl. Howard 13 f.; auf dessen *amanuensis*, der bei der Niederschrift mithalf, werden wir aber im folgenden verzichten): Die beiden Schriften weisen eine sehr unterschiedliche Länge auf; das läßt sich mit statistischen Mitteln nur unvollkommen einholen. Im Evangelium können in anderem Umfang als im Brief Quellen verarbeitet sein. Das Thema ist hier wie dort ein ganz anderes, Jesuserzählung auf der einen und Mahnrede auf der anderen Seite. Vor allem muß die Gattungsdifferenz zwischen einer Erzählung und einem besprechenden Text mit appellativer Ausrichtung ernst genommen werden. Wenn man den Vergleich auf die Redestücke des Evangeliums einschränkt, kann man sich zwar darauf berufen, daß interessanterweise Jesus im Evangelium so redet wie der Verfasser des 1 Joh, hat aber dennoch mit den Gattungsgrenzen auch die Differenz von eingebetteter wörtlicher Rede und argumentativem Primärtext übersprungen.

Einen sicheren Entscheid in der einen oder anderen Richtung lassen die Daten nicht zu. Der Vorstoß von Dodd und anderen hat angesichts einer erdrückend scheinenden stilistischen Einheitlichkeit die Möglichkeit offengehalten, daß dennoch unterschiedliche Schreiber am Werk sein könnten, mehr nicht, das sieht auch Brown, JohBr 24 f., so, der statt dessen die Differenz zwischen Evangelium und 1 Joh an der fehlenden "clarity of expression", d. h. an den zahlreichen grammatisch-sprachlichen Ambivalenzen (s. III/A) festmacht. Will man sich nicht auf Spekulationen über das fortgeschrittene Greisenalter des Briefautors einlassen, bleibt nach Brown "the greater obscurity of the Epistles" ein Argument für unterschiedliche Verfasserschaft. Damit kommt anstatt der angestrebten Objektivität wieder ein – letztlich unverzichtbares – subjektives Moment ins Spiel. Auch wird man die Möglichkeit eines zeitlichen Abstands zwischen Evangelium und Brief nicht ganz aus den Augen verlieren wollen.

2. Inhaltlicher Vergleich

a) Gemeinsamkeiten

L 30: BROOKE: JohBr II–IV. – BROWN: JohBr 757–759. – HOLTZMANN: Problem 1 (L 02) 691–699. – ROOS: Verhältniss (L 27) 188–195.

Stil und Inhalt lassen sich nur teilweise trennen. Die lexikalischen Untersuchungen kann man auch schon zur Inhaltsseite rechnen, die spätestens mit dem Rekurs auf semantische Oppositionen (s. o. unter 1 a) erreicht ist. Auch was die inhaltlichen und das heißt zugleich die theologischen Gesichtspunkte im engeren Sinn angeht, gibt es zunächst nur weitreichende Gemeinsamkeiten zu vermelden. Ausführlicher wollen wir nur die Nähe der Prologe in 1 Joh 1,1–4(5) und Joh 1,1–18(19) dokumentieren, weil von der Frage, welcher dieser beiden Texte wohl der ältere, welcher der jüngere sein mag, u. U. sehr viel abhängen kann für die Gesamtsicht des Verhältnisses von Evangelium und erstem Brief. Dem schließen sich noch einige Streiflichter aus dem Korpus der beiden Schriften an. Die Parallele von 1 Joh 5,13 zu Joh 20,31 und ihre Bedeutung für die ganze Schlußpassage wurde schon besprochen (s. IV/D), ebenso mögliche Beziehungen hinsichtlich des Gesamtaufbaus (s. V/A).

1 Joh		*Joh*	
1,1 a	Was von Anfang an war	1,1 a	Im Anfang war das Wort
1,1 c	was wir gesehen haben	1,18 a	niemand hat Gott je gesehen
1,1 d	was wir geschaut haben	1,14 c	und wir haben seine Herrlichkeit geschaut
1,1 f	bezüglich des Wortes des Lebens	1,4 a	in ihm (dem Wort) war Leben
1,2 a	und das Leben ist erschienen	1,14 a	und das Wort ist Fleisch geworden
1,2 b	und wir haben gesehen	1,14 b	und hat unter uns gewohnt
1,2 c	und wir bezeugen	1,7 b	damit er bezeuge
1,2 e	welches beim Vater war	1,1 b	und das Wort war bei Gott
		1,18 b	der an der Brust des Vaters ruht
1,3 b	verkündigen wir auch euch	1,18 c	jener hat Kunde gebracht
1,4 b	damit unsere Freude erfüllt sei	1,14 e	voll Gnade und Wahrheit
		1,16 a	denn aus seiner Fülle haben wir alle empfangen

1,5a	und dies ist die Botschaft	1,19a	und dies ist das Zeugnis des Johannes
1,5d	daß Gott Licht ist	1,4b	und das Leben war das Licht der Menschen
1,5e	und es in ihm keine Finsternis gibt	1,5a	und das Licht scheint in der Finsternis
	…		…
2,3c	wenn wir seine Gebote halten	15,10	wenn ihr meine Gebote haltet
2,5ab	wer aber mein Wort hält, wahrlich, in diesem ist die Liebe Gottes vollendet worden	14,23	wenn jemand mich liebt, wird er mein Wort halten, und mein Vater wird ihn lieben
2,8a	wiederum schreibe ich euch ein neues Gebot	13,34	ich gebe euch ein neues Gebot
3,11	und dies ist die Botschaft, die ihr gehört habt von Anfang an, daß ihr einander liebt	15,12	dies ist mein Gebot, daß ihr einander liebt, so wie ich euch geliebt habe
3,12a	weil seine (Kains) Werke böse waren	7,7d	daß ihre (der Welt) Werke böse sind
3,14b	daß wir hinübergegangen sind vom Tod zum Leben	5,24g	sondern er ist hinübergegangen vom Tod zum Leben
3,16ab	daran erkennen wir die Liebe, daß jener für uns sein Leben dahingab	5,13	eine größere Liebe hat niemand, als daß er sein Leben dahingibt für seine Freunde
4,9	darin ist die Liebe Gottes unter uns erschienen, daß Gott seinen eingeborenen Sohn in die Welt sandte, damit wir durch ihn leben	3,16	denn so sehr hat Gott die Welt geliebt, daß er den eingeborenen Sohn gab, damit jeder, der an ihn glaubt, nicht verlorengeht, sondern ewiges Leben hat
4,12a	niemand hat Gott je geschaut	1,18	niemand hat Gott je gesehen

An weitere Einzelheiten sind u. a. noch zu erwähnen: Die Verwendung von σωτήρ als christologischer Hoheitstitel (Joh 4,42; 1 Joh 4,14) und die Rede von den „Gotteskindern" (Joh 1,12; 1 Joh 3,1 u. ö.). Enge Berührungen thematischer Art ergeben sich auch hinsichtlich des Theologumenons von der Gebetserhörung (vgl. Joh 14,13–14; 15,16; 16,23–24 mit 1 Joh 3,22; 5,14–15) und hinsichtlich der Ausführungen über das Zeugnis Gottes (vgl. 1 Joh 5,9–11 mit Joh 5,31–40). Als weiteres Bindeglied ist schließlich noch die dem Evangelium und dem Brief gemeinsame Sprache der Immanenz zu nennen, das εἶναι ἐν oder μένειν ἐν.

b) Verschiebungen

L 31: BONNARD, P.: La Première Épître de Jean est-elle johannique?, in: Ders., Anamnesis. Recherches sur le Nouveau Testament (Cahiers de la RThPh 3), Lausanne 1980, 195–200. – CONZELMANN, H.: „Was von Anfang war" (1954), in: Ders., Theologie als Schriftauslegung. Aufsätze zum Neuen Testament (BEvTh 65), München 1974, 207–214. – DODD: Epistle (L 15) 141–153. – KLAUCK, H.J.: Der „Rückgriff" auf Jesus im Prolog des ersten Johannesbriefs, in: Vom Urchristentum zu Jesus (FS J.Gnilka), Freiburg i.Br. 1989, 433–451. – KLEIN, G.: „Das wahre Licht scheint schon." Beobachtungen zur Zeit- und Geschichtserfahrung einer urchristlichen Schule, in: ZThK 68 (1971) 261–326. – ŠKRINJAR, A.: Differentiae theologicae I Jo et Jo, in: VD 41 (1963) 175–185. – SOLTAU, W.: Der eigenartige dogmatische Standpunkt der Johannisreden und seine Erklärung, in: ZWTh 52 (1910) 341–359. – WHITACRE: Polemic (L 02) 153–182.

Die Eigenart unseres Problems besteht in dem seltsamen Ineinander von Übereinstimmungen und Abweichungen. Auch die aus dem Evangelium bekannten Themen erscheinen im 1 Joh oft in anderer Beleuchtung. Solche inhaltlichen Verschiebungen lassen sich auf den verschiedensten Gebieten beobachten. Sie sind es, die in der Forschung anstelle der zweideutig bleibenden stilistischen Argumente zunehmend in den Vordergrund gerückt werden, wie es CONZELMANN tut: „Denn das Problem ist nicht schon durch das Vorhandensein johanneischer Begriffe und Motive in den Briefen an sich gestellt, sondern durch die Weise ihrer Rezeption" (207). Auch für BONNARD geht es um «les mutations semantiques» (196).

(1) Daß ἀπ' ἀρχῆς in 1 Joh 1, 1 und ἐν ἀρχῇ in Joh 1, 1 miteinander zu tun haben, liegt auf der Hand. Aber ob der Begriff an den beiden Stellen dasselbe besagt, ist alles andere als sicher. Schon der Wechsel der Präposition, ἀπό (wie in Joh 8, 44) statt ἐν, gibt zu denken. „Im Anfang war das Wort" aus dem Evangelienprolog bezieht sich auf die Präexistenz des personifizierten Logos. „Was von Anfang an war" im Briefprolog wird oft genauso gedeutet. Aber im Briefkorpus gibt es eine „kirchengeschichtliche" Verwendungsweise von ἀπ' ἀρχῆς. Der Autor spricht seine Leser auf Erfahrungen hin an, die sie vom Anfang ihres Christseins an gemacht haben (2, 7.24; 3, 11; Ausnahmen bzw. Streitfälle in 2, 13–14 und 3, 8). Das kann man mit Joh 15, 27 zusammenbringen, wo ἀπ' ἀρχῆς den Beginn der Jüngerschaft in der Nachfolge des irdischen Jesus markiert (mit ähnlicher Sinngebung ἐξ ἀρχῆς Joh 6, 64; 16, 4). Einschlägig ist auch „der Anfang seiner Zeichen" in Joh 2, 11. Anders gesagt: Im Briefeingang zielt ἀπ' ἀρχῆς auf den beginnenden Prozeß der Selbstoffenbarung des Irdischen und das damit korrespondierende

gläubige Wahrnehmen der Jünger. Es vermittelt so zwischen dem ἐν ἀρχῇ der Präexistenz im Evangelienprolog und dem ekklesiologischen ἀπ' ἀρχῆς im Briefkorpus (s. CONZELMANN; KLAUCK 437 f.).

(2) Die gleiche Unsicherheit wie beim „Anfang" stellt sich auch beim „Wort des Lebens" aus 1 Joh 1,1 ein. Wenn man vom Evangelienprolog herkommt, möchte man „Logos" hier ohne weiteres personal interpretieren, Jesus Christus in Person als das fleischgewordene Gotteswort. Aber dieser absolute, personale Gebrauch des Logosbegriffs bildet auch im Evangelium die Ausnahme. Außerhalb des Prologs bezeichnet λόγος das Wort der Verkündigung, die Rede, wie im Briefkorpus. In 1 Joh 1,1 werden wir unter dem „Wort des Lebens" deshalb eher die Botschaft Jesu und die Evangeliumsverkündigung verstehen, die Zugang zum Leben schenkt, und im Vergleich zu Joh 1,1.14 eine Verschiebung konstatieren.

(3) Die Metaphorik von Licht und Finsternis hatten wir oben zu den verbindenden Elementen gerechnet. Auch das bedarf einer Modifizierung. Das Evangelium konzentriert die Lichtmetapher streng auf *Christus* hin. Der Brief sagt ebenso eindeutig: „*Gott* ist Licht" (1,5). Betont wird im weiteren Verlauf die ethische Dimension des Bildfeldes, der Wandel im Licht oder in der Finsternis, dies allerdings mit Anhalt an einigen Evangelienstellen. Nach KLEIN erfährt die Lichtmetaphorik im Brief eine über das Evangelium hinausreichende Historisierung (s. auch Anm. 29).

(4) Daß Aussagen, die das Evangelium von Christus macht, im Brief auf Gott übertragen werden, ist keine isolierte Erscheinung. So gibt in Joh 13,34 (vgl. 15,12) Jesus selbst das Gebot der gegenseitigen Liebe. Im 1 Joh bekommen wir an der Stelle wieder Schwierigkeiten mit den Präpositionen, aber in 3,23 erscheint das Liebesgebot doch eindeutig als Gebot Gottes, das er selbst erläßt (vgl. 4,21). Bemerkenswert auch, daß es im Evangelium nur als neues Gebot qualifiziert wird, während 1 Joh 2,7–8 das eine Gebot zugleich neu und alt nennen kann.

(5) Das setzt sich fort im Umgang mit der Immanenzsprache. Mehr noch als im Evangelium, wo davon in erster Linie die Abschiedsreden in Kap. 14–17 betroffen sind, entwickelt sich im Brief die Sprache der Immanenz, zentriert um die unscheinbare Präposition ἐν, zu einer strukturierenden und einheitsstiftenden Denkfigur. Im Vergleich zum Evangelium bevorzugt der Briefautor aber μένειν ἐν, „bleiben in", anstelle von εἶναι ἐν, „sein in", vermutlich deshalb, weil er das Sein als gefährdet erkennt und deshalb das Bleiben anmahnt. Es fehlt im Brief die ausdrückliche Erwähnung der Immanenz von Vater und Sohn. Es wird auch ein Schritt über das Evangelium hinaus getan, insofern der Brief

direkt von der reziproken Immanenz zwischen den Glaubenden und Gott selbst spricht, ohne die christologische Vermittlung und die Modellfunktion der Immanenz von Vater und Sohn eigens anzusprechen.

(6) Den Tod Jesu deutet 1 Joh 2,2 als „Sühnopfer (ἱλασμός) für unsere Sünden" (vgl. 1,7; 4,10). Diese Sicht, die an Röm 3,25 gemahnt, hat im Evangelium kein unmittelbares Pendant, wohl einen gewissen Haftpunkt in 1,29 („das Lamm Gottes, das hinwegnimmt die Sünde der Welt"). Das Evangelium sieht das Sterben Jesu nicht so sehr als sühnendes Geschehen, sondern betont den Vorgang der Erhöhung und Verherrlichung, der ihm innewohnt.

(7) Der Brief bezeichnet in 2,1 mit παράκλητος Jesus Christus als den Fürsprecher beim Vater im Himmel. Das ordnet sich sehr gut in das traditionsgeschichtliche Bezugsfeld dieses Terminus ein. Das Evangelium spricht vom „anderen Parakleten" (14,16) und meint damit den „Geist der Wahrheit" (dazu auch 1 Joh 5,6), den „Heiligen Geist" (so 15,26; im 1 Joh fehlt πνεῦμα ἅγιον), der als Beistand der Jünger auf Erden wirkt. Das beinhaltet über die unterschiedliche Reichweite von παράκλητος hinaus auch andere Schwerpunktsetzungen in der Pneumatologie. Für die lehrende Funktion des Geistparakleten reserviert 1 Joh den Ausdruck χρῖσμα, „Gesalbtheit" (2,20.27). Sein Einwohnen wird mit σπέρμα, „Samen (Gottes)", umschrieben (3,9). Wo es in 1 Joh 4–5 um das kritische Scheiden und um das Bezeugen geht, tritt endlich auch das Pneuma selbst als göttliche Gabe (3,24) in den Vordergrund.

(8) Ob man nun die futurisch-eschatologischen Stellen im Johannesevangelium als Eintrag der Jüngerredaktion beurteilt oder nicht, führend bleibt dort in jedem Fall eine unverwechselbare, kühne Form von präsentischer Eschatologie. Im 1 Joh hingegen tauchen verstärkt traditionelle Topoi einer apokalyptisch geprägten Zukunfterwartung auf: Zu den Merkmalen der „letzten Stunde" (2,18) zählen das Auftreten des endzeitlichen Gegenspielers, dem 1 Joh den Titel „Antichrist" beilegt, und die „Gesetzlosigkeit" (ἀνομία in 3,4). Eine Parusie wird erwartet und auch beim Namen genannt (2,28), das Endgericht steht vor Augen (4,17), die Vollendung der Gotteskinder ist der eschatologischen Zukunft vorbehalten (3,1–2).

(9) 1 Joh 3,12 erwähnt das abschreckende Beispiel Kains, das den ganzen folgenden Abschnitt prägt. Alttestamentliche Zitate oder auch nur deutlichere Anspielungen kommen ansonsten im Brief nicht vor, ganz im Gegensatz zum Evangelium. Das hängt nicht zuletzt daran, daß sich Jesus im Evangelium mit einer jüdischen Gegnerschaft auseinandersetzt und dafür das AT als Basis braucht. Das Profil der Gegner im 1 Joh sieht um einiges anders aus (s. VII).

(10) DODD meint noch, im 1 Joh sei eine größere Nähe zur Gnosis zu verspüren als im Johannesevangelium (148). Ebensogut könnte man sagen, daß der Brief (noch) entschiedener antignostisch ausgerichtet ist als das Evangelium. Inwieweit es überhaupt angebracht erscheint, für das johanneische Schrifttum mit der Gnosis als Vergleichsgröße zu operieren, muß gesondert geklärt werden (s. VII).

Eine extreme Folgerung aus dem soeben dargestellten Befund zieht SOLTAU, wenn er „wichtige dogmatische Differenzen zwischen Brief und Evangelium" postuliert und den Briefschreiber mit Absicht gegen die Jesusreden des Evangeliums polemisieren läßt (350–352). So weit wird man sicher nicht gehen, das decken die Texte nicht ab. Aber die übermächtig scheinende Einheitlichkeit bekommt doch einige Risse. Man muß für 1 Joh als Minimum einen anderen Zeitpunkt und eine andere Situation als für das Evangelium annehmen, wenn man schon an der Verfasseridentität festhalten will. Der Zwang der Situation und theologische Entwicklungen könnten die inhaltlichen Verschiebungen bei gleichbleibender Verfasserschaft erklären helfen. Aber auch andere Lösungen können nicht mehr einfach von der Hand gewiesen werden.

3. Die Verfasserfrage

a) Lösungsvorschläge

L 32: BACON, B. W.: The Fourth Gospel in Research and Debate. A Series of Essays, New Haven 1918, 184–209. – BAUR: Verhältniss (L 27). – DODD: Epistle (L 15). – GRIMM, W.: Ueber das Evangelium und den ersten Brief des Johannes als Werke Eines und desselben Verfassers, in: ThStKr 20 (1874) 171–187. – HILGENFELD, A.: Die johanneischen Briefe, in: ThJb(T) 14 (1855) 471–526. – HIRSCH: Studien (L 19). – HOLTZMANN: Problem 2 (L 02). – HORNER: Introduction (L 02). – MIAN, F.: Sull'autenticità delle «epistole giovannee», in: VetChr 23 (1986) 399–411. – NUNN, H. P. V.: The First Epistle of St. John, in: EvQ 17 (1945) 296–303. – STREETER, B. H.: The Four Gospels. A Study of Origins, London ²1930, Repr. 1956, 361–481.

Angesichts des ambivalenten Gesamtbefundes kann es nicht verwundern, daß ein echter Konsens in der Verfasserfrage noch nicht erreicht wurde. Bis in die Gegenwart hinein findet die These von einer einheitlichen Verfasserschaft für 1 Joh und das Johannesevangelium ihre entschiedenen Verteidiger, auch wenn sie längst nicht alle so verbissen urteilen wie HORNER 43: "In light of the overwhelming evidence the attacks of hostile critics seem peculiarly arbitrary and totally un-

founded." Wer nur „feindselige Kritiker" am Werk sieht oder bei so
starken Worten wie „Perversität" und „Hyperkritik" seine Zuflucht
sucht (Ross, JohBr 113), nimmt seinerseits einen Teil der Beweislage,
der die Bedenken rechtfertigt, nicht wirklich wahr. Andere Autoren, die
mit einem Verfasser für beide Werke rechnen, argumentieren sachlicher.
Aus ihrer Reihe seien in Auswahl und in chronologischer Anordnung
angeführt:

> GRIMM; EWALD, JohBr 429; LAW, Tests (L 02) 358 f.; BACON 190 ("The sub-
> stance of the Gospel was compiled by the author of the Epistles"); STREETER 458
> ("the burden of proof lies with the person who would deny their common
> authorship"); NUNN; LEWIS, JohBr 1 f.; GAUGLER, JohBr 5; PAINTER, John
> (L 02) 108; RUCKSTUHL, JohBr 35; MIAN; STOTT, JohBr 17–28; HENGEL,
> Question (L 02) 105 u. ö.; s. auch die langen Namenlisten bei BROWN, JohBr 20.

Die Gegenposition bezogen früh schon BAUR und HILGENFELD
(dieser mit späterer Selbstkorrektur), die aber vor allem um die zeitliche
Priorität des Evangeliums oder des ersten Briefs miteinander stritten
(s. u. 4). Den eigentlichen Grundakkord dieser Forschungsrichtung
schlug wiederum HOLTZMANN an. Er fragt, „ob ein Schriftsteller von so
originalem Gedankengang und freier Haushaltung wie der vierte Evangelist, wenn er zweimal zur Feder gegriffen hätte, nur sich selbst zu ko-
piren im Stande gewesen sein sollte", und er schlägt als Alternative vor,
daß „eine weitgehende Uebereinstimmung sich möglicher Weise erklären könnte aus gewohnheitsmässiger Abhängigkeit eines secundären
Schriftstellers von der Darstellungsweise eines originalen, aus genauem
Studium tonangebender Schriften" (134 f.). Die verblüffenden Parallelen sind also Resultat einer bewußten Imitation des Evangeliums seitens des Briefautors, der den Eindruck erwecken möchte, mit dem
Evangelienautor identisch zu sein. Die verbleibenden Divergenzen verraten wider Willen, daß eine zweite Hand am Werk ist (152). Ein halbes
Jahrhundert später stuft DODD in seinem schon mehrfach zitierten
großen Aufsatz den Briefautor als "a mind inferior to that of the Evangelist in spiritual quality, in intellectual power and in literary artistry"
ein; möglicherweise war er aber "a disciple of the Fourth Evangelist,
and certainly a diligent student of his work" (155 f.). Bei "disciple"
denkt man gleich an eine Schule, und das ist das Stichwort, dem wir uns
nun zuwenden müssen. Halten wir als Zwischenergebnis fest, daß es
gute Gründe dafür gibt, zwei verschiedene Persönlichkeiten als Verfasser des 1 Joh und als Verfasser des Johannesevangeliums anzunehmen. Man kann ohne Übertreibung feststellen, daß sich die neueren
Kommentare mehrheitlich für diese Unterscheidung aussprechen, im
einzelnen mit sehr unterschiedlichen Begründungen und Folgerungen.

In diesem Sinn optieren etwa SCHNACKENBURG, JohBr 335 (in teilweiser Korrektur von 38); BALZ, JohBr 154 f.; HOULDEN, JohBr 19 f.; WENGST, JohBr 24 f.; PERKINS, JohBr XIII f.; BROWN, JohBr 30; SCHUNACK, JohBr 13 f.; BONNARD, JohBr passim; GRAYSTON, JohBr 9; SMALLEY, JohBr XXII; KYSAR, JohBr 14 f.; STRECKER, JohBr 53; unentschlossen MARSHALL, JohBr 41.

b) Die johanneische Schule

L 33: BECKER, J.: Das Evangelium des Johannes. Kapitel 1–10 (ÖTK 4/1), Gütersloh–Würzburg 1979, 40–43 (Lit.). – BERGER, K.: Exegese des Neuen Testaments. Neue Wege vom Text zur Auslegung (UTB 658), Heidelberg 1977, 226–234. – BOUSSET, W.: Jüdisch-Christlicher Schulbetrieb in Alexandria und Rom. Literarische Untersuchungen zu Philo und Clemens von Alexandria, Justin und Irenäus (FRLANT 23), Göttingen 1915, 316. – CONZELMANN, H.: Paulus und die Weisheit, in: Ders., Theologie als Schriftauslegung (s. L 31) 177–190 = NTS 12 (1965) 231–244. – CULLMANN, O.: Der johanneische Kreis. Sein Platz im Spätjudentum, in der Jüngerschaft Jesu und im Urchristentum, Tübingen 1975. – CULPEPPER, R. A.: The Johannine School: An Evaluation of the Johannine-School Hypothesis Based on an Investigation of the Nature of Ancient Schools (SBLDS 26), Missoula 1975. – HENGEL: Question (L 02) 80–83. – HERMISSON, H. J.: Studien zur israelitischen Spruchweisheit (WMANT 28), Neukirchen 1968, 97–136. – KÜGLER, J.: Die Belehrung der Unbelehrbaren. Zur Funktion des Traditionsarguments in 1 Joh, in: BZ NF 32 (1988) 249–254. – LEMAIRE, A.: Les écoles et la formation de la Bible dans l'ancien Israël (OBO 39), Fribourg 1981. – MÜLLER, P.: Anfänge der Paulusschule. Dargestellt am zweiten Thessalonicherbrief und am Kolosserbrief (AThANT 74), Zürich 1988, 1–3. – RUCKSTUHL, E.: Zur Antithese Idiolekt–Soziolekt im johanneischen Schrifttum, in: SNTU/A 12 (1987) 141–181; auch in: Ders., Jesus im Horizont der Evangelien (Stuttgarter Biblische Aufsatzbände 3), Stuttgart 1988, 219–264. – SCHNELLE, U.: Antidoketische Christologie im Johannesevangelium. Eine Untersuchung zur Stellung des vierten Evangeliums in der johanneischen Schule (FRLANT 144), Göttingen 1987, 53–75. – STENDAHL, K.: The School of St. Matthew and Its Use of the Old Testament (ASNU 20), Lund ²1968. – STRECKER, G.: Die Anfänge der johanneischen Schule, in: NTS 32 (1986) 31–47. – STREETER: Gospels (L 32). – TAEGER: Johannesapokalypse (L 02) 9–20. – VOUGA, F.: The Johannine School: A Gnostic Tradition in Primitive Christianity, in: Bib. 69 (1988) 371–385.

Die Hypothese einer johanneischen Schule stand von ihrem Anfang im 19. Jahrhundert an im Dienst der Suche nach den Verfassern des johanneischen Schrifttums. Die Geschichte dieser Hypothese, ihr Aufkommen, ihre Funktion, ihr Für und Wider (vgl. als Warnsignal STREETER 459: "The word 'School' is one of those vague seductive ex-

pressions which it is so easy to accept as a substitute for clear thinking"),
hat CULPEPPER in seiner wichtigen Arbeit nachgezeichnet (1–38). Sein
eigenes Buch besteht zur Hauptsache aus einer Untersuchung und
Wertung möglicher historischer Analogien. Er beschäftigt sich mit der
Schulbildung in der antiken Philosophie, bei den Schülern, Anhängern
und Nachfolgern von Pythagoras, Platon, Aristoteles, Epikur und der
Stoa, aber auch mit der „Schule von Qumran", mit dem „Haus des
Rabbi Hillel", mit Philos Schule und mit der „Schule Jesu". Gemeinsame Merkmale wie Stifterpersönlichkeit, Traditionspflege, Gemein-
schaftsleben, Freundschaftsideal und Identitätsfindung gegenüber der
Außenwelt entdeckt er sodann in dem Bild der johanneischen Gemeinde wieder, das die johanneischen Schriften zu erkennen geben. Er
bezeichnet die *Gesamtgemeinde* als Schule im besagten Sinn.

In diesem speziellen Punkt scheint aber eine weitere Präzisierung
angebracht. Für die Gesamtgemeinde wird man besser einen weiteren
Ausdruck wählen wie johanneischer Gemeindeverband oder johanneischer Kreis (z. B. TAEGER), um den Begriff der johanneischen Schule
einschränken zu können auf eine Gruppe von Personen, die als Autoren
und Redaktoren hinter dem johanneischen Schrifttum stehen. Sie
bilden eine Art Schriftgelehrten- und Theologenstand in der Gemeinde.
Im Text selbst melden sie sich in der Wir-Form zu Wort, z. B. in Joh 3, 11
(formal ein Jesuswort): „Was wir wissen, davon reden wir, und was wir
gesehen haben, das bezeugen wir", in Joh 21, 24: „und wir wissen, sein
Zeugnis ist wahr", oder im Briefprolog: „Wir haben gesehen und bezeugen und verkünden euch das ewige Leben, das beim Vater war und
uns erschienen ist. Was wir gesehen und gehört haben, das verkünden
wir auch euch" (1 Joh 1, 2–3). Wir und ihr, Verkünder und Gemeinde,
treten auseinander. Der Briefautor reiht sich in die Gruppe der Verkünder und Lehrer ein, und damit zugleich in eine Zeugenschar, die sich
im Geist und über den Lieblingsjünger auch faktisch verbunden weiß
mit den ersten Jüngern Jesu. Von ihnen allein gilt ja im strikten Wortsinn: „was wir geschaut und mit unseren Händen betastet haben"
(1, 1 de). Dieser Standpunkt wird bezogen, um die Kontinuität der Verkündigung mit dem, „was von Anfang an war" (1, 1 a), hervorzuheben.

KÜGLER beurteilt in seinem scharfsinnigen Beitrag 1 Joh aufgrund des Prologs 1, 1–4 als einen Fall konsequent durchgeführter anonymer Pseudepigraphie. Anonym heißt, es wird kein großer Name aus der Vergangenheit usurpiert.
Die Pseudepigraphie besteht darin, daß der Verfasser dennoch mit Hilfe der
Verben der sinnlichen Wahrnehmung den Anschein erweckt, apostolischer
Augen- und Urzeuge zu sein, und das seinem Traditionsargument dienstbar
macht. Manches ist sicher sehr richtig gesehen, aber KÜGLER behandelt in diesen

Ausführungen zumindest 1 Joh zu isoliert, fast losgelöst vom Johannesevangelium und vom Kontext der johanneischen Schule. Er deutet außerdem an, daß er die „echten Briefe" 2/3 Joh als nichtfiktionale Texte vom 1 Joh mit seiner Verfasserschaftsfiktion abtrennen muß. Was aber, wenn sie doch einen gemeinsamen Autor haben (s. u. B. 3)?

Die Argumente für die Existenz einer johanneischen Schule in dem angedeuteten Sinn ergeben sich zum einen von den historischen Analogien her. Sie hat zum größeren Teil bereits CULPEPPER, wie erwähnt, in der gebotenen Gründlichkeit erörtert. Qumran bildet eine beachtliche Vergleichsgröße, weil wir dort mit dem Lehrer der Gerechtigkeit eine Stifterpersönlichkeit vorfinden und zugleich ein ausgebreitetes Schrifttum, das ganz sicher nicht aus einer Hand stammt, sondern einen regelrechten Studien- und Schulbetrieb voraussetzt, wo Texte kommentiert und überarbeitet wurden, allerdings über einen längeren Zeitraum hinweg, als er für das johanneische Schrifttum zur Verfügung steht. Daß Philos literarische Produktion den Kontext einer Art Synagogenschule in Alexandrien erfordert, hatte – mit einem Seitenblick auf Johannes – BOUSSET schon in die Debatte eingebracht. Neben den frühen rabbinischen Schulhäusern wird man verstärkt auch Vorstufen dazu im AT und im Frühjudentum berücksichtigen, etwa Schulen als Träger von weisheitlichen und apokalyptischen Überlieferungen (vgl. u. a. HERMISSON; LEMAIRE). Im Hintergrund weisheitlicher Passagen bei Paulus steht nach CONZELMANN „ein von Paulus bewußt organisierter Schulbetrieb" in Ephesus, wo „Theologie als Weisheitsschulung" betrieben wurde (179). Damit sind wir bei vergleichbaren urchristlichen Phänomenen angelangt. Der Paulusschule gilt weiterhin das Augenmerk der Forschung (mit Modifikationen zu CONZELMANNS Ausgangsthese z. B. MÜLLER, der bei der Johannesschule einsetzt). Den Umgang mit dem AT im Matthäusevangelium führt STENDAHL auf die Tätigkeit von Schriftgelehrten zurück. Auch er fühlt sich dadurch an das Johannesevangelium und an "The School of St. John" erinnert (163; vgl. 31).

Der zweite Argumentationsstrang geht vom johanneischen Schrifttum aus, wo z. B. die auffällige Wir-Form an den oben zitierten Stellen einen ersten Einstieg bietet. Auch manche der großen Redestücke im Evangelium wirken sehr viel plastischer, wenn man sie als Niederschlag von Schuldiskussionen betrachtet (besonders deutlich m. E. Joh 16, 16–33). Das Ineinander von Gemeinsamkeiten und Unterschieden, das uns andauernd begleitet hat, könnte so eine angemessene Erklärung finden, die gegenüber dem Postulat einer bloßen literarischen Imitation manche Vorteile hat, insofern sie mit einem soziologischen Kontinuum rechnet. Der einheitliche Sprach- und Denkstil ist ein Erbstück der

Schule, die für den eigenen Gebrauch eine theologische Sondersprache entwickelt hat.

Mit Nutzen kann man dazu Untersuchungen zur Gruppensprache ("ingroup-language") heranziehen.[31] So läßt sich feststellen, „daß Gruppen, die in bezug auf einen bestimmten Erfahrungsbereich in einem relativ isolierten Kommunikations- und Interaktionsrahmen leben, auch eine eigene, für Außenstehende kaum authentisch interpretierbare Sprachwelt entwicklen". Mehr noch, es bilden sich „trotz ständiger komplizierter Anpassungsprozesse aufgrund der starken Fluktuation sehr schnell und deutlich sprachliche Sonderungen im Bereich des Wortschatzes, der Ausdrucks- und Verwendungsweisen wie auch der Flexion und der Satzbaupläne" (!) heraus. In einem konkreten Fall wurde die Mehrzahl der Besonderheiten von zwei Personen, die von Anfang des Experiments an dabei waren, eingebracht, strahlte dann aber über die Gruppe auch auf den Sprachgebrauch in den Familien und in neuen Beziehungsfeldern aus. Innerhalb der Gruppe erschöpfte sich die Funktion der Sondersprache nicht darin, Verständigungsnorm zu sein, sondern stärkte auch das Gruppenbewußtsein und schloß Gruppenfremde aus.

Man kann an der Existenz einer johanneischen Schule festhalten wie HENGEL und dennoch einen einzigen Autor für das Johannesevangelium und die Johannesbriefe voraussetzen oder wie RUCKSTUHL trotz Annahme eines größeren johanneischen Zeugenkreises die Antithese von Idiolekt und Soziolekt zugunsten des Idiolekts auflösen, d.h. gleichfalls mit einem einzigen Autor auszukommen versuchen. Man schreibt in diesem Fall die literarische Kreativität allein dem Schulgründer und/oder Schulhaupt zu, nicht den Schülern, die er um sich sammelte. Selbst möchte ich jedoch der alternativen Sicht den Vorzug geben: Der Autor des 1 Joh gehört der johanneischen Schule im engeren Sinn an, lebt in ihrer Denk- und Begriffswelt, schreibt aus ihrem Sprachschatz mit seinen unverwechselbar eigenen Zügen heraus, ist aber nicht mit dem Hauptverfasser des Johannesevangeliums identisch. Manche konzeptuellen Differenzen erscheinen dazu doch zu akzentuiert.

Ob der Briefautor evtl. auch noch historische Konturen gewinnt, wird bei der Behandlung der beiden kleinen Johannesbriefe mit dem Presbyter als Absender zu erwägen sein. Zuvor muß noch das zeitliche Verhältnis der Texte genauer bestimmt werden, hier zunächst wieder

---

[31] Vgl. den Exkurs ›Das Problem der "in-group-language"‹ bei R. RECK, Kommunikation und Gemeindewachstum. Eine Studie zu Entstehung, Leben und Wachstum paulinischer Gemeinden in den Kommunikationsstrukturen der Antike, Diss. theol., Würzburg 1990, 79–81 (mit außerexegetischer Lit.); die folgenden Zitate ebd. 79.

eingeschränkt auf 1 Joh und das Johannesevangelium (zu Modellen wie dem von STRECKER unter Einbezug von 2/3 Joh s. u. B. 3).

4. Die zeitliche Folge

L 34: BACON: Gospel (L 27). – BAUR: Verhältniss (L 27). – HILGENFELD: Briefe (L 32). – DERS.: JohBr 322–355. – HIRSCH: Studien (L 19). – HOEKSTRA: Oorsprong (L 27). – HOLTZMANN: Problem 1–4 (L 02). – NUNN: Epistle (L 32). – SCHNELLE: Christologie (L 33) 65–75. – THEOBALD, M.: Die Fleischwerdung des Logos. Studien zum Verhältnis des Johannesprologs zum Corpus des Evangeliums und zu 1 Joh (NTA NF 20), Münster 1988, 421–437. – WENDT: JohBr 111–139.

Verfasseridentität und zeitliche Folge stehen in einem engen Wechselverhältnis. HOLTZMANN z. B. meinte, der gleiche Verfasser könnte 1 Joh und das Johannesevangelium nur dann geschrieben haben, wenn er den Brief erheblich früher fertiggestellt hatte als das Evangelium, nicht aber, wenn der Brief aus bestimmten inneren Gründen später als das Evangelium angesetzt werden müsse, da es schwer vorstellbar scheine, „dass derselbe Schriftsteller von der im Evangelium schon erreichten Höhe dann wieder zu allgemeineren, handgreiflicheren und gewöhnlicheren Vorstellungen herabgestiegen sei" (2, 152). Natürlich erfordert HOLTZMANNS eigene Grundthese von der bewußten literarischen Imitation des Evangeliums durch den Autor des 1 Joh (so u. a. auch HOEKSTRA; HIRSCH) die zeitliche Vorordnung des Evangeliums. Es fehlt aber auch nicht an Erklärern, die den Brief wie HOLTZMANN später ansetzen und dennoch an einem einzigen Verfasser – in der älteren Forschung zugleich meist der Apostel Johannes – festhalten (z. B. EWALD, JohBr 436; LAW, Tests [L 02] 359 f.). Die vermittelnde Lösung, der Brief sei das Begleitschreiben zum Evangelium, sieht sich, sofern sie wie EBRARD, JohBr 29, von einer „völligen Gleichzeitigkeit beider Schriften" (Hervorheb. im Orig.; ebenso HAUPT, Brief [L 02] 317 f.) ausgeht, ebenfalls dem Einwand ausgesetzt: Die inhaltlichen Verschiebungen sind bei gleichbleibender Verfasserschaft nur durch einen nicht unerheblichen zeitlichen Abstand der Abfassungssituationen aufzufangen. Wenn damit jedoch lediglich gesagt sein soll, der Brief habe das länger schon fertiggestellte Evangelium aus Anlaß seiner erstmaligen Publikation empfehlend begleitet (in diesem Sinn ist wohl HOLTZMANN 3, 340 f.; 4, 483 f. gemeint) oder er habe wenigstens beim Kanonisierungsprozeß die Funktion eines Widmungsschreibens übernommen (BACON 366 f.), wird der Brief implizit doch später als das Evangelium datiert. Das be-

rührt sich im Grunde mit der neueren Aufgabenstellung einer Verhält-
nisbestimmung von Brief und möglicher Redaktionstätigkeit bei der
Fertigstellung des Evangeliums (s. u.).

Die Tübinger Schule war in dieser Frage gespalten. Ihr Schulhaupt BAUR plä-
dierte für die Priorität des Evangeliums. HILGENFELD hingegen läßt den Brief
früher entstanden sein und sieht in ihm den Übergang von der altjohanneischen
Prophetie der Apokalypse als frühestem Erzeugnis der johanneischen Schule zu
dem mystisch-gnostischen Evangelium als ihrem Spätprodukt. Mit großer
Mehrheit entscheiden sich die Kommentare der letzten 150 Jahre für die zeitliche Priorität des Evangeliums. Aber auch die Vorordnung des Briefes wird verteidigt, von HUTHER, JohBr 34 f., und WEISS, JohBr 8 f., über BÜCHSEL, JohBr 7,
und WENDT bis hin zu VAWTER, JohBr 405; GRAYSTON, JohBr 11, bei dem aber
das Johannesevangelium keine scharf umrissene Größe mehr darstellt, und jetzt
wieder (in besonderer Ausführlichkeit) SCHNELLE.

Ausdrückliche Zitate aus dem Evangelium finden sich in 1 Joh nicht,
das ist der Grund, warum sich keine letzte Sicherheit erreichen läßt,
sondern nur eine mehr oder minder große Wahrscheinlichkeit. Die größere Wahrscheinlichkeit aber, das war bereits der Duktus unserer früheren Ausführungen und sei auch hier schon eingangs nicht verhehlt,
spricht dafür, den Brief später anzusetzen als den Hauptbestand des
Evangeliums und ihn auf das Evangelium (nicht nur auf die darin verarbeiteten Traditionen) Bezug nehmen zu lassen. Die Absicherung müßte
über ausführliche Textvergleiche erfolgen. Wir haben oben schon die
Parallelen zwischen den jeweiligen Prologen festgehalten (s. 2 a). Man
könnte nun sagen, daß der kürzere Text in 1 Joh 1, 1–4 der ältere ist, und
das u. a. mit der Tatsache abstützen, daß der Logosbegriff in 1 Joh 1,1
(noch) nicht in gleichem Maße personifiziert erscheint wie in Joh 1,1.
Der Evangelienprolog wäre somit eine Erweiterung der Vorgabe im
Briefeingang. Aber der inhaltliche Vergleich favorisiert eher die gegen-
teilige Ansicht. Der unübersichtliche und verschachtelte Briefprolog
gewinnt erheblich an Transparenz, wenn man ihn als das erkennt, was er
ist: eine äußerst gedrängte, bewußte Anspielung auf den Evangelienprolog und auf weitere evangeliare Inhalte, darunter auch der Evange-
lienschluß (vgl. das „Betasten" aus 1 Joh 1,1 mit dem Wunsch des
Thomas in Joh 20,25). Die viel weitere Perspektive von Joh 1, 1–18 wird
eingeengt auf den Binnenraum der gläubigen Gemeinde hin. Durch die
Zeugnisthematik in 1 Joh 1,2 sind aber auch die vom Evangelisten einge-
tragenen Täuferstücke in Joh 1,6–8. 15. 19 (vgl. 1 Joh 1,5) gegenwärtig,
so daß es nicht genügt, bloß den älteren Hymnus mit dem Briefprolog
zu vergleichen. In aller Kürze: "The Epistle presents a summary, not a
first sketch" (BROOKE, JohBr XXVI; s. auch THEOBALD).

Für die Frühdatierung des Briefes kann man des weiteren die im Vergleich zum Evangelium älteren Konzeptionen geltend machen, die bei der Parakletvorstellung (1 Joh 2, 1) und bei der stärker apokalyptisch gefärbten Eschatologie mit Parusie (1 Joh 2, 28), Antichrist u. ä. vorliegen. Aber dafür gibt es auch eine andere Erklärungsmöglichkeit: In diesem Fall greift der Briefautor auf Gemeindetraditionen zurück, die der Evangelist verfremdet hatte, indem er den Parakleten nicht ganz bruchlos auf den Geist umdeutete und die Eschatologie präsentisch faßte. Das Insistieren auf dem, „was von Anfang an war" (ein Programmwort des Briefes), gibt den Durchblick auf eine Situation frei, wo im Gegenzug zu gefährlich scheinenden theologischen Entwicklungen innerhalb der Gemeinde die anfängliche Ausgangslage erneut definiert werden mußte. Die möglicherweise etwas frühere patristische Bezeugung des 1 Joh mag mit seiner größeren Nähe zu den bekannten theologischen Vorstellungen und seiner Eignung für die Irrlehrerpolemik zu tun haben. Ein Indiz für seine zeitliche Vorordnung vor das Evangelium ist daraus nicht zu gewinnen, da wir uns auch mit den frühesten Belegen (s. o. II) doch schon um einiges von der Abfassungszeit beider Schriften selbst entfernt haben.

Das Liebesgebot, das Jesus in Joh 13, 34 den Jüngern als neues Gebot hinterläßt, wird in 1 Joh 2, 7–8 in einem dialektischen Spiel mit den Worten zugleich alt und neu genannt. „Alt" kann es heißen im Rückblick auf eine längere Gemeindegeschichte, in der es in Geltung war, und im Rückblick auf seine im Evangelium geschilderte Promulgierung. Das Gefälle der Lichtmetaphorik und der Immanenzsprache verläuft vom Evangelium zum Brief hin. Daß die Adressaten des Briefes alles Nötige schon wissen (2, 20–21. 27), leuchtet ein, wenn der Autor bei ihnen die Kenntnis des Johannesevangeliums erwarten kann. Der Brief wäre überflüssig, wenn seine Leser all das richtig verstehen und sich an all das halten würden, was schon längst im Evangelium steht. 1 Joh 5, 6–12 ist ohne Zuhilfenahme verschiedener Perikopen aus dem Evangelium fast nicht zu interpretieren.

Immer wieder macht man beim Einzelvergleich der zahlreichen Parallelen (s. o 2a) die Erfahrung, daß man das Evangelium braucht, um Verse aus dem Brief wirklich zu verstehen (ins Extrem gesteigert von Nunn 296: "if the Fourth Gospel had never been written, or had been accidentally lost, it would have been impossible to understand the Epistle in anything but a limited sense"). Und das dürfte nicht nur unser heutiges Problem sein. Es dürfte vielmehr darauf hindeuten, daß der Briefautor nicht „ohne Netz und doppelten Boden" gearbeitet hat, sondern das Evangelium als Netz ausgespannt wußte, seinen Text in die durch das Evangelium erstellte Sprachwelt einbetten konnte.

In einer Hinsicht bedarf es aber noch einer weiteren Differenzierung. Besonders dicht werden die Berührungen der beiden Schriften im Bereich der Abschiedsreden Joh 13–17 und hier noch einmal im zweiten Durchgang in Joh 15–17. Eine ansprechende Erklärung ist sicher schon die, daß „die Situation des inmitten der Seinigen Redenden und von ihnen Abschied nehmenden Christus" in größerer Analogie „zu derjenigen des apostolischen Oberhirten, der seinen Gemeinden das schriftliche Vermächtniss des Briefes hinterlässt," steht als die des „mit den Juden streitenden Christus" in der ersten Evangelienhälfte Joh 1–12 (HOLTZMANN 1, 704). Aber genügt das schon? Gerade die weiteren Abschiedsreden in Joh 15–16 werden – ungeachtet von Alter und Herkunft des in ihnen verarbeiteten Materials – des öfteren als redaktioneller Nachtrag angesehen.

Das Johannesevangelium ist kein völlig einheitliches Werk. Als Minimum muß man das „Imprimatur" in Joh 21, 24–25 als redaktionell absetzen. Aber man wird trotz neuerlicher Infragestellung der literarkritischen Arbeit am Johannesevangelium weitergehen müssen. Das Kapitel 21 mit dem reichen Fischfang am See von Tiberias und dem Dialog zwischen dem Auferstandenen und Simon Petrus ist ein Nachtragskapitel, das an ein älteres Werk angehängt und mit ihm zusammen herausgegeben wurde. Spuren einer solchen späteren Überarbeitung sind auch im Evangelium selbst auszumachen, es fragt sich nur, in welchem Umfang. Der Evangelist konnte vermutlich nicht mehr letzte Hand an sein Werk legen. Es wurde fertiggestellt und veröffentlicht von einem Herausgeberkreis, der aus seinen Mitarbeitern und Schülern bestand, eben von der johanneischen Schule.

Die einfache Alternative: früher oder später? wird dadurch aufgefächert. Die Frage muß präziser lauten: In welchem Verhältnis steht 1 Joh zum älteren Hauptbestand und zur jüngeren redaktionellen Überarbeitung des Johannesevangeliums? Zum ersten ist zu sagen, daß nach unseren bisherigen Ergebnissen 1 Joh später liegt als das Werk des Evangelisten selbst. Zu der vermuteten Redaktionsschicht bestehen besondere Affinitäten, aber auch einige Unterschiede, am unverkennbarsten zum Nachtragskapitel Joh 21, wenn man Gemeinde- und Amtsvorstellungen hier wie dort vergleicht. Das macht es schwierig, die einfache Lösung von HIRSCH 174 f. zu übernehmen: Der kirchliche Redaktor des vierten Evangeliums ist zugleich der Hauptverfasser des ersten Johannesbriefs. Innerhalb des gemeinsamen Horizontes der johanneischen Schule können komplexere Prozesse abgelaufen sein, die wir nicht mehr exakt genug zu rekonstruieren vermögen. Soviel wird man festhalten, daß die schwierige Gemeindesituation, die 1 Joh bearbeitet, sich auch in der redaktionellen Schicht im Evangelium spiegelt. Die Antwort, die 1 Joh gibt, ist nicht ganz dieselbe wie die in Joh 21. Vermutlich hat der Verfasser des Briefes das Nachtragskapitel des Evangeliums noch nicht gekannt. Allzu große zeitliche Abstände brauchen dafür aber nicht veranschlagt zu werden. Denkbar wäre so etwas auch bei einer in etwa gleichzeitigen Tätigkeit. Wenn man aber dazu noch Zweifel bezüglich des Briefnachtrags Joh 5, 14–21 (s. IV/D) nicht unterdrücken kann, wird man zu der Folgerung gezwungen, daß 1 Joh dem endgültigen Abschluß des johanneischen Schrifttums und seiner Herausgabe als Korpus in der jetzigen Form um einiges vorausliegt. Diese Lösung mag komplizierter erscheinen als eine, die mit einheitlichen Texten und nur einem Verfasser auskommt und die Frage nach dem Früher oder Später mit einem Wort beantworten kann. Sie wird aber den vielfältigen Textphänomenen und der vielgestaltigen geschichtlichen Wirklichkeit, die sich darin niederschlägt, vielleicht besser gerecht.

B. 1 Joh und 2/3 Joh

1. Der Vergleich

L 35: CHAINE: JohBr 232–235. – LIEU: Epistles (L 02) 217–229. – MARTY, J.: Contribution à l'étude des problèmes johanniques: Les petites épîtres «II et III Jean», in: RHR 91 (1925) 200–211, hier 202–204.

Im Fall der kleinen Johannesbriefe sind die Vergleichsmöglichkeiten sehr eingeschränkt. Infolge ihrer äußersten Kürze stellen beide Texte keine adäquate statistische Basis, die weitreichende Theorien tragen könnte, bereit, trotz der von LIEU mit großer Akribie erstellten Tabellen. Unter diesem Vorbehalt stehen alle Ergebnisse, die positiven wie die negativen. *In dubio pro reo*, d. h., für die Aufsplitterung der Verfasserschaft bedarf es der eindeutigeren und beweiskräftigeren Argumente.

a) 2 Joh und 3 Joh

L 36: BRESKY: Verhältnis (L 13) 31–47. – LIEU: Epistles (L 02) 217–222. – POLHILL, J. B.: An Analysis of II and III John, in: RExp 67 (1970) 461–471.

In der Textsynopse (s. V/B. 1) trat eine erstaunliche Übereinstimmung zwischen 2 Joh und 3 Joh im Aufbau und in der Behandlung der brieflichen Formalien zutage. Erinnert sei an den Anfang des Briefpräskripts mit der Absenderangabe „der Presbyter" und dem Zusatz „die/den ich liebe in Wahrheit" zur Adresse, an die Freudenäußerung im

Briefproömium, an die Elemente einer brieflichen Bitte, an Information und Mahnung, an die Schlußgrüße und vor allem an die teils wörtlich übereinstimmende Ausformulierung der Besuchsabsicht in 2 Joh 12 und 3 Joh 13–14. Nur mit der Länge eines Papyrusblattes und den Gesetzen der Briefgattung läßt sich das nicht mehr erklären, dazu sind zu viele individuelle Besonderheiten, die parallel laufen, eingebaut. Wenn nicht ein Autor beide Briefe geschrieben hat, muß einer der beiden eine literarische Nachahmung des anderen sein. Sklavisch wäre diese Nachahmung wiederum nicht zu nennen. Die leichten Abweichungen z. B. beim Besuchswunsch wirken eher unabsichtlich und könnten auch Resultat des freien Umgangs ein und desselben Autors mit dem Formelvorrat, der ihm zur Verfügung steht, sein.

An Unterschieden im Äußeren sind die Kürze des Briefpräskripts ohne *salutatio* im 3 Joh, die Hinzufügung des Wohlergehenswunsches in 3 Joh 2 und der dreiteilige Schlußgruß in 3 Joh 15 gegenüber dem einteiligen in 2 Joh 13 zu notieren. Die ganze Ausrichtung ist eine andere, da 2 Joh zur Hauptsache als paränetischer Brief, 3 Joh als Mischung zwischen einem Empfehlungsbrief und einem "letter of praise and blame" beurteilt werden kann (s. V/B. 1). Das schlägt sich auch im Wortschatz nieder. 3 Joh weist vor allem in Relation zu seiner Kürze eine erstaunliche Zahl von Sondervokabeln auf, darunter drei neutestamentliche und eine ganze Reihe von johanneischen, die weder in den anderen Briefen noch im Evangelium vorkommen, dafür aber im paulinischen Traditionsbereich.

Die drei neutestamentlichen Hapaxlegomena (s. III/A) sind ἐπιδέχεσθαι, φιλοπρωτεύω und φλυαρέω, dazu evtl. noch κάλαμος in der Bedeutung „Schreibrohr". Herausragendes Beispiel für unjohanneisches, aber an Paulus gemahnendes Vokabular ist sicher der Ekklesia-Begriff (dreimal in 3 Joh 6. 9. 10), vgl. ferner προπέμπω (5mal im Corpus Paulinum, 3mal in der Apg) und ἀξίως (nur noch 5mal im Corpus Paulinum) in 3 Joh 6; συνεργός in 3 Joh 8 (nur noch 12mal bei Paulus); μιμέομαι in 3 Joh 11 (nur noch 2 Thess 3, 7. 9; Hebr 13, 7); mit etwas anderem Schwerpunkt ἐθνικός in 3 Joh 7 (noch 3mal bei Matthäus; das Adverb aber auch Gal 2, 14) und ξένος in 3 Joh 6 (breiter gestreut); von den Briefformalien wie zu erwarten die Bestandteile des dem 3 Joh eigenen Wohlergehenswunsches in V. 2: εὔχομαι (2mal Apg, 3mal Paulus und Jak 5, 16), εὐοδοῦσθαι (Röm 1, 10; 1 Kor 16, 2) und ὑγιαίνειν (3mal Lukas, 8mal Pastoralbriefe). Die Mehrzahl der unjohanneischen Termini gehört einem Wortfeld an, das man als missionarisch-ekklesiologisch charakterisieren kann und das von daher mit einem Hauptanliegen des Schreibens zusammenstimmt.

b) 2 Joh und 1 Joh

L 37: Brown: JohBr 755 f. – Lieu: Epistles (L 02) 224–226. – Strecker: Anfänge (L 33). – Wengst: JohBr 230 f.

Zum Verhältnis von 2 Joh und 1 Joh hat Schleiermacher bemerkt, es scheine „der 2te Johannesbrief aus einzelnen Aussprüchen des ersten zusammengesetzt, wozu freilich zum Theil gerade die schwierigsten Sachen genommen sind".[32] Für sich stehen vor allem, auch wenn man 3 Joh noch hinzunimmt, V. 10–11. Ansonsten lassen sich zahlreiche johanneische Vergleichstexte beibringen, aus 1 Joh und darüber hinaus aus dem Johannesevangelium:

	2 Joh	
1 c	die Wahrheit kennen	1 Joh 2, 21: die Wahrheit wissen
		Joh 8, 32: die Wahrheit kennen
2	wegen der Wahrheit, die in uns bleibt,	vgl. Joh 14, 16–17
	und mit uns wird sie sein in Ewigkeit	
4 c	in der Wahrheit wandeln	1 Joh 2, 7: im Lichte wandeln
4 d	so wie wir ein Gebot empfangen haben vom Vater	Joh 10, 18: dies Gebot habe ich empfangen von meinem Vater
5	… nicht als ob ich ein neues Gebot dir schriebe,	1 Joh 1, 7: nicht ein neues Gebot schreibe ich euch,
	sondern das, welches wir hatten von Anfang an,	sondern ein altes Gebot, welches ihr hattet von Anfang an …
	daß wir einander lieben sollen.	vgl. 1 Joh 3, 11. 23; Joh 13, 34; 15, 12. 17
6 a	Und dies ist die Liebe,	1 Joh 5, 3: Denn dies ist die Liebe
b	daß wir wandeln nach seinen Geboten.	Gottes, daß wir seine Gebote halten
		…
c	Dies ist das Gebot,	1 Joh 3, 11: Denn dies ist die Botschaft,
d	so wie ihr gehört habt von Anfang an	welche ihr gehört habt von Anfang an
7 a	Denn viele Verführer sind hinausgegangen in die Welt,	1 Joh 4, 1 d: Denn viele Pseudopropheten sind hinausgegangen in die Welt
b	die nicht bekennen	1 Joh 4, 3: Jeder Geist, der nicht bekennt
c	Jesus Christus als kommend im Fleisch.	Jesus Christus als gekommen im Fleisch …

---

[32] Vgl. F. Schleiermacher, Einleitung ins neue Testament, hrsg. v. G. Wolde (Friedrich Schleiermachers literarischer Nachlaß = Sämmtliche Werke I/8), Berlin 1845, 399.

2 Joh

d	Dieser ist der Verführer und der Antichrist.	und dies ist das des Antichristen 1 Joh 2,22 d: Dieser ist der Antichrist
8 d	sondern vollen Lohn empfangt	vgl. Joh 4,36
9	Gott haben/nicht haben; in der Lehre bleiben	vgl. 1 Joh 2,23; Joh 8,31
12 a	Vieles hätte ich euch zu schreiben	Joh 16,12: Noch vieles hätte ich euch zu sagen …
12 f	damit unsere Freude vervoll-kommnet sei	1 Joh 1,4 b: damit unsere Freude ver-vollkommmet sei Joh 16,24: damit eure Freude vervoll-kommnet sei (vgl. 15,11; 17,13)

Als Eigengut des 2 Joh zeigt sich aufgrund des Vergleichs auch die ekklesiologische Bildersprache (die Adressaten- und die Absender-gemeinde als „auserwählte Herrin" und ihre „auserwählte Schwester" in V. 1.5.13, die Glaubenden als „Kinder" auch noch in V. 4). An Sprach-eigentümlichkeiten verzeichnen die Kommentare den christologischen Hoheitstitel „Sohn des Vaters" in V. 3 und Wendungen wie „die Wahr-heit bleibt in uns" V. 2 (ἀλήθεια sonst nie als Subjekt zu μένειν), „in Wahrheit und Liebe" V. 3 (zwei johanneische Leitbegriffe, die aber sonst nie kombiniert werden), „in Wahrheit wandeln" V. 4 (sonst nur noch „im Lichte wandeln" 1 Joh 1,7). Das sind sprachlich-stilistische Va-rianten, mehr zunächst nicht, und wenn 2 Joh 11 κοινωνεῖν gebraucht, 1 Joh 1,3.6.7 hingegen κοινωνίαν ἔχειν, fragt es sich, was mehr Ge-wicht hat, die Differenz zwischen Verb und Substantiv oder die Tat-sache der gemeinsamen Verwendung des Stammes κοινων- gegen das Johannesevangelium.

Gibt es auch subtile Verschiebungen bei gleichbleibendem Sprach-gewand, wie zwischen 1 Joh und dem Johannesevangelium (s. o. A. 2 b)? WENGST macht viel daraus, daß das neue Gebot aus Joh 13,34 in 2 Joh 2,7–8 als neues und altes, in 2 Joh 5 aber nur noch als altes auftaucht. Durch die polemische Titulierung der Gegner als „Antichristen" werde in 2 Joh 7 wie in 1 Joh „die Eschatologie historisiert", nicht aber wie dort „umgekehrt auch die Geschichte eschatologisch qualifiziert". Die Vervollkommnung der Freude sei in 2 Joh 12 im Unterschied zu 1 Joh 1,4 zur bloßen Floskel verkommen. Wieso sich diese z. T. schwer ver-ständlichen Folgerungen aus der schmalen Textbasis ergeben, wird auch aus seinen kommentierenden Ausführungen zu den einzelnen Stellen nicht sehr viel klarer. Den Hauptgrund, 2 Joh einem anderen Verfasser zuzuschreiben als 1 Joh, erblickt WENGST aber im unterschiedlichen

Umgang mit den Gegnern. 1 Joh führe eine theologische Auseinandersetzung, 2 Joh ziehe sich ausschließlich auf organisatorische Maß-
nahmen zurück. Aber boten diese kleinen Briefe überhaupt den Raum
für eine theologische Diskussion? Wie, wenn sie für die theologische
Seite den 1 Joh voraussetzen? Und müssen sich theologisches und orga-
nisatorisches Bemühen a priori widersprechen? Die Polemik fällt in
beiden Texten fast unerträglich hart aus, auch wenn das Haus- und
Grußverbot in 2 Joh 10–11 dem Ganzen zugestandenermaßen die
Krone aufsetzt.

Auf vermutete Entwicklungen im Wahrheitsbegriff gehen wir unten
im Anschluß an die Besprechung von 3 Joh noch ein (s. 1 c). In den
Mittelpunkt der Kontroverse ist neuerdings das ἐρχόμενον in 2 Joh 7
gerückt. Im Unterschied zu 1 Joh 4,2, wo ein Perfekt steht, kann das
Präsens in 2 Joh 7 verschieden übersetzt werden.

(1) Die Mehrzahl der Ausleger erkärt es im Sinn von 1 Joh 4,2. Das Präsens
wird als generalisierend oder zeitlos verstanden, es hebt die überzeitliche Bedeutung der Inkarnation hervor, das Unaufgebbare und Bleibende und insofern
auch in die Gegenwart hinein Wirkende, das Lehrsatzmäßige an einem solchen
Bekenntnis. Überdies könnte ἐρχόμενος sich schon zur Titulatur verfestigt
haben (vgl. Joh 1,15.27; 3,31; 12,13). Auch fehlerhaftes Griechisch wird erwogen (DODD, JohBr 149; HENGEL, Question [L 02] 186: "a slip in language")
oder besser eine Stilfigur: "an example of portraying a past event as present for
the sake of vivacity" (WATSON, Analysis of 2 John [L 26] 122).

(2) Bei striktem Festhalten an der Präsensform müßte eine Art und Weise des gegenwärtigen Kommens Jesu – im Fleisch wohlgemerkt! – gefunden werden. Das
wäre allenfalls denkbar über die Sakramente, in Anbindung an das eucharistische
Redestück in Joh 6,52–58 (so andeutungsweise VOUGA, School [L 33] 376). Beim
Herrenmahl ereignet sich durch die Gabe des Brotes immer neu das Kommen Jesu
im Fleisch. Das müßte noch mit der kontroversen Stelle 1 Joh 5,6 (Jesu Kommen
durch Wasser und Blut) vermittelt werden. Unmöglich scheint diese Lösung nicht,
aber doch schwierig. Sie wäre, wenn der zuerst genannte Vorschlag nicht genügen
sollte, der folgenden Parusiedeutung aber noch vorzuziehen.

(3) Das Partizip Präsens kann futurische Bedeutung annehmen. Zu über-
setzen wäre also: „daß Jesus Christus im Fleische kommen werde". Zur Debatte
steht seine leibliche Wiederkunft bei der Parusie (GORE, JohBr 226: "It can only
refer to the future, final, coming of Christ"; so auch SCHWARTZ[33] und jetzt vor
allem STRECKER). Für eine solche Erwartung wird Barn 6,9 reklamiert: „Hoffet,
sagt sie (die Erkenntnis), auf den, der euch im Fleisch erscheinen soll, Jesus"

---

[33] Vgl. E. SCHWARTZ, Aporien im vierten Evangelium I, in: NGWG.PH
1907, 342–372, hier 368 mit Anm. 3; ders., Über den Tod der Söhne Zebedäi
(1904), in: K. H. Rengstorf (Hrsg.), Johannes und sein Evangelium (WdF 82),
Darmstadt 1973, 202–272, hier 265.272.

(vgl. Barn 6, 14; 7, 9). Aber es ist nicht klar, ob der Barnabasbrief mit diesem Vers überhaupt auf die Parusie ausblickt oder ob nicht – es spricht in 6, 8 der Prophet Mose – von einem Standort in der Vergangenheit aus der irdische Jesus und sein Kommen angekündigt werden (so Schnackenburg, JohBr 313 Anm. 1). Die deutlichere Parusieaussage in 7, 9 erwähnt das Fleisch, aber unbetont im Rückblick auf das vergangene Leidensschicksal. Eine Parusie im Fleisch kann nicht als sonderlich gängige Vorstellung gelten. Strecker muß, um sie zu verteidigen, zu weitreichenden Hypothesen greifen: Der Presbyter vertrete als zeitlich frühester Autor der johanneischen Schule (s. u. 4) eine massiv apokalyptische Eschatologie. Er predige den Chiliasmus (vgl. evtl. Barn 15, 4 f.[34]), das messianische Zwischenreich, zu dem Jesus im Fleische erscheinen müsse.

Es ist immer prekär, eine Gesamtkonzeption von solcher Tragweite auf einer umstrittenen Stelle aufzubauen, die sich anders, nämlich als zeitübergreifende Aussage einfacher erklärt und dann zu 1 Joh 4, 2 nicht im Widerspruch steht (skeptisch zu Strecker auch Beutler, Johannesbriefe [L 02] 3784 f.; Taeger, Kreis [L 02] 143).

c) 3 Joh und 1 Joh

L 38: Bergmeier, R.: Zum Verfasserproblem des II. und III. Johannesbriefes, in: ZNW 57 (1966) 93–100. – Ders.: Glaube als Gabe nach Johannes. Religions- und theologiegeschichtliche Studien zum prädestinatianischen Dualismus im vierten Evangelium (BWANT 112), Stuttgart 1980, 200–203. – Lieu: Epistles (L 02) 227–229. – Schnackenburg, R.: Zum Begriff der „Wahrheit" in den beiden kleinen Johannesbriefen, in: BZ 11 (1967) 253–258.

Die Eigenständigkeit, die man schon beim Wortschatz beobachten kann (s. o. 1 a), bewahrt sich 3 Joh auch im Blick auf den gesamten Inhalt. Über die Sätze und Themen, die 3 Joh mit 2 Joh verbinden, hinaus gibt es nur noch wenige weitere Berührungen mit dem sonstigen johanneischen Schrifttum. Genaugenommen sind es sogar nur die folgenden zwei:

3 Joh	
11 c Wer Gutes tut,	1 Joh 3, 10 bc: Wer die Gerechtigkeit nicht tut,
d ist aus Gott.	ist nicht aus Gott (vgl. 4, 6).

---

[34] Zurückhaltend aber K. Lohmann, Drohung und Verheißung. Exegetische Untersuchungen zur Eschatologie bei den Apostolischen Vätern (BZNW 55), Berlin 1989, 232 f.; dort 195–241 auch einiges zu den einzelnen Stellen und Übergreifendes. Zu Barn 6, 9 als Inkarnations-, nicht als Parusietopos auch K. Wengst, Tradition und Theologie des Barnabasbriefes (AKG 42), Berlin 1971, 27 f.

e Wer Böses tut,   1 Joh 3, 6 cd: Wer sündigt,
f hat Gott nicht gesehen.   hat ihn nicht gesehen.

12 c Und auch wir legen Zeugnis ab,   Joh 19, 35: Und der gesehen hat, legt
d   und du weißt,   Zeugnis ab, und sein Zeugnis ist
e   unser Zeugnis ist wahr.   wahr, und jener weiß, daß er Wahres
                                        sagt …
                                        Joh 21, 24: Dieser ist der Jünger, der
                                        Zeugnis ablegt … und wir wissen,
                                        sein Zeugnis ist wahr.

Daß irgendeine Beziehung zwischen diesen Texten, gerade auch zwischen denen aus 3 Joh und dem Johannesevangelium, bestehen muß, leidet keinen Zweifel. Entweder sind sie zusammen entstanden oder einander nachgebildet worden. Wenn man noch 2 Joh als weiteres Bindeglied hinzunimmt, ist auch 3 Joh von Form und Inhalt her fester im johanneischen Schriftenkorpus verankert, als die kritische Herauspräparierung seiner Besonderheiten erwarten läßt. Zwar meint WENGST, JohBr 230, in 3 Joh 11 sei die Gottesschau nur „Aufnahme eines traditionellen Topos", in 1 Joh hingegen bestreite sie ganz konkret „einen Anspruch der Gegner", aber kann man das wirklich so genau feststellen und hat es, selbst wenn es zuträfe, überhaupt sonderlich viel zu bedeuten? Als Divergenz wird auch gewertet, daß der Presbyter sich in 3 Joh 4 darüber freut, daß „meine Kinder (τέκνα) in der Wahrheit wandeln", der Verfasser des 1 Joh aber seine Adressaten als „Kindlein" (τεκνία) anredet. Rein grammatisch liegen im einen Fall Vokative vor, im anderen nicht. Die τέκνα ordnen sich in die Familienmetaphorik des 2 Joh gut ein, wo zwei Ortsgemeinden als Frauen und ihre Mitglieder als τέκνα apostrophiert werden (2 Joh 1. 4–5. 13). Führend könnte also die Angleichung der beiden kleinen Briefe untereinander sein. Außerdem kann der Verfasser zu den Adressaten des ersten Briefes in einer anderen, engeren Relation gestanden haben als zu denen von 2 und 3 Joh.

Nach theologischen Differenzen, die eine Unterscheidung der Verfasser von 2/3 Joh und 1 Joh fordern, sucht BERGMEIER und wird beim Wahrheitsbegriff fündig. Dieser sei in den kleinen Briefen nicht mehr in einen dualistischen Rahmen eingespannt, es fehlten die oppositionellen Termini Lüge und Irrtum (πλάνη, s. aber πλάνος 2 Joh 7). Auch werde ἀλήθεια jetzt als Inbegriff der christlichen Lehre (vgl. 2 Joh 9) verwendet, die in der Gemeinde einfach tradiert wird, habe also den existentiellen und offenbarungstheologischen Sinn des gleichen Wortes im Evangelium und im 1 Joh verloren. Dabei ist aber viel subjektives Ermessen im Spiel. Sicher wirkt manches in 2/3 Joh formelhafter, aber die einfache Gleichsetzung von Wahrheit und Lehre läßt sich nicht halten, eine derart weitreichende Neubestimmung des Inhalts gegenüber 1 Joh liegt faktisch nicht vor.

Als eine wesentliche Differenz zwischen 2/3 Joh und 1 Joh wird auch die Tatsache angesehen, daß 2/3 Joh mit dem „Presbyter" im ersten Vers einen Absender nennen, 1 Joh aber nicht. Dem Presbytertitel und seinem Stellenwert für die Verfasserfrage müssen wir uns demnach gesondert widmen. Halten wir als Zwischenergebnis fest, daß die sprachlich-inhaltlichen Gründe für ein Auseinanderdividieren der Verfasser bei den drei Johannesbriefen sehr viel weniger zwingend erscheinen als beim Vergleich der Briefe mit dem Evangelium.

2. Der „Presbyter"

L 39: BACON, B. W.: Marcion, Papias, and 'The Elders', in: JThS 23 (1922) 134–160. – BONSACK, B.: Der Presbyteros des dritten Briefs und der geliebte Jünger des Evangeliums nach Johannes, in: ZNW 79 (1988) 45–62. – BORNKAMM, G.: Art. πρέσβυς κτλ., in: ThWNT VI, 651–680. – BRUCE, F. F.: St. John at Ephesus, in: BJRL 60 (1978) 339–361. – CHAPMAN, J.: John the Presbyter and the Fourth Gospel, Oxford 1911. – DONFRIED, K. P.: Ecclesiastical Authority in 2–3 John, in: M. de Jonge (Hrsg.), L'Évangile de Jean. Sources, rédaction, théologie (BEThL 44), Löwen 1977, 325–333. – GLASSCOCK, E.: The Biblical Concept of Elder, in: BS 144 (1987) 66–78. – HARVEY, A. E.: Elders, in: JThS NS 25 (1974) 318–332. – HEITMÜLLER, W.: Zur Johannes-Tradition, in: ZNW 15 (1914) 189–209. – HENGEL: Question (L 02) 24–45. 109–135. – KÄSEMANN, E.: Ketzer und Zeuge. Zum johanneischen Verfasserproblem (1951), in: Ders., Exegetische Versuche und Besinnungen I, Göttingen ⁶1970, 168–187. – KÖRTNER, U. H. J.: Papias von Hierapolis. Ein Beitrag zur Geschichte des frühen Christentums (FRLANT 133), Göttingen 1983. – KRAGERUD, A.: Der Lieblingsjünger im Johannesevangelium. Ein exegetischer Versuch, Oslo 1959, 109–112. – KÜGLER, J.: Der Jünger, den Jesus liebte. Literarische, theologische und historische Untersuchungen zu einer Schlüsselgestalt johanneischer Theologie und Geschichte (SBB 16), Stuttgart 1988, 443 f. – LARFELD, W.: Das Zeugnis des Papias über die beiden Johannes von Ephesus (1922), in: K. H. Rengstorf (Hrsg.), Johannes und sein Evangelium (WdF 82), Darmstadt 1973, 381–401. – LEE, G. M.: The Presbyter John: a Reconsideration, in: StEv 6 (1973) 311–320. – LIEU: Epistles (L 02) 52–64. – MUNCK, J.: Presbyters and Disciples of the Lord in Papias. Exegetic Comments on Eusebius, Ecclesiastical History, III, 39, in: HThR 52 (1959) 223–243. – POGGEL: Brief (L 11) 7–51. 108–111. – THYEN, H.: Entwicklungen innerhalb der johanneischen Theologie und Kirche im Spiegel von Joh. 21 und der Lieblingsjüngertexte des Evangeliums, in: L'Évangile de Jean (s. o. bei Donfried) 259–299. – UNNIK, W. C. VAN: The Authority of the Presbyters in Irenaeus' Works, in: God's Christ and His People (FS N. A. Dahl), Oslo 1977, 248–260. –

Zahn, T.: Apostel und Apostelschüler in der Provinz Asien (FGNK VI/1), Leipzig 1900, 109–157. 175–217.

Der Verfasser von 2/3 Joh stellt sich in der *superscriptio* des Briefpräskripts nicht mit seinem Eigennamen vor, sondern verbirgt sich hinter der Selbstbezeichnung ὁ πρεσβύτερος, was als Steigerungsform von πρεσβύς, alt, wörtlich übersetzt „der Ältere" bedeutet. Sinngemäß wird es aber, da im Griechischen in bestimmten Fällen der komperativische Sinn ganz in den Hintergrund treten kann, besser mit „der Alte" wiedergegeben, was sofort die Frage aufwirft, ob das als Altersbezeichnung, als Würdenamen, als Amtstitel oder als Kombination verschiedener Elemente verstanden werden soll. Daß ein ursprünglich vorhandener Eigenname im Verlauf der Textüberlieferung versehentlich oder bewußt getilgt worden sei (so Schwartz, Tod [Anm. 33] 264 f. 272; einige altlateinische Zeugen bei Thiele, VL 26/1 [L 03] 386, lesen *Johannes senior*), werden wir ausschließen dürfen. Für die Briefempfänger hat die Angabe „der Alte" offenbar genügt, da sie den Briefschreiber unter diesem unverwechselbaren Namen kannten (Kragerud 110: gemeint ist „der Presbyter par excellence"). Daß uns heute eine Aufschlüsselung kaum mehr gelingen will, hängt u. a. daran, daß keine der sonst belegten Verwendungsweisen von πρεσβύτερος so recht zu passen scheint, immer bleibt ein Rest, der nicht aufgeht.

(1) Von etwa 40 Lebensjahren an aufwärts wurden Erwachsene in der Antike zu den „Älteren" gerechnet. Es liegt in der Natur der Sache, daß man den Älteren aufgrund ihres Erfahrungsvorsprungs auch besondere Autorität einräumte und ihnen besondere Verantwortung übertrug, mit Ausnahmen allerdings: Daniel, wiewohl noch jung an Jahren, gehört aufgrund seiner Weisheit zum πρεσβυτέριον (ZusDan Sus 50 A). Die Aufgabe eines Ältesten in der jüdischen Synagogengemeinde war nicht unbedingt an eine bestimmte Altersstufe gebunden. Daran erweist sich, daß πρεσβύτερος im Judentum allmählich zu einer Funktions- und Amtsbezeichnung wird.

Für die jüdische Seite s. nur die Theodotosinschrift CIJ 1404, 9 f. Bei den Griechen kommt der Terminus in seiner doppelten Bedeutung im Vereinswesen vor.[35] Der himmlische Rat der 24 Ältesten in der Offenbarung (4, 4. 10 etc.) er-

---

[35] Vgl. in Auswahl E. Ziebarth, Das griechische Vereinswesen, Leipzig 1896, Repr. Wiesbaden 1969, 131. 154. 209; F. Poland, Geschichte des griechischen Vereinswesens, Leipzig 1909, Repr. ebd. 1967, 49. 98 f. 171 f. 373. 402. 414; M. San Nicolo, Ägyptisches Vereinswesen zur Zeit der Ptolemäer und Römer. I. Die Vereinsarten. II. Vereinswesen und Vereinsrecht (MBPF 2), München ²1972, I,

laubt zwar nicht den Rückschluß auf die Existenz von realen Presbytern im Gemeindeentwurf des Autors, aber die Übernahme der Presbyterialverfassung wird innerhalb des NT durch Lukas und die Pastoralbriefe bezeugt, während ihre Integration mit dem anderen Modell der Episkopen und Diakone (Phil 1, 1) erst bei Ignatius von Antiochien zu Ende gebracht ist. Die Presbyter treten meist als Kollegium – sprachlich in der Pluralform – auf, und ihre Autorität scheint an eine bestimmte Ortsgemeinde gebunden zu sein, wo sich u. U. ein Presbyter aus der Schar der anderen Ältesten als Führungspersönlichkeit herausheben kann, doch bleiben hier Unsicherheiten bestehen.

Dieser Befund macht es etwas schwierig, hinter 2/3 Joh einen einzelnen Amtsträger zu erkennen (so DONFRIED 328: "*the* most important presbyter in a regional network of churches"; mit anderer Akzentsetzung KÄSEMANN). Da der Verfasser mit 2/3 Joh in räumlich entfernte Gemeinden eingreifen will, gliche er mehr einem Metropoliten späteren Stils als einem Presbyter oder selbst einem Episkopos.

(2) Verschiedentlich wurde und wird die Ansicht vertreten, „Presbyter" sei nur ein „Synonym" für „Apostel", was für die Behandlung der Verfasserfrage seine Schatten vorauswirft. Hier müssen wir auf eine dunkle Stelle aus den „Erklärungen der Herrenworte" des Papias (s. schon II/A. 1 und B. 1) zurückkommen, die in der Wiedergabe durch Eusebius, Hist Eccl III 39, 4, folgendermaßen lautet:

„Kam einer, der den Älteren gefolgt war, dann erkundigte ich mich nach den Lehren der Älteren und fragte: ‚Was sagte Andreas, was Petrus, was Philippus, was Thomas oder Jakobus, was Johannes oder Matthäus oder irgend ein anderer von den Jüngern des Herrn, was dann ja auch Aristion und der Presbyter Johannes, ebenfalls Jünger des Herrn, sagen.'"

Daran ist so ziemlich alles unklar: Steht Papias direkt mit den Älteren in Verbindung (so anscheinend ebd. 39, 3) oder nach dem Wortlaut unseres Textes nur mit deren Schülern (mit einer Kombination aus beiden Möglichkeiten arbeitet BACON)? Sind die Älteren zumindest in der ersten Zeile mit den im zweiten Satz namentlich genannten Aposteln aus dem Zwölferkreis identisch (so MUNCK; ZAHN), wie es Eusebius selbst wohl aufgefaßt hat (ebd. 39, 7), oder nicht? Handelt es sich bei dem Apostel Johannes und dem Presbyter Johannes um ein und dieselbe Person (bejahend LEE; POGGEL; CHAPMAN 39 f. u. ö.) oder um zwei verschiedene Personen, wie Eusebius in 39, 5 f. folgert? Was besagt die Charakterisierung als „Jünger des Herrn" bei den Aposteln, was bei Aristion und dem Presbyter Johannes (diese beiden auch in 39, 14)?

Um es kurz zu machen: Wahrscheinlich unterscheidet Papias selbst die Älteren und die Apostel voneinander. Die Presbyter verbürgen für ihn, direkt und

---

37 f. 72 (Anm. 2). 169–176; II, 54. 90–92; H. HAUSCHILDT, Πρεσβύτεροι in Ägypten im I–III Jahrhundert n. Chr., in: ZNW 4 (1903) 235–242.

über ihre Schüler vermittelt, die Worte der Apostel, die er selbst nicht mehr befragen kann. Der Apostel Johannes und der Presbyter Johannes gelten auch bei Papias als zwei verschiedene Personen. Er beansprucht nicht einmal, mit dem Presbyter Johannes in unmittelbarem Kontakt gestanden zu haben, doch ist ihm dieser sein Hauptgewährsmann und deshalb der Presbyter schlechthin, den er aus dem Kreis der übrigen Presbyter heraushebt, indem er ihn mit Aristion zusammen zu einem direkten Jesusjünger außerhalb des Zwölferkreises erklärt. Für die semantische Reichweite des Presbytertitels läßt sich festhalten: So „heißen bei Papias frühchristliche Wanderlehrer" (nach 39, 4 „kommen" sie bzw. ihre Schüler, die ihre Lebensweise imitieren werden, gelegentlich nach Hierapolis, wo Papias lebt), „die teils Apostelschüler, teils aber auch selbst angebliche Herrenjünger sind" (KÖRTNER 129).

Das deckt sich weithin mit dem Bild der Presbyter bei Irenäus, der auf Papias zurückgreift. Unter Presbytern versteht er Schüler der Apostel, Männer der zweiten Generation, denen die Weitergabe der Traditionen des Anfangs – darunter nicht zuletzt johanneische Traditionen – an die spätere Zeit obliegt (vgl. nur Haer II 22,5: „Die Presbyter in Kleinasien, die es so von Johannes, dem Schüler des Herrn, empfangen haben"; s. VAN UNNIK). An den philosophisch gebildeten Presbyter in Ephesus, dem Justin nach Dial 3–8 seine Bekehrung verdankt, erinnert BACON, Gospel (L 32) 207–209, und will ihn zugleich mit dem Verfasser der Johannesbriefe identifizieren.

Was die jüdische Verwurzelung der Presbyter als Träger mündlicher Traditionen angeht, verweist MUNCK auf Philo, Vit Mos 1, 4: Quellen für die Mosedarstellung des Philo sind die heiligen Schriften und Materialien „einiger Presbyter aus dem Volk; was diese erzählten, pflegte ich nämlich jedesmal mit dem, was ich las, eng zu verflechten, und glaube daher, genauer als andere über sein Leben berichten zu können" (Übers. B. BADT); vgl. auch Jos 24, 31; Ri 2, 7: Die Ältesten stehen für die zweite Generation nach der Landnahme (BRUCE 348).

Bruchlos kann man auch diesen Befund nicht auf 2/3 Joh übertragen, zumal es sich in den vorher genannten Fällen um eine Fremdbezeichnung handelt, die den betreffenden Traditionsträgern als Ehrentitel von Außenstehenden oder Nachgeborenen beigelegt wird, nicht um eine Selbstbezeichnung – eine Differenz, die selten bedacht wird (LIEU 63). Außerdem ist bei dem Presbyter Johannes in den altkirchlichen Zeugnissen der Eigenname hinzugesetzt. Beides verhält sich in 2/3 Joh anders, aber es zeichnet sich doch eine etwas größere Nähe ab als beim zuvor besprochenen Gemeindeamt der Presbyter.

(3) Zur Hauptsache aber werden die Bedeutungselemente, die zum inhaltlichen Profil der Selbstbezeichnung ὁ πρεσβύτερος beitragen, aus den Johannesbriefen selbst zu erheben sein, zunächst aus den beiden kleinen Schreiben. Das so gewonnene Ergebnis ist in einem weiteren Schritt mit 1 Joh und dem Johannesevangelium zu vergleichen. Der Briefautor bringt gleich zu Beginn von 2/3 Joh seine Autorität zur Gel-

tung, die ihn zur Formulierung der in beiden Briefen enthaltenen Weisungen berechtigt. Diese Autorität reicht über die Grenzen einer Einzelgemeinde hinaus und umfaßt ein Netzwerk von Gemeinden. Aber sie scheint dennoch nicht auf einer institutionellen Basis zu beruhen, sondern in der Person des Verfassers selbst begründet zu sein. Vor hartem Eingreifen scheut er eher zurück, er will werben und seine Adressaten für die bessere Einsicht gewinnen. Er erinnert an die anfängliche Tradition (2 Joh 5) und die rechte Lehre (2 Joh 9), als deren Sachwalter er sich sichtlich versteht. Ein leicht paternalistischer Zug tritt in der Bezeichnung der Glaubenden als „meine Kinder" (3 Joh 4) zutage.

(4) Wenn wir von hier aus den Blick auf 1 Joh richten, fallen an Gemeinsamkeiten auf: die Anrede der Adressaten als „Kinder" (in 1 Joh τεϰνία, s. o. 1 c), der Verzicht auf einen ausschließlich direktiven Befehlsstil, die Sorge um die Weitergabe und rechte Auslegung der anfänglichen Tradition. Es scheint nicht zu weit gegriffen, wenn wir an das „Wir" der johanneischen Traditionsträger im Präskript des 1 Joh zurückdenken und an den einen aus ihrer Mitte, der in ihrem Namen spricht, in der Ich-Form hervortritt und 1 Joh verfaßt.

Daß er seine Autorität z. T. auch einem reifen Lebensalter verdankt, wird man, wenn wir hypothetisch von einer Verfasseridentität ausgehen, nicht einfach von der Hand weisen können. Zu auffällig wirken die Anredeformen τεϰνία und παιδία und zu gut passen sie zu der Selbstbezeichnung ὁ πρεσβύτερος. Ein junger Mann könnte so nicht sprechen (vgl. das polemische Urteil bei EWALD, JohBr 436 f.: Der Autor formuliert „nicht in dem hochmuthe mit welchem jeder junge priester leicht seine beichtkinder kinder nennt … sondern einfach weil er … in diesem lebensalter nur so reden kann wie ihn die liebe treibt"), er könnte sich höchstens hinter der Fassade des Alters verstecken, aber dann wären die Briefe reine Fiktionen, und dagegen spricht manches (s. u. 3). Die altkirchliche Tradition vom Apostel Johannes, der in hohem Greisenalter in Ephesus seine Briefe schrieb, soll damit ausdrücklich nicht wiederbelebt werden. Sie ist aber vielleicht aus diesen Textbeobachtungen erwachsen, die auf eine andere Person im Hintergrund verweisen.

(5) Zu 1 Joh 1, 1–4 läßt sich zeigen, wie Funktionen des Lieblingsjüngers aus dem Evangelium, das Bezeugen z. B. (Joh 19, 35), auf die Wir-Gruppe übergehen. Wie sieht nun das Verhältnis des Presbyters aus den beiden kleinen Briefen zum Lieblingsjünger aus? Beide tragen ja einen Symbolnamen. Die Antworten werden je nach vorgängiger Option in der verwickelten Lieblingsjüngerfrage sehr unterschiedlich ausfallen. Wer anders als KÜGLER daran festhält, daß sich hinter dem Lieblingsjünger die historische Gestalt des Gründers der johanneischen Gemeinden verbirgt, wird sich nicht so rasch zu Auskünften bequemen

können wie: „... dem Verfasser der beiden kleinen Johannesbriefe, der sich selbst ‚der Alte' nennt", sei im Lieblingsjünger des Evangeliums „ein literarisches Denkmal gesetzt" (THYEN 296), oder der Lieblingsjünger, „das seien *die* maßgeblichen Lehrer und Vorsteher der johanneischen Gemeinschaft gewesen", aus deren Mitte sich „jeweils einer, je zu seiner Zeit ... als den Presbyteros bezeichnen konnte" (BONSACK 62), obwohl letztere Position am ehesten noch offenbleibt auf die andere Vermutung hin, ob nicht der Presbyter eine besonders herausragende, in eine führende Stellung hineingewachsene Gestalt aus dem Schülerkreis des Lieblingsjüngers gewesen sein mag.

3. Die Verfasserfrage

L 40: BONSACK: Presbyteros (L 39). – BRUCE: St. John (L 39). – CHARLES: Revelation (L 28) XXXVIII–L. – CLEMEN, C.: Beiträge zum geschichtlichen Verständnis der Johannesbriefe, in: ZNW 6 (1905) 271–281, hier 278–281. – COENEN, W. C.: Ueber Verfasser und Empfänger des 2. und 3. Johannes-Briefes, in: ZWTh 15 (1872) 264–271. – EWALD, H.: Ueber die zweifel an der abkunft des vierten Evangeliums und der drei Sendschreiben vom Apostel Johannes, in: JBW 10 (1860) 83–114. – GUNTHER, J. J.: Early Identifications of Authorship of the Johannine Writings, in: JEH 31 (1980) 407–427. – HENGEL: Question (L 02). – HIRSCH: Studien (L 19) 177f. – KÖRTNER: Papias (L 39). – LÜTZELBERGER, E. C. J.: Die kirchliche Tradition über den Apostel Johannes und seine Schriften in ihrer Grundlosigkeit nachgewiesen, Leipzig 1840. – MEAGHER, J. C.: Five Gospels. An Account of How the Good News Came to Be, Minneapolis 1983, 201–228. – SIMPSON, J. G.: The Letters of the Presbyter, in: ET 45 (1933/34) 486–490. – STREETER: Epistles (L 02). – VALENTIN, A.: The Johannine Authorship of Apocalypse, Gospel and Epistles, in: Scrip. 5 (1952/53) 148–150. – ZAHN: Apostel (L 39).

Die Suche nach dem Presbyter der beiden kleinen Johannesbriefe war immer in eigentümlicher Weise hineinverflochten in die Diskussion um die Herkunft des johanneischen Schriftenkorpus einschließlich der Offenbarung insgesamt. Die schier unüberwindlichen Schwierigkeiten, die sich hier auftürmen, ergeben sich nicht zuletzt daraus, daß literarische und historische Fragen ein untrennbares Geflecht bilden. Man kann das ablesen an dem klaren Problemaufriß und dem eindeutigen Lösungsangebot bei CHARLES. Er unterscheidet voneinander: (a) den *Apostel Johannes* aus dem Zwölferkreis, der vor 70 n. Chr. den Martertod starb und schon deshalb nicht als Autor in Frage kommt; (b) den *Presbyter Johannes*, möglicherweise ein Schüler des Apostels Johannes, der in Ephesus das Johannesevangelium und die drei Johannesbriefe schrieb; (c) den *Propheten Johannes*, einen palästinensischen Judenchristen, der nach Kleinasien emigrierte und auf Patmos die Apokalypse verfaßte. Strenggenommen müssen wir sogar (d) noch *Johannes den Täufer* hinzunehmen, denn es ist angesichts der Rolle seiner Person und seines Jüngerkreises in der Traditionsgeschichte johanneischer Stoffe gar nicht auszuschließen, daß er einmal „der *Heros eponymos*" einer christlichen Gruppe im Vorfeld des johanneischen Kreises war (BONSACK 61). Wir haben es also mit einem Überangebot an Namen zu tun und mit einer Gruppe von Schriften, deren literarisches Verhältnis zueinander diskutiert wird. Wenn sich beides überlagert, werden die wildesten Kombinationen möglich. Die Forschungsgeschichte scheint kaum eine davon ausgelassen zu haben.

Wir sind schon bei der Beschäftigung mit der frühen Bezeugung und der Kanonisierung von 2/3 Joh (s. II/B) auf die altkirchliche Tradition, derzufolge der Presbyter Johannes der beiden kleinen Briefe ein anderer sei als der Autor des 1 Joh und des Evangeliums, eingegangen. Sie lebte in der Reformationszeit, wie oben angedeutet, wieder auf und hat ihre Nachwirkungen bis in die neuere Forschung hinein (so setzt SCHLEIERMACHER [s. Anm. 32] 2/3 Joh als Erzeugnis fremder Hand von den apostolischen Dokumenten JohEv./1 Joh ab; das gleiche tut EBRARD, JohBr). Bei Dionysius von Alexandrien fällt der Name des Presbyters im Kontext der Diskussion des Verfasserproblems der Johannesoffenbarung, aber aus dem Text bei Eusebius, Hist Eccl VII 25, 11, geht nicht, wie oft zu lesen steht, hervor, Dionysius wolle dem Presbyter neben 2/3 Joh auch die Apokalypse zuschreiben. Erst Eusebius selbst vollzieht in III 39, 6 diesen Kurzschluß, und die von Dionysius erwähnten zwei Johannesgräber in Ephesus – eins für den Apostel, eins für den Apokalyptiker, der Presbyter bleibt außen vor (VII 25, 16) – verteilt er säuberlich auf den Apostel und den Presbyter, ohne von letzterem an der Stelle zu behaupten, er habe neben der Apk auch noch 2/3 Joh geschrieben. Diese Konstruktion hat ihre Nachgeschichte, z. B. bei Hieronymus, Vir Ill 9 (13, 20–22 TU 14/1): *Iohannis presbyteri … cuius et hodie alterum sepulcrum apud Ephesum ostenditur; et nonnulli putant duas memorias eiusdem Iohannis evangelistae esse*, oder bei Isidor von Sevilla, De ecclesiasticis officiis I 12, 12.[36] Unabhängig von diesem pittoresken Detail der zwei Gräber wurde die Lösung in der Verfasserfrage, d. h. der Presbyter aus 2/3 Joh als Autor der Apokalypse im Unterschied zum Verfasser von Evangelium und 1 Joh, auch von prominenten Forschern des 19./20. Jahrhunderts vertreten (Nachweise bei CHARLES XLI f.: Bousset, von Soden, Schmiedel, Moffat). Sie scheidet aufgrund des sprachlichen Befundes als unmöglich aus.

---

[36] Dazu erklärend B. KÖTTING, Peregrinatio religiosa. Wallfahrten in der Antike und das Pilgerwesen in der alten Kirche (FVK 33–35), Münster 1950, 173 f.: Es gab zwei Gedenkstätten des Apostels Johannes in Ephesus, seine Grabstätte *(sepulchrum)* außerhalb der Stadt und eine weitere *memoria* bei seinem früheren Wohnhaus.

Die kritische Behandlung der johanneischen Frage vollzog sich in Etappen. Die kirchliche Tradition gab unter Zurückstellung der schon einmal erreichten Differenzierung die Abfassung aller fünf Schriften des johanneischen Korpus durch den Apostel Johannes als verbindlichen Ausgangspunkt vor (so unerleuchteterweise immer noch VALENTIN). Die Abtrennung der Apokalypse war relativ problemlos zu bewerkstelligen. Um das Evangelium und die Briefe aber, die z. B. STOTT, JohBr 17–44, auch 1988 noch geschlossen dem Apostel Johannes zuschreibt, entbrannte eine regelrechte Schlacht. Einen Eindruck von den Kampfeshandlungen gewinnt man schon, wenn man den kompletten Destruktionsversuch von LÜTZELBERGER und die scharfe Gegenpolemik auf traditioneller Grundlage bei EWALD miteinander vergleicht. Vermitteln sollte wohl die Sukzessionstheorie (ConstAp VII 46, 7): Der Apostel Johannes habe den Presbyter Johannes als seinen Nachfolger im Bischofsamt in Ephesus eingesetzt (BRUCE 356; STREETER 88. 97), was die johanneischen Schriften als Gemeinschaftswerk erscheinen läßt.[37]

Andererseits sah sich ein Forscher wie PLUMMER veranlaßt, an der Existenz des Presbyters Johannes prinzipiell zu zweifeln. Das sei ein gelehrter Mythos, aus der Absenderangabe von 2/3 Joh durch Hinzufügung des Namens extrapoliert, um vermeintliche Probleme der johanneischen Verfasserschaft zu lösen (JohBr 172–175). Die bekannte Papiasstelle (s. o. 2) wäre dann so zu lesen, daß der Presbyter Johannes niemand anderes ist als der Apostel Johannes, als von letzterem unterschiedene Person aber „seine Existenz lediglich den Wünschen und der verkehrten Auslegung des Eusebius" verdankt (ZAHN 152). Genau gegenläufig wurde ironischerweise zuletzt vermutet, die beiden kleinen Briefe wollten beim Leser bewußt den Eindruck erwecken, sie seien von dem aus Papias bekannten Presbyter Johannes verfaßt worden (KÖRTNER 199–201). Das ist eine sehr dubiose Authentizitätsfiktion, die schon an der dazu erforderlichen, aber wenig plausiblen Frühdatierung des Papiaswerks scheitert.

Ein kritischer Konsens schien zeitweilig erreicht mit der Position von DODD (JohBr; Epistle [L 15]): Die drei Johannesbriefe sind Werke eines Autors, der aber nicht mit dem Evangelisten identisch ist. Doch war auch dieser Konsens nicht unumstritten und hielt nicht lange vor. Nicht

---

[37] Vgl. den hübschen Einfall von D. L. SAYERS, Unpopular Opinions, London 1946, 26, das Johannesevangelium zu betiteln mit: "Memoirs of Jesus Christ. By John Bar-Zebedee; edited by the Rev. John Elder, Vicar of St. Faith's, Ephesus" (zitiert nach BRUCE 346 Anm. 3).

nur, daß zwischen 1 Joh auf der einen und 2/3 Joh auf der anderen Seite unterschieden wird, auch 2 Joh und 3 Joh selbst driften immer weiter auseinander. Einige Streiflichter zur derzeitigen Lage:

CLEMEN schreibt 2 Joh und 3 Joh verschiedenen Verfassern zu; 3 Joh ist eine Nachahmung von 2 Joh. Für HIRSCH hat der Überarbeiter des 1 Joh auch 2/3 Joh geschrieben; sein Ziel ist aber das gleiche wie das des Evangelienredaktors und Hauptautors von 1 Joh, nämlich das Johannesevangelium in den kirchlichen Gebrauch Kleinasiens einzuführen, indem der Apostel Johannes in Ephesus als dessen Autor suggeriert wird (dagegen HAENCHEN, Literatur [L 02] 299f.). BULTMANN, JohBr 103, erkennt in 2 Joh eine spätere Fiktion auf der Grundlage von 3 Joh und 1 Joh. Ihm folgen HEISE, Bleiben (L 02) 170, und SCHUNACK, JohBr 108 f. Als "a fossil remain of an alien gospel" (209) wertet MEAGHER den 3 Joh; darin melde sich die Stimme derer, die 1/2 Joh als Häretiker bekämpft, zu Wort. Nur einen Verfasser benötigt für 2/3 Joh WENGST, JohBr 230 f.; es ist allerdings ein anderer als im 1 Joh und der wiederum ist ein anderer als der Evangelist. Mit gewohnter Verve hat sich jetzt HENGEL wieder für die Rückkehr zu traditionelleren Modellen eingesetzt: Der aus Papias bekannte Presbyter Johannes – keinesfalls identisch mit dem Apostel Johannes, aber ein seinerzeit noch sehr junger Jerusalemer Täuferjünger und Jesusjünger außerhalb des Zwölferkreises – ist der einzige wirkliche Autor des Evangeliums und der drei Briefe. HENGEL muß dazu die Rolle des Lieblingsjüngers doppelt besetzen, mit dem Apostel Johannes in der Sicht des Primärautors und mit dem Presbyter und Autor selbst in der Sicht seiner Schüler, die sein Werk herausgeben, ohne nennenswert einzugreifen.

Wir haben oben (s. A. 3) den Autor des 1 Joh vom Evangelisten unterschieden. Für eine weitere Differenzierung zwischen dem Verfasser des 1 Joh und dem Presbyter aus 2/3 Joh reichen die textlichen Indizien nicht aus, im Gegenteil, es gibt gute Gründe, die eine einheitliche Abfassung nahelegen. Es muß noch überprüft werden, ob sich dieses Urteil auch bei der Rekonstruktion der Abfassungssituation und der Gegnerfront (s. VII und VIII) bewährt. Entscheidend ist ja immer, ob die Gesamtinterpretation unter Einbezug möglichst vieler Faktoren durch eine bestimmte Festlegung in der Verfasserfrage und in anderen Einzelpunkten erleichtert oder erschwert wird. Zu einer weitergehenden historischen Verifizierung der Persönlichkeit des Presbyters als des *einen* Autors der *drei* Johannesbriefe fehlen uns die Mittel. Die Gestalt des Presbyters Johannes bei Papias und seiner altkirchlichen Gefolgschaft erscheint mit zu vielen inhärenten Problemen belastet, als daß man sich ruhigen Gewissens einer auf ihr beruhenden Theorie anvertrauen möchte.

4. Die zeitliche Folge

L 41: Artus, O.: La seconde épître de Jean, in: FV 86 (1987) 27–34. – Ewald, H.: Über die Johannesbriefe, in: JBW 3 (1851) 174–183. – Schmiedel, P. W.: The Johannine Writings, London 1908. – Schnelle: Christologie (L 33) 58.65. – Simpson: Letters (L 40) 489f. – Strecker: Anfänge (L 33). – Wendt, H. H.: Zum zweiten und dritten Johannesbrief, in: ZNW 23 (1924) 18–27.

Auch die zeitliche Relation der kleinen Johannesbriefe untereinander, zu 1 Joh und zum Johannesevangelium hat sehr unterschiedliche Bewertungen erfahren, die aus verständlichen Gründen eng mit der Option in der Verfasserfrage verzahnt sind. Wer 2 Joh als eine an 3 Joh angelehnte Fiktion ansieht, muß 2 Joh auch später ansetzen als 3 Joh. Wer hingegen den nach 3 Joh 9 von Diotrephes abgewiesenen Brief mit 2 Joh gleichsetzt (s. II/C), postuliert damit zugleich den zeitlichen Vorrang von 2 Joh. Artus wiederum läßt bei gleichbleibender Autorschaft 3 Joh früher entstanden sein als 2 Joh. Ewald vertrat seinerzeit die mehrteilige These, daß (a) 2 Joh ein bis zwei Jahre vor 1 Joh geschrieben wurde, daß (b) 3 Joh in V. 9 auf 2 Joh abzielt und um ein weniges abgesetzt doch in die zeitliche Nähe des 2 Joh gehört, daß schließlich (c) die Briefe insgesamt bedeutend später zu datieren sind als das Evangelium. Simpson dagegen ordnet die Briefe global dem Evangelium vor. Eigenständige Lösungen haben Schmiedel und Wendt angeboten:

Nach Schmiedel wurden als erstes 2/3 Joh unter dem Namen des Presbyters Johannes, des Hauptes der johanneischen Schule, von Schülern veröffentlicht; der gleiche Schülerkreis schuf später 1 Joh und das Evangelium, gab diese Texte aber als Werke des Apostels Johannes aus (216f.). Für Wendt gehört 2 Joh an den Anfang; es folgt 3 Joh (mit Anspielung auf 2 Joh in V. 9), dann erst als Entfaltung und nähere Begründung der in 2 Joh kompakt dargebotenen Ideen 1 Joh, wo mit ἔγραψα in 2,14 nichts anderes gemeint ist als 2 Joh (zur Ablehnung dieser Exegese s.o. III/C). Die Endgestalt des Evangeliums hält Wendt für deuterojohanneisch (vgl. Ders., JohBr 139).

Ganz so originell ist der Vorstoß von Strecker, dem sich sein Schüler Schnelle anschließt, nach dem Gesagten also nicht. Strecker erblickt in 2/3 Joh echte Dokumente aus der Hand des Presbyters, des Gründers der johanneischen Schule, der als erstes 2 Joh und nach der Zurückweisung dieses Schreibens durch Diotrephes 3 Joh absandte. Verschiedene spätere Vertreter der Schule verfaßten 1 Joh, den auch Strecker mit 2,14 auf 2 Joh zurückblicken läßt, und das Evangelium. Am problematischsten ist dabei sicher die enorme Beweislast, die der Deutung von 2 Joh 7 auf eine Parusie Jesu Christi im Fleisch aufgebürdet wird (s.o. 1 b). Auch der Umgang mit 3 Joh 9 und 1 Joh 2,14 bleibt neben anderen exegetischen Einzelentscheidungen äußerst fragwürdig.

Wenn, wie hier vertreten, ein Autor, der aber nicht mit dem Evangelisten identisch ist, die drei Briefe geschrieben hat, bleibt für zeitliche Operationen kein großer Spielraum mehr. Für alle drei Briefe wird dann zutreffen, was für 1 Joh gesagt wurde (s. o. A. 4): Sie sind entstanden, nachdem der Evangelist seine Tätigkeit schon beendet hatte, in der Phase der Endredaktion des Evangeliums, vor dessen endgültiger Herausgabe. Sie setzen alle drei die gleiche, im Grundbestand des Evangeliums noch nicht erkennbare konfliktreiche Gemeindesituation voraus und wurden zur Bewältigung dieses innerjohanneischen Schismas in einer relativ kurzen Zeitspanne verfaßt. Über ihre interne Reihenfolge kann man nicht mehr viel sagen, da die formalen und inhaltlichen Differenzen mehr durch geographisch-lokale Gegebenheiten bedingt sind. Vielleicht aber war 1 Joh auch zeitlich gesehen der grundlegende Text, dem 2 Joh und 3 Joh als Behandlung von konkreten Einzelfällen folgten, 2 Joh in der Hoffnung, ein Übergreifen des Schismas eben noch verhindern zu können, und etwas früher als 3 Joh, der bereits mit ersten unerwünschten Gegenreaktionen zu kämpfen hat (ähnlich BROWN, JohBr 30–32).

VII. GEGNERFRAGE
UND RELIGIONSGESCHICHTLICHER KONTEXT

„Johannes will die Christen gegen die Widersprüche einiger Philosophen sichern, welche behaupten, daß Jesus nicht der incorporirte Logos
seyn könne, weil es nach dem reinen System vom Logos theils nicht
möglich und nicht schicklich, theils auch nicht nöthig sey, daß sich ein
Wesen *der* Art mit menschlicher Natur vereinige, um Menschen zu
belehren", so eine frühe Stellungnahme zu gegnerischer Front und Ab-
fassungszweck des 1 Joh.[38] Statt „einige Philosophen" würde ein beträchtlicher Teil der späteren Ausleger wohl lieber sagen „nicht wenige
Gnostiker". Ob das zutrifft oder nicht, ist eine Kernfrage der folgenden
Überlegungen, die sich wieder auf 1 Joh konzentrieren (auf 2/3 Joh
kommen wir unter Berücksichtigung des Konflikts mit den Gegnern
bei der Schilderung der Abfassungsverhältnisse in VIII/A zurück).

A. *Die textlichen Daten*

L 42: BALZ, H.: Johanneische Theologie und Ethik im Licht der „letzten
Stunde", in: Studien zum Text und zur Ethik des Neuen Testaments (FS
H. Greeven) (BZNW 47), Berlin 1986, 35–56. – BERGER K.: Die impliziten
Gegner. Zur Methode des Erschließens von „Gegnern" in neutestamentlichen
Texten, in: Kirche (FS G. Bornkamm), Tübingen 1980, 373–400. – BOER, M. C.
DE: Jesus the Baptizer: 1 Joh 5:5–8 and the Gospel of John, in: JBL 107 (1988)
87–106. – BOGART, J.: Orthodox and Heretical Perfectionism in the Johannine
Community as Evident in the First Epistle of John (SBLDS 33), Missoula 1977,
123–126. – BROWN: JohBr 47–55.762f. – CURTIS: Purpose (L 22) 4–105. –
GRAYSTON: JohBr 16–18. – KLAUCK, H. J.: Gespaltene Gemeinde: Der Umgang
mit den Sezessionisten im ersten Johannesbrief, in: Ders., Gemeinde – Amt –
Sakrament. Neutestamentliche Perspektiven, Würzburg 1989, 59–68 = Conc(D)
24 (1988) 467–473. – DERS.: In der Welt – aus der Welt (1 Joh 2, 15–17). Beobachtungen zur Ambivalenz des johanneischen Kosmosbegriffs, in: FS 71 (1989) 58–

---

[38] H. C. BALLENSTEDT, Philo und Johannes oder neue philosophisch-kriti-
sche Untersuchung des Logos beym Johannes nach dem Philo, nebst einer Erklärung und Uebersetzung des ersten Briefes Johannes aus der geweiheten
Sprache der Hierophanten, Braunschweig 1802.

68. – Ders.: Der Antichrist und das johanneische Schisma. Zu I Joh 2, 18–19, in: Christus bezeugen (FS W. Trilling) (EThSt 59), Leipzig 1989, 237–248. – Ders.: Brudermord und Bruderliebe. Ethische Paradigmen in 1 Joh 3, 11–17, in: Neues Testament und Ethik (FS R. Schnackenburg), Freiburg i. Br. 1989, 151–169. – Kügler, J.: In Tat und Wahrheit. Zur Problemlage des Ersten Johannesbriefes, in: Biblische Notizen 48 (1989) 61–88. – Langbrandtner, W.: Weltferner Gott oder Gott der Liebe. Der Ketzerstreit in der johanneischen Kirche. Eine exegetisch-religionsgeschichtliche Untersuchung mit Berücksichtigung der koptisch-gnostischen Texte aus Nag-Hammadi (BbETh 6), Frankfurt a. M. 1977, 373–395. – Lieu, J. M.: 'Authority to become children of God': A Study of I John, in: NT 23 (1981) 210–228. – Painter, J.: The 'Opponents' in I John, in: NTS 32 (1986) 48–71. – Wade: Impeccability (L 22) 62–127. – Weiss, K.: Orthodoxie und Heterodoxie im 1. Johannesbrief, in: ZNW 58 (1967) 247–255. – Wendt, H. H.: Zum ersten Johannesbrief, in: ZNW 22 (1923) 57–79. – Whitacre: Polemic (L 02) 121–151. – Weitere Lit. s. u. in L 48–51.

Die Gefahren der Suche nach den „impliziten Gegnern" (Berger) in neutestamentlichen Texten sind hinreichend bekannt: Wir haben zunächst nur den Text und bekommen nur textinterne Relationen zu fassen, die sich nicht ohne weiteres auf die außertextliche Wirklichkeit übertragen lassen. Gegnerpolemik geschieht oft in stereotyper Sprache, mit anderswoher entlehnten Beschreibungs- und Wertungsmustern, z. B. solchen apokalyptischer Herkunft, die den konkreten Einzelfall gar nicht treffen. Die Liste der Fehlerquellen läßt sich verlängern, andererseits sollte man die Schwierigkeiten auch nicht übertreiben. Solange Texte in bestimmte Kommunikationssituationen eingebettet sind und dort eine pragmatische Funktion übernehmen (Kügler 65), sollte es auch möglich sein, ihnen die notwendigsten Hinweise auf ihre Lebenswelt zu entnehmen, sie dazu notfalls auch gegen den Strich zu lesen. Sicher wiegt das Faktum schwer, daß der Autor ein Zerrbild seiner Gegner entwirft und an einer objektiven Würdigung ihrer Anliegen in keiner Weise interessiert ist. Nur mit großer Behutsamkeit kann man also Rückschlüsse wagen auf ihr Selbstverständnis, das zweifelsohne sehr positiv aussah, und auf ihr reales Erscheinungsbild, das auf Außenstehende ganz anders, nämlich sympathisch und werbend wirken mochte. Die vordringlichste Aufgabe besteht aber darin, im Text jene Daten zu identifizieren, die uns überhaupt zu der Suche nach Gegnern motivieren, ja zwingen. Das muß nicht zuletzt bedacht werden in Anbetracht einer extremen Skepsis, die von Gegnern im 1 Joh nichts mehr wissen will (Perkins, JohBr XXI–XXIII: In einer auf Mündlichkeit basierenden Kultur lasse überhitzte Rhetorik als zerstörerischen Konflikt erscheinen, was in der Realität doch nur ein Disput unter Freunden, ein kleiner Familienzwist war; sehr zurückhaltend auch Lieu; zur exegetischen Einzelbegründung des Folgenden s. vorerst u. a. die eigenen Aufsätze oben in L 42).

(1) Die wichtigste Stelle für die Rekonstruktion des johanneischen Schismas ist 1 Joh 2,19: „Aus unserer Mitte sind sie hervorgegangen …" Die Wortwahl lehnt sich an Dtn 13,13 an und bringt damit schon einen typisierenden Zug herein. Eingebettet ist der Vers in apokalyptische Topoi: die letzte Stunde (2,18), der Antichrist (2,18.22) und die vielen Antichristen (2,18), die Verführer der Endzeit (2,26). All das bezieht sich konkret auf eine innergemeindliche Spaltung, mit dem Autor und seinen Getreuen auf der einen und der so heftig attakkierten Gruppe derer, die „aus unserer Mitte ausgegangen" sind, auf der anderen Seite. Ihnen unterstellt der Autor in V. 22–23 auch, sie würden das Bekenntnis zu Jesus als Christus und Gottessohn leugnen.

(2) Hat man das einmal erkannt, wird man auch an 4,2–3 im Kontext von 4,1–6 nicht mehr vorbeikommen. Die „vielen Pseudopropheten, die hinausgegangen sind in die Welt" (4,1 d), der Antichrist (4,3 c) und der Geist der Täuschung (4,6 f.) sind Verbindungsstücke zu 2,18–27. Wieder tauchen anonyme Personen auf, von denen es heißt, daß sie „aus der Welt sind" und daß die Welt bereitwillig auf sie hört (4,5). Das muß etwas zu tun haben mit dem strittigen Bekenntnis zu „Jesus Christus als im Fleisch gekommen" (so zu konstruieren, als doppelter Akkusativ, nicht aber mit prädikativem Χριστόν; aufgelöst würde das Bekenntnis lauten: „Jesus Christus ist im Fleisch gekommen") in V. 2, was immer sich dahinter verbergen mag.

(3) Eine Korrektur ist von vornherein schon eingebaut in 5,6: „Dieser ist es, der kam durch Wasser und Blut, Jesus Christus; nicht im Wasser allein, sondern im Wasser und im Blut." Offenkundig wird zumindest als Möglichkeit erwogen, jemand könne auf den Gedanken verfallen, Jesu Kommen nur im Wasser realisiert zu sehen, was am problemlosesten als seine messianische Instituierung aus Anlaß der Taufe durch Johannes im Jordan erklärt werden kann (etwas anders DE BOER). Höchstwahrscheinlich gab es auch tatsächlich Vertreter einer solchen Position.

(4) Mit den sozialen Dimensionen des Konflikts kommen wir am engsten in Berührung in 3,12–17. Das abschreckende Beispiel Kains aus Gen 4 überträgt der Briefautor auf jeden, der über die notwendigen Mittel verfügt und dennoch ungerührt über die Not eines Mitchristen hinwegsieht. Das ist auch der Resonanzboden für die wiederholte Einschärfung des Liebesgebotes. Manchmal wird grundsätzlich bezweifelt, ob man überhaupt die christologische Kontroverse mit den ethischen Mängelerscheinungen zusammensehen sollte. Nur ersteres ziele auf Gegner, letzteres betreffe die Christen allgemein (z. B. MICHL, JohBr 252 f.). Aber der Text nimmt selbst, wenn auch ohne direkten Gegnerbezug, eine Verkoppelung der beiden Größen vor in dem Doppelgebot von 3,23: „… daß wir glauben dem Namen seines Sohnes Jesus Christus und daß wir einander lieben". Daß Lehre und Leben in einem Wechselverhältnis stehen (sollten), ist so außergewöhnlich nicht (zur einheitlichen Perspektive u. a. WHITACRE).

(5) Etwas problematischer wird es dennoch bei den überwiegend ethisch relevanten Formulierungen in 1,6.8.10; 2,4.6.9; 4,20. Teils nimmt man sie mit großer Selbstverständlichkeit als gegnerische Slogans in Anspruch (WENDT 58f.; BROWN; PAINTER), die der Briefautor zitiere, um sie zu bekämpfen. Die Wir-Form in der ersten Dreierreihe stünde dem nicht unbedingt im Wege, das ὁ λέγων in der zweiten Reihe sowieso nicht. Aber die Berechtigung, hier gegnerische Schlagworte aufzufinden, wurde auch grundsätzlich bestritten (WEISS; WADE; CURTIS). Der Autor blicke nach innen auf Gefahren, die seine Adressaten bedrohen. Ein unüberwindbarer Gegensatz besteht aber nicht. Natürlich können, wenn die Gegner schon aus der eigenen Gemeinde stammen (2,19), Grundhaltungen von ihnen potentiell auch solche der restlichen Gemeindemitglieder sein. Zu einprägsamen kurzen Sprüchen hat sie der Verfasser evtl. selbst erst verdichtet. Betrachtete man die sogenannten Schlagworte für sich, würde man etwas zurückhaltender agieren. Sieht man sie aber im Gesamt der klaren polemischen Ausfälle im weiteren Briefverlauf, darf man sie wohl doch mitverwenden bei der Eruierung des Gegnerprofils. Daß die Gegner ein kraß lasterhaftes Leben geführt hätten, kann man auch aus den Schlagworten nicht erschließen, und der Briefautor will das so nicht behaupten. Die einzige Andeutung der Gattung eines Lasterkatalogs in 2,16 biegt eher ins Grundsätzliche ab. Angeprangert werden eine theoretisch fundierte innere Haltung, die nach Darstellung des Briefes in Richtung Indifferentismus tendiert, und konkrete Verstöße gegen die soziale Solidarität mit der Gruppe um den Autor.

Mit der nunmehr gewonnenen Sensibilität könnte man den ganzen Brief erneut durchgehen und fragen, ob sich auch hinter der Betonung leiblicher Zeugenschaft in 1,1–3 schon eine antidoketische Absicht, hinter der Koinoniabegrifflichkeit in 1,3–7 die Erfahrung des Schismas und hinter dem eschatologischen Vorbehalt in 3,1–2 Kritik an einem übersteigerten Vollendungsbewußtsein verbirgt. Die Antithesen in 2,29 – 3,10 (s. IV/A), die in das harte Wort von den „Teufelskindern" einmünden, wären daraufhin neu zu betrachten. Und warum sollen nicht auch „die eher lehrhaften Sätze" – man denke an die Bekenntnisformeln in 4,15; 5,1.5 – und „die mehr homiletischen und paränetischen Partien" im weiteren Sinn „zur Klärung dieser Situation" beitragen (BALZ 40)? Hier steht auf Dauer allerdings das andere Extrem ins Haus, daß man den ganzen Text spiegelbildlich liest ("mirror reading") und allerorten nur noch Reaktionen auf gegnerische Vorgaben entdeckt. Die Suche nach den Gegnern hat, soweit sie vom Text selbst nahegelegt wird, den Sinn, seiner literarischen Gestalt im historischen Kontext gerecht zu werden. Es kann jedoch nicht darum gehen, eine Art Gegentext zu rekonstruieren, von dem der vorliegende Text erst seine Plausibilität erhält. Daher scheint es nicht angebracht, die Gegnerfrage zum einzigen hermeneutischen Schlüssel für das Verständnis des 1 Joh zu machen.

B. Kontexte

L 43: Brownson: Odes of Solomon (L 09). – Haenchen: Literatur (L 02) 255–267. – Henle, F. A.: Der Evangelist Johannes und die Antichristen seiner Zeit, München 1884. – Lütgert, W.: Amt und Geist im Kampf. Studien zur Geschichte des Urchristentums (BFChTh 15/4–5), Gütersloh 1911, 7–49. – Schlatter: Sprache (L 16). – Schnackenburg: JohBr 19–31. – Seesemann, L.: Die Nikolaiten. Ein Beitrag zur ältesten Häresiologie, in: ThStKr 66 (1893) 47–82, hier 62. – Škrinjar, A.: Prima Epistola Johannis in theologia aetatis suae, in: VD 46 (1968) 148–168. – Ders.: Theologia Epistolae IJ comparatur cum philonismo et hermetismo, in: VD 46 (1968) 224–234.

Die Bestimmung von religionsgeschichtlichen Kontexten für 1 Joh reicht über die eigentliche Gegnerfrage hinaus, findet in ihr aber immer wieder ihre Zuspitzung. Man kann das AT vergleichen und das Frühjudentum in seinen verschiedenen Spielarten, Qumran ebenso wie weisheitliche Überlieferungen oder hellenistisch-jüdische Autoren vom Schlage Philos (Škrinjar) bis hin zu den späteren Rabbinen (Schlatter). Man kann das urchristliche Umfeld abschreiten. So werden z. B. die libertinistisch eingestellten Enthusiasten, mit deren Überspanntheiten Paulus sich in seiner korinthischen Korrespondenz herumschlägt, als Parallelerscheinung herangezogen (s. Lütgert, der eine allumfassende Schwarmgeisterei entdeckt und in zahlreichen Arbeiten nachzeichnet; auch Weiss, JohBr 17f.: „die Bekämpfung einer Verirrung, die er für eine irrthümliche Konsequenz des missverstandenen Paulinismus hielt …"). Bleibt man im johanneischen Schriftenkorpus, bietet sich ein Seitenblick auf die Nikolaiten in Offb 2, 6. 15 an (Seesemann). Die Ketzerpolemik bei den frühen Vätern scheint gelegentlich gegen Adressaten ähnlicher Statur gerichtet. Immer wieder fällt auch das Stichwort „Gnosis". Henle 78–80 listet die frühen Vertreter namentlich auf: Satornil, Basilides, die Nikolaiten, Kerinth, die Ebioniten (?), Karpokrates, und hat den Mut zu dem Satz: „Dies also sind die ‚Antichristen', deren Gestalten sich scharf und bestimmt (!) aus dem historischen Hintergrund des ersten Johannes-Briefes abheben." Bei einer etwas bunt gewürfelten Auswahl von Größen, denen die Forschung besonderes Augenmerk schenkte, muß es im folgenden sein Bewenden haben.

1. Qumran

L 44: Boismard, M. E.: The First Epistle of John and the Writings of Qumran, in: J. H. Charlesworth (Hrsg.), John and Qumran, London 1972, 156–165. – Braun, H.: Qumran und das Neue Testament, Bd. 1, Tübingen 1966, 290–

306. – BROWN, R.E.: The Qumran Scrolls and the Johannine Gospel and Epistles (1955), in: Ders., New Testament Essays, Milwaukee 1965, 102–131; dt. in: K.H. Rengstorf (Hrsg.), Johannes und sein Evangelium (WdF 82), Darmstadt 1973, 486–528. – COETZEE, J.C.: Life (eternal life) in John's writings and the Qumran scrolls, in: Neot 6 (1972) 48–66. – HOFFMAN, T.A.: 1 John and the Qumran Scrolls, in: BTB 8 (1978) 117–125. – NAUCK: Tradition (L 02). – RO-LOFF, J.: Der johanneische „Lieblingsjünger" und der Lehrer der Gerechtigkeit, in: NTS 15 (1968/69) 129–151. – SMIT SIBINGA, J.: 1 Johannes tegen de achtergrond van de teksten van Qumran, in: VoxTh 29 (1958/59) 11–14.

Als die Auswertung der Qumranfunde begann, gerieten auch die johanneischen Schriften in den Sog der Entdeckerfreude. Manches drängt sich dem vergleichenden Blick förmlich auf. An erster Stelle ist das der Dualismus in seinen diversen Ausprägungen. Auch die Gemeinderegel aus Qumran kennt die Opposition von Licht und Finsternis, von Wahrheit und Frevel (1 QS 3, 19. 25). Dem sind ähnlich wie in 1 Joh 4,6 zwei Geister zugeordnet (1 QS 3,18), die Wesen und Verhalten aller Menschen bestimmen (1 QS 4,15). Die Thematik des Wissens und Erkennens wird sehr betont (1 QS 2,3; 4,22.26; ständig in 1 QH). Nach innen hin beseelt die Gemeinschaft der „Einung" (hebr. יחד, griech. κοινωνία, s. 1 Joh 1,3), die sich als Realisierung des Bundes mit Gott versteht, das Ideal der Solidarität und der Liebe (1 QS 1,9; 2,24; 5,3f.), dem nach außen hin eine extreme Abwehrhaltung korrespondiert, wie sie manchmal auch (wohl zu Unrecht) für die johanneische Gemeinde postuliert wird. Dem Lehrer der Gerechtigkeit als anonym bleibender Gründergestalt in Qumran ist in einigen Zügen der johanneische Lieblingsjünger verwandt (ROLOFF). Auch für eine Einzelwendung wie „die Wahrheit tun" in 1 Joh 1,6 (vgl. 1 QS 1,5; 8,2) und für die metaphorisch verstandene (s. aber IV/D) Warnung vor den Götzen in 1 Joh 5,21 (vgl. 1 QS 2,11.17) werden Qumranparallelen beigebracht.

Am weitesten hat sich BOISMARD vorgewagt mit der Behauptung, 1 Joh sei adressiert an "a Christian community whose members to a large extent had been Essenes" (165). Aber auch das Erklärungsmodell von NAUCK ist in hohem Maße Qumran verpflichtet. Die ältere Antithesenreihe in 1 Joh 1–2 (zur literarkritischen Problematik s.o. IV/B) kann er nur über 1 QS 1–3 auf das apodiktische Gottesrecht im AT zurückführen; die feierliche Proklamation der Antithesen bei einer Gemeindeversammlung lehnt sich für NAUCK an das Ritual des jährlichen Bundeserneuerungsfestes in Qumran an (41 f.). In einem längeren Exkurs (147–182) deutet er die drei Zeugen Geist, Wasser und Blut in 1 Joh 5,7–8 als Chiffre für eine dreistufige Initiation, bestehend aus Geistverleihung, Taufbad und Gemeinschaftsmahl, die es in dieser Form auch in Qumran gegeben habe, aber eben das ist schon die große Frage (s. BRAUN 301 f.).

Die kühnen Thesen der ersten Stunde haben sich in dieser Form nicht bewährt. Bestehende Ähnlichkeiten sind auf eine Kombination von gemeinsamem Traditionshintergrund und analoger aktueller Situation zurückzuführen. In diesem begrenzteren Sinn wird man auch weiterhin die Qumranschriften mit Nutzen heranziehen. Sie bereichern unsere Kenntnis dessen, was im Frühjudentum an Denk- und Sprachmöglichkeiten ausgebildet wurde, und bieten ein Beispiel für den Ablauf von innergemeindlichen Konflikten. An diesem zuletzt genannten Punkt könnte die Arbeit noch weiter vorangetrieben werden.

1 QpHab 2,1–3 berichtet von „Abtrünnigen", die sich unter der Führung des „Lügenmanns" vom Lehrer der Gerechtigkeit und vom neuen Gottesbund abwenden. Es treten wie in 1 Joh 2,19 Konturen eines innergemeindlichen Schismas zutage.[39] Gegen den Lehrer der Gerechtigkeit erhob sich aus den eigenen Reihen heraus eine Opposition, die sich vielleicht nicht mit seiner grundsätzlichen Absage an den Jerusalemer Tempel im Einklang sah. Bezeichnenderweise werden in 5,9–11 die „Männer ihres Rates, die stumm blieben bei der Zurechtweisung des Lehrers der Gerechtigkeit und ihm nicht halfen gegen den Mann der Lüge", mit dem „Haus Abschaloms" verglichen. Abschalom hat sich bekanntlich gegen seinen eigenen Vater erhoben. Die Metaphorik verrät: Es ist ein „Familienkonflikt", der sich in der Gemeinde des Lehrers der Gerechtigkeit abspielt.

2. Ignatius von Antiochien

L 45: BARNARD, L.W.: The Background of St. Ignatius of Antioch, in: VigChr 17 (1963) 193–206; auch in: Ders., Studies in the Apostolic Fathers and their Background, Oxford 1966, 19–30. – BARRETT, C.K.: Jews and Judaizers in the Epistles of Ignatius, in: Jews, Greeks and Christians. Religious Cultures in Late Antiquity (FS W.D. Davies) (SJLA 21), Leiden 1976, 220–244. – DIETZE: Briefe (L 09). – DONAHUE, P.J.: Jewish Christianity in the Letters of Ignatius of Antioch, in: VigChr 32 (1978) 81–93. – JOHNSON, S.E.: Parallels Between the Letters of Ignatius and the Johannine Epistles, in: Perspectives on Language and Text (FS F.I. Andersen), Winona Lake 1987, 327–338. – JOLY, R.: Le dossier d'Ignace d'Antioche (Université libre de Bruxelles. Faculté de Philosophie et Lettres 69), Brüssel 1979. – LÜTGERT: Amt (L 43) 119–164. – MOLLAND, E.: The Heretics Combatted by Ignatius of Antioch, in: JEH 5 (1954) 1–6; auch in: Ders., Opuscula Patristica (BTN 2), Oslo 1970, 17–23. – MÜLLER, U.B.: Die Menschwerdung des Gottessohnes. Frühchristliche Inkarnationsvorstellungen und die Anfänge des Doketismus (SBS 140), Stuttgart 1990, 102–122. – PAULSEN, H.: Die Briefe des Ignatius von Antiochia und der Brief des Polykarp von

---

[39] Vgl. G. JEREMIAS, Der Lehrer der Gerechtigkeit (StUNT 2), Gütersloh 1963, 79–126.

Smyrna (HNT 18), Tübingen ²1985, 64 f. (Lit.). – ROHDE, J.: Häresie und
Schisma im ersten Clemensbrief und in den Ignatius-Briefen, in: NT 10 (1968)
217–233. – SCHOEDEL, W. R.: A Commentary on the Letters of Ignatius of An-
tioch (Hermeneia), Philadelphia 1985 (auch in Übers. München 1990). – SPEIGL,
J.: Ignatius in Philadelphia. Ereignisse und Anliegen in den Ignatiusbriefen, in:
VigChr 41 (1987) 360–376.

Ob Ignatius an einer, an zwei oder an drei gegnerischen Fronten zu
kämpfen hatte, wird nach wie vor kontrovers diskutiert. Als Bischof
von Antiochien ist er selbst Repräsentant des syrischen Christentums.
Nicht alle Gemeinden, an die er schreibt, hat er auf seiner Gefangen-
schaftsreise selbst aufgesucht. Manchmal hatte er nur mit Gemeinde-
boten zu tun. Wie genau er die jeweilige Lage kannte und welche vorge-
prägten Verstehensraster er an das Erlebte und Gehörte herantrug,
müßte im einzelnen bedacht werden. Uns interessieren vor allem die
Stellen, an denen er sich anscheinend gegen „Doketen" wendet. Das
sind Trall 10 (ganz ähnlich Sm 2): „Wenn er (Christus) aber, wie einige,
die Gottlose, das heißt Ungläubige sind, sagen, zum Schein gelitten
habe (δοκεῖν πεπονθέναι αὐτόν)", und Sm 4,1–2, wo Ignatius gegen
die „Bestien in Menschengestalt" einwendet: „Wenn nämlich dies zum
Schein (τὸ δοκεῖν) von unserem Herrn vollbracht wurde, so bin auch
ich zum Schein gefesselt." Die gleiche Gruppe scheint nicht zu bekennen, daß der Herr „einen Leib trägt" (Sm 5,2: μὴ ὁμολογῶν αὐτὸν
σαρκοφόρον); sie läßt es an Liebeswerken gegenüber Notleidenden
mangeln (6,2) und boykottiert die gemeinsame Eucharistiefeier, weil sie
den Satz ablehnt, „daß die Eucharistie das Fleisch unseres Erlösers Jesus
Christus ist" (7,1).

Dem δοκεῖν setzt Ignatius sein ἀληθῶς entgegen: Jesus Christus
wurde *wirklich* geboren, verfolgt, gekreuzigt und auferweckt (Trall
9,1 f.), er „stammt *wirklich* aus dem Geschlecht Davids nach dem Fleische", wurde „*wirklich* unter Pontius Pilatus ... angenagelt für uns im
Fleische" (Sm 1,1 f.). Er hat die Jünger nach Ostern aufgefordert: „Faßt
zu, betastet mich und seht, daß ich kein leibloser Dämon bin" (Sm 3,2),
und er hat leibhaftig mit ihnen gegessen und getrunken (3,3). Den Opponenten zahlt er mit gleicher Münze heim: Sie selbst existieren nur
zum Schein (Trall 10; Sm 2); sie werden nicht leiblich auferstehen, sondern „leiblos und dämonisch sein" (Sm 2). Wenn man die Brücke zu
Phld 6,1; Magn 8,1; 10,2 (vgl. das ἀληθῶς in 11) u. ö. schlägt, stammten
die Gegner aus dem Judentum, aber eben das ist der Streitpunkt (für
eine einheitliche Gegnerschaft: MOLLAND; BARNARD; MÜLLER; dagegen DONAHUE; SCHOEDEL 118; Referat bei BARRETT). Aus Eph 14,2
(vgl. 8,2) kann man die Sündlosigkeit der Glaubenden als einen von

Ignatius selbst vertretenen Berührungspunkt mit 1 Joh 3,6 namhaft machen (weitere Parallelen bei JOHNSON).

Sehr präzise ist das Gegnerbild auch bei Ignatius nicht. Haben sie z. B. nur die Passion Jesu geleugnet oder erstreckt sich ihre Bestreitung der leiblichen Daseinsweise Jesu Christi auf den ganzen Weg von der Geburt bis zur Auferstehung, wie es Ignatius darstellt (s. SCHOEDEL 155)? Im 1 Joh kommt δοκεῖν nicht vor, und ἀληθῶς wird an der einzigen Stelle in 2,5 anders verwendet. Das Insistieren auf dem Kommen Jesu Christi im Fleisch (4,2) und im Blut (5,6; dazu auch IgnSm 6,1: „Auch die himmlischen Mächte" müssen „an das Blut Christi glauben") und der Vorwurf mangelnder Hilfsbereitschaft in Notlagen sind jedoch Punkte, wo eine Verwandtschaft im Phänotyp zwischen den Opponenten bei Ignatius und im 1 Joh bestehen könnte. Unterschiedlich sieht wieder die Problembewältigung aus. Ignatius rekurriert auf sein eigenes, ihn leiblich betreffendes Märtyrergeschick und vor allem auf das kirchliche Amt als Bastion der Einheit, was 1 Joh unterläßt.

Freilich stehen alle Ausführungen zu Ignatius unter dem Vorbehalt der Datierungsfrage. Ob die Einwände von JOLY gegen den traditionellen Frühansatz auf 110 n. Chr. restlos aus dem Weg geräumt sind, kann man bezweifeln. Geht man auf ca. 160/70 herab, verliert der Vergleich mit 1 Joh an Relevanz, der Anschluß an die bekannteren trinitarischen und christologischen Auseinandersetzungen des 2. Jahrhunderts ist erreicht.

3. Kerinth

L 46: BARDY, G.: Cérinthe, in: RB 30 (1921) 344–373. – BLANK, J.: Die Irrlehrer des ersten Johannesbriefes, in: Kairos 26 (1984) 166–193, hier 174–177. – BLUDAU: Gegner (L 10) 131–136. – BROWN: JohBr 766–771. – KLIJN, A.F.J., G. REININK: Patristic Evidence for Jewish-Christian Sects (NT.S 36), Leiden 1973, 3–19. 102–281 (bequeme Textsammlung). – SCHWARTZ, E.: Johannes und Kerinthos, in: Ders., Gesammelte Schriften, Bd. 5, Berlin 1963, 170–182 = ZNW 15 (1914) 210–219. – WENGST, K.: Häresie und Orthodoxie im Spiegel des ersten Johannesbriefes, Gütersloh 1976, 24–35.

In kaum einem Beitrag zu den Gegnern im 1 Joh fehlt, zustimmend oder ablehnend, ein Hinweis auf Kerinth als potentiellen Kandidaten. Bei näherem Hinsehen stellt sich heraus, daß weder seine Lehre noch seine chronologische Einordnung wirklich gesichert sind; eine Neubearbeitung täte dringend not. Gehen wir einmal davon aus, daß er zwischen 100 und 120 anzusetzen ist. Seine früheste Erwähnung enthält die ›Epistula Apostolorum‹, die ihn in einem Atemzug mit Simon Magus als Pseudoapostel und Irrlehrer nennt (EpAp 1.7).[40] Der Basistext für seine Lehre und für seine geographische Lokalisierung in Kleinasien steht bei Irenäus:

> „Ein gewisser Kerinth aus Asien lehrte, nicht von dem ersten Gott sei die Welt gemacht worden, sondern von einer Kraft, die von dem Urprinzip des Universums weit entfernt und getrennt war und den über alles erhabenen Gott nicht einmal kannte. Jesus aber sei nicht aus einer Jungfrau geboren (das schien ihm unmöglich), vielmehr sei er der Sohn Josephs und Mariens, gezeugt wie die übrigen Menschen, übertreffe jedoch alle an Gerechtigkeit, Klugheit und Weisheit. Nach der Taufe sei auf ihn von dem erhabenen Urprinzip Christus in Gestalt einer Taube herabgestiegen, und dann habe er den unbekannten Vater gepredigt und Gewaltiges vollbracht; zum Schluß aber sei der Christus wieder von Jesus gewichen, und Jesus habe gelitten und sei von den Toten auferstanden. Christus aber sei von Leiden verschont geblieben, da er geistig war" (Haer I 26,3; Übers. E. Klebba, BKV; vgl. die Parallelüberlieferung bei Hippolyt, Ref 7,33; 10,21, der bezüglich der Geographie nachbessert: Kerinth wurde in Ägypten, das als Heimat aller Häresien galt, geschult; s. auch Theodoret, Haer Fab Comp 2,3: Lehrzeit in Ägypten, Lehrtätigkeit in Kleinasien).

Nach Irenäus vertritt Kerinth, das ist das Wichtigste, eine lupenreine Trennungschristologie: Das himmlische Geistwesen Christus geht mit dem irdisch-fleischlichen Menschen Jesus nur für die Zeit von der Johannestaufe bis kurz vor der Kreuzigung eine Verbindung ein. Irenäus ordnet Kerinth unter die Gnostiker ein, was aufgrund der Auseinanderdividierung von Weltenschöpfer und wahrem Gott zutreffend erscheint. Aber gerade dieser kosmologische Zug eignet sich zum Vergleich mit 1 Joh nicht. Irenäus sagt selbst an späterer Stelle, Johannes habe mit seinem Evangelium den Irrtum Kerinths widerlegen wollen, erklärt ihn dort aber für abhängig von den viel früheren Nikolaiten. Die Inhalte ähneln sich; das Besondere besteht darin, daß Irenäus der gegnerischen Position diesmal die Lehre unterstellt:

> „... der eine (Jesus) sei der Sohn des Schöpfers, der andere, Christus, stamme von den Oberen, sei leidensunfähig und auf Jesus, des Schöpfers Sohn, hinabgestiegen und sei wiederum in sein Pleroma zurückgeflogen (vor dem Leiden?). Der Anfang sei der Eingeborene, das Wort sei der Sohn des Eingeborenen, und die Schöpfung hienieden sei nicht von dem ersten Gott gemacht ..." (Haer III 11,1). Die Spekulationen um den Anfang, den Eingeborenen, das Wort und den

---

[40] D. Kirchner, Brief des Jakobus, in: NTApo[5] I, 234–244, hier 236f., läßt EpJac NHC I/2 1,1–16,30 (um 150 n.Chr.?), wo in Z.2 – ΘΟC zu lesen steht, an (Kerin)thos gerichtet sein; die inhaltliche Begründung ist nicht bestechend; ablehnend Rouleau, L'Épître (s. Anm. 4) 93f.

Sohn des Eingeborenen wertet WENGST dahingehend aus, daß Kerinth den Jo-
hannesprolog benutzt und sich somit auf das Johannesevangelium gestützt hat.
Das könnte ein Grund dafür sein, das Evangelium im Gegenzug ausdrücklich
gegen Kerinth gerichtet zu sehen. Es könnte auch einen Anlaß gegeben haben
für die erbauliche Legende, die Irenäus auf Umwegen von Polykarp gehört
haben will: Johannes habe einst in Ephesus ein Bad besuchen wollen; als er aber
Kerinth darin erblickte, habe er das Gebäude fluchtartig und ungebadet wieder
verlassen und ausgerufen, er fürchte, das Bad werde einstürzen, weil Kerinth,
der Feind der Wahrheit, sich darin aufhalte (Haer III 3,4; gleich zweimal aufge-
griffen von Eusebius, Hist Eccl III 28,6; IV 14,6).

Der römische Presbyter Gaius und die Aloger haben im 2. Jahrhundert Kerinth zum Urheber des Johannesevangeliums und der Johannesbriefe erklärt (BLUDAU). Eusebius referiert einschlägige Aussprüche des
Gaius und des Dionysius von Alexandrien, die nur die Offenbarung
tangieren und Kerinth eine materialistische, chiliastische Eschatologie
zuschreiben: Es werde nach Kerinth „ein Zeitraum von tausend Jahren
in freudiger Hochzeitsfeier verfließen" (III 28,2); er habe, „ganz fleisch-
lich gesinnt", ein Reich Christi auf Erden erträumt, das „in der Befriedi-
gung des Magens und der noch tiefer gelegenen Organe" bestehe, „in
Festen, Opfern und Schlachtungen von Opfertieren" (28,3f.; vgl. das
aus Korinth und von den Nikolaiten bekannte Essen von Götzenopfer-
fleisch; dazu evtl. 1 Joh 5,21). Um die Verwirrung vollständig zu machen, schildert der notorisch unzuverlässige Epiphanius von Salamis,
der an dieser Stelle aber aus Hippolyt schöpft, Kerinth als entschiedenen Judaisten, der gegen Paulus die Beschneidungsforderung erhob,
die Vereinbarungen des Jerusalemer Apostelkonzils sabotierte und für
allerlei Wirren in der Frühzeit zuständig war (Panarion XXVIII 2,3–6;
4,1; weiteres bei BARDY 362–371).

Was war Kerinth nun eigentlich, Judaist, Chiliast, Gnostiker oder
eine Mischung aus alledem? BARDY und SCHWARTZ haben den Gnostiker aus Irenäus eliminiert, an dem WENGST auf Kosten der anderen
Komponenten entschieden festhält. BLANK versucht, die Dinge zusam-
menzuschauen. Er qualifiziert die Christologie Kerinths als problemati-
sche Variante einer johanneischen „Einwohnungschristologie", die
ihrerseits jüdische Voraussetzungen hat: Die Schekina-Vorstellung
(Formen der Gegenwart Gottes inmitten seines Volkes) und das Eingehen der Weisheit in die frommen Seelen der Gottesfreunde und Propheten (Weish 7,27; nach Kerinth war Jesus durch Gerechtigkeit, Klug-
heit und•Weisheit ausgezeichnet, s.o.). Die Bindung an die Taufe hat
eine Parallele im Hebräerevangelium: „... als der Herr aus dem Wasser
heraufgestiegen war, stieg die ganze Quelle des Heiligen Geistes auf ihn

herab und ruhte auf ihm" (Fr. 2; NTApo⁵ I, 146). Das trifft sich mit dem zunehmenden Bemühen, deviante Randerscheinungen des Judentums als einen Nährboden für die Ausbildung der Gnosis auszumachen.

Wichtiger als der Name dürfte für unsere Zwecke das Modell der Trennungschristologie bei Irenäus sein. Es hat sie gegeben, es fragt sich nur wann. Wegen ihrer Schlichtheit kann sie durchaus in den Anfang des 2. Jahrhunderts hinabreichen.

4. Doketismus

L 47: BROX, N.: „Doketismus" – eine Problemanzeige, in: ZKG 95 (1984) 301–314. – DAVIES, J. G.: The Origins of Docetism, in: StPatr 6 = TU 81 (1975) 13–35. – EHRMAN: 1 Joh 4, 3 (L 07) 236–241. – MÜLLER: Menschwerdung (L 45). – SCHNELLE: Christologie (L 33) 76–83. – SLUSSER, M.: Docetism: A Historical Definition, in: The Second Century 1 (1981) 163–172. – STRECKER: JohBr 131–139. – TRÖGER, K. W.: Doketistische Christologie in Nag-Hammadi-Texten. Ein Beitrag zum Doketismus in frühchristlicher Zeit, in: Kairos 19 (1977) 45–52. – WEIGANDT, P.: Der Doketismus im Urchristentum und in der theologischen Entwicklung des zweiten Jahrhunderts, Diss. theol., Heidelberg 1961 (zu 1/2 Joh bes. I, 103–107).

Es hat sich eingebürgert, von „doketischer" Christologie zu sprechen. Richtiger wäre schon von der Wortbildung her „doketistisch" (WEIGANDT II, 1 Anm. 3; mit Inhaltsmerkmalen versehen von TRÖGER). Die ganze Doketismusdebatte leidet derzeit an einer ungeklärten Sprachregelung (s. BROX). Unter Absehen von den historischen „Doketen" bei Hippolyt, Ref VIII 8, 1 – 11, 2, u. a. können wir an systematischen Implikationen unterscheiden:

(1) Der strikten Wortbedeutung nach (δοκεῖν = scheinen) liegt Doketismus im engeren Sinn dort vor, wo die Meinung vertreten wird, Christus habe nur einen Scheinleib besessen. Eindeutig ist diese Position z. B. bei Kerdon und Satornil gegeben. Satornil (vor 150) lehrte, der Erlöser sei „ungeboren, unkörperlich und ohne Gestalt; er sei nur zum Schein (lat. *putative*, griech.: δοκήσει) als Mensch erschienen" (Irenäus, Haer I 24, 2). Sein Zeitgenosse Kerdon hat, so hören wir, bestritten, „daß Christus im Fleische war", und vertreten, „daß er bloß im Trugbild *(in phantasmate)* dagewesen sei. Er habe überhaupt nicht gelitten, sondern nur vermeintlich gelitten. Und er sei aus keiner Jungfrau geboren, sondern überhaupt nicht geboren" (Ps.-Tertullian, Adv Omn Haer 6, 1). Problematisch sind auch hier also die Eckdaten Geburt und Passion. Die Lösung besteht in der Negierung realer Leiblichkeit, wie immer man sich das Erscheinungsbild des transzendenten Himmelswesens in materieller Weltlichkeit auch

denken mochte (bei den Valentinianern etwa als pneumatische und dadurch leidensunfähige Substanz).

(2) Das ist nicht dasselbe wie die oben referierte Trennungschristologie oder – von der anderen Seite betrachtet – Einwohnungschristologie Kerinths, die oft dem Doketismus zugeschlagen wird. Der Scheinleib dient im strengen Doketismus durchgehend als Träger für das innerweltliche Erscheinungsbild des Erlösers; in der Trennungschristologie hingegen nimmt der himmlische Christus zeitweilig von einem wirklichen Menschen Besitz. Das eine wäre als Monophysitismus, das andere als Zwei-Naturen/Personen-Lehre zu charakterisieren. Dennoch wird man eine Verwandtschaft in Problemansatz und Problemlösung nicht leugnen können. Mit einer judenchristlichen Adoptionschristologie – bei der Johannestaufe nimmt Gott den Menschen Jesus an Sohnes Statt an (Ps 2,7; Mk 1,11) – hat Kerinth nur den zeitlichen Ansatz bei der Taufe gemeinsam, sonst nichts.

(3) Als besonderen Fall können wir auch die Ansicht ausgrenzen, bei der Kreuzigung sei es zu einer Verwechslung gekommen. Nicht Jesus habe gelitten, „sondern ein gewisser Simon von Kyrene habe, dazu gezwungen, das Kreuz für ihn getragen. Dieser wurde irrtümlich und unwissentlich gekreuzigt, nachdem er von ihm (Jesus) verwandelt war, so daß er für Jesus gehalten wurde. Jesus aber nahm die Gestalt des Simon an und lachte sie aus, indem er dabeistand", so Irenäus in Haer I 24,4 über Basilides, aber auch dort weist der Kontext weitere doketistische Begrifflichkeit auf.

(4) Der soeben angesprochene Gedanke der Verwandlung ist am konsequentesten realisiert in der Polymorphie des Erlösers in ActJoh 87–93. 103–105, nach WEIGANDT I, 39f. Kronzeuge für den Doketismus, aber dem widersprechen BROX und JUNOD–KAESTLI (s. Anm. 3) 493: Es seien nur doketistische Einzelzüge in ein ganz anders gerichtetes Gesamtbild eingegangen. Das ist, wenn es dessen denn noch bedürfte, ein klassischer Beleg für die Schwierigkeiten mit der Terminologie. Man muß dazu noch wissen, daß JUNOD–KAESTLI ActJoh 94–102 als valentinianischen Einschub ausscheiden. Damit entfällt für die christologische Verortung die Vision des Lichtkreuzes mit Sätzen wie: „Ich bin nicht der am Kreuz" (ActJoh 99), oder: „Nichts von dem also, was sie über mich sagen werden, habe ich gelitten" (ActJoh 101), und mit paradox-symbolischer Interpretation des Kreuzestodes.

Komplexere Gebilde begegnen uns in den Texten von Nag Hammadi (zum Folgenden TRÖGER). Die Verwechslung von Simon von Kyrene und Jesus kennt auch 2 LogSeth NHC VII/2: „Ich starb nicht in Wirklichkeit, sondern nur scheinbar" (55,18f.); „Es war ein anderer, Simon, der das Kreuz auf seiner Schulter trug, ein anderer, dem sie die Dornenkrone aufsetzten. Ich aber freute mich in der Höhe ... und ich lachte über ihre Unwissenheit" (56,9–14. 18–20). In ApcPt NHC VII/3 wird Petrus Schritt für Schritt an die Erkenntnis herangeführt, daß nur das Sarkische am Erlöser leidet, nicht das Pneumatische: „Der, den du siehst bei dem Holz, heiter und lachend, das ist der lebendige Jesus. Aber der, in dessen Hände und Füße sie Nägel treiben, ist (nur) sein fleischlicher Teil (σαρκικόν), sein ,Ersatzmann' (im Koptischen steht das Wort für ,Tausch') ...,

welcher sein Gleichbild war" (81, 15–23); die Weltmächte haben den Falschen zuschanden gemacht, nämlich „den Sohn ihrer (eigenen) Herrlichkeit" (82, 1 f.).
Der Auferstandene sagt in 1 ApcJac NHC V/3 31, 17–22: „Zu keinem Zeitpunkt
habe ich irgend etwas erlitten noch wurde ich gequält. Und dieses Volk hat mir
kein Leid angetan." Petrus berichtet in EpPt NHC VIII/2 139, 15–23 zunächst
in ganz orthodoxem Stil von der Passion Jesu, gibt dann aber die Deutung:
„Jesus ist diesem Leiden gegenüber ein Fremder. Wir sind diejenigen, die gelitten
haben wegen der Übertretung der Mutter." TRÖGER, der auch andere, nicht-
doketistische Ansätze aus Nag Hammadi referiert, vermißt Doketismus im
strikten Sinn, sieht aber doketistische Tendenzen, „die dem Doketismus sehr
nahe kommen" (47), als vorhanden an.

Doketismus und Gnosis überlagern sich in der Christologie über eine
beträchtliche Strecke hin. Von einer einfachen Identifizierung wendet
sich die Forschung jedoch mehr und mehr ab. Auch WEIGANDT hat das
schon getan, trotz seiner erstaunlichen Feststellung, die Johannesbriefe
würden mit ihrer Polemik den ganzen Kreis der wichtigsten gnostischen Christologien aus der ersten Hälfte des 2. Jahrhunderts abschreiten (I, 106 f.). Es gibt gnostische Christologien, die einen anderen
Weg einschlagen; es gibt vor allem wie für die Adoptionschristologie so
auch für Frühformen des Doketismus einen anderen Ansatz im Judentum, das den biblischen Monotheismus nicht mit der Inkarnations-
vorstellung vermitteln konnte. Hier bot sich die Epiphanie von Engel-
wesen im AT als Hilfe an: „Abrahams Besucher in Mamre sahen aus wie
Menschen, waren aber keineswegs Menschen" (BROX 314 zu Gen 18;
vgl. die „doketistische" Exegese dieses Textes bei Philo, s. MÜLLER
116 f.). Im Buch Tobit verabschiedet sich der Engel Rafael, der zuvor
sehr direkt und lebendig als Reisebegleiter anwesend war, mit den
Worten: „Alle Tage bin ich euch erschienen, und ich habe weder gegessen noch getrunken, sondern ihr habt eine Erscheinung (ὅρασις) gesehen. Und nun sagt Gott Dank dafür, denn ich steige hinauf zu dem,
der mich gesandt hat" (Tob 12, 19 f.). Nimmt man noch seine Selbstvor-
stellung ἐγώ εἰμι Ραφαηλ in 12, 15 hinzu, führt uns das in beträchtliche
Nähe zur johanneischen Christologie, ihrer Herkunft und einer möglichen Interpretation, die in einem veränderten Koordinaţensystem als
Fehlinterpretation eingeschätzt wurde.

Zugleich ergibt sich von hier aus eine Konvergenzlinie zu griechisch-
hellenistischem Denken (WEIGANDT I, 32–35), das vor dem Hintergrund des Dualismus von Geist und Materie, Gott und Welt durch
eine Inkarnationschristologie in die Aporie geführt wurde, außerdem
gewohnt war, daß Gottheiten und Heroen nur von Zeit zu Zeit in
menschlicher Gestalt auf Erden *erscheinen* (Homer, Od 10, 277–280;

13, 221–225; 17,483–487) oder sich durch ein schattenhaftes Abbild und Trugbild vertreten lassen, man denke nur an das εἴδωλον des Herakles in der Unterwelt bei Homer, Od 11,601 f., an das beseelte Abbild der Helena, das Paris nur zum Schein besaß, in der griechischen Mythologie (z.B. Euripides, Hel 33–36: ὁμοιώσασ᾿ ἐμοὶ εἴδωλον ... δοκεῖ μ᾿ ἔχειν – κενὴν δόκησιν) und an das *simulacrum nudum* und die *umbra* Caesars bei Ovid, Fasti 3,701 f. Dieses Zusammentreffen dürfte nicht die geringste Ursache für den Erfolg und die Attraktivität einer doketistisch eingefärbten Christologie gewesen sein. Die Trennungschristologie Kerinths mit der Einwohnungskonzeption ist zwar anders konstruiert, dennoch würde ich sie im Endergebnis vom Doketismus so weit nicht abrücken.

C. Gegnerprofile

L 48: BLANK: Irrlehrer (L 46). – BOGART: Perfectionism (L 42). – GHIBERTI, G.: Ortodossia e eterodossia nelle lettere giovannee, in: RivBib 30 (1982) 381–400. – HENGEL: Question (L 02) 51–63. – LIEU: Authority (L 42). – PAINTER: Opponents (L 42). – SMALLEY, S.S.: What about 1 John?, in: Studia Biblica 1978. III. Papers on Paul and Other New Testament Authors (JStNT.S 3), Sheffield 1980, 337–343. – STAGG, F.: Orthodoxy and Orthopraxy in the Johannine Epistles, in: RExp 67 (1970) 423–432. – STORR: Zweck (s. Anm. 11) 224f. – Weitere Lit. zu den Gegnern in L 42 und L 49–51.

Die Bestimmung des Gegnerprofils geht in der Regel so vor sich, daß man bestimmte textliche Daten mit bestimmten Materialien aus dem religionsgeschichtlichen Kontext zur Deckung zu bringen versucht. Das läuft selten ganz störungsfrei ab; es kommt zu Interferenzen, die das Gesamtbild verzerren. Ganz schwierig wird die Angelegenheit, wenn man statt einer gleich zwei gegnerische Gruppen identifizieren will. STORR, um ein frühes Beispiel zu nehmen (1786), arbeitet mit der doppelten Frontstellung gegen (a) Jünger Johannes᾿ des Täufers und (b) Anhänger Kerinths. SMALLEY verteilt die polemischen Aussagen auf einen hellenistisch-gnostischen, nahe bei Kerinth stehenden Doketismus und einen jüdisch-ebionitischen Adoptianismus. Er wiederholt damit fast bis in den Wortlaut hinein die Position von SANDER, JohBr 17 (1851), der 1 Joh 2,18–23 gegen Ebioniten und 4,2–3 gegen Doketen gerichtet sah. Die einen leugnen die Gottheit, die anderen die Menschheit Jesu Christi. Im Grund kann man diese Zweiteilung bis zu Tertullian zurückverfolgen (vgl. Praescr 33: Der Apostel bezeichnet „in seinem Brief als Antichristen die, welche leugnen, daß Christus im Fleisch erschienen ist, und nicht glauben, daß er der Sohn Gottes sei. Das erstere vertritt Marcion, das letztere Hebion").

Die Forschung hat sich mehrheitlich darauf einigen können, daß 1 Joh nur *eine* Gegnergruppe im Visier hat. Auch der Zusammenhang von Leben und Lehre wird zumeist nicht auseinandergerissen. Die Mängel in der Lehre und die Mängel in der Lebensführung bedingen einander (s. GHIBERTI; STAGG). Für die Typisierung der Gegner werden zwei Möglichkeiten bevorzugt, auf die wir im einzelnen eingehen: Juden(christen) und Gnostiker. Anders als bei Tertullian bilden sie unter der Voraussetzung einer einheitlichen Gegnerfront einander ausschließende Alternativen.

Nicht restlos geklärt ist auch das Verhältnis von Außeneinwirkung zu innergemeindlichen Entstehungsbedingungen. Die Favorisierung von Judentum und Gnosis geht faktisch oft Hand in Hand mit einer besonderen Gewichtung der äußeren Einflüsse, die in die Gemeinde hinein übergriffen. Das soll offensichtlich auch die johanneische Theologie entlasten, die man dann nicht mehr für die Folgen verantwortlich zu machen braucht.

HENGEL betont mehrfach, daß Kerinth "coming from outside" in der johanneischen Schule verhängnisvolle Resonanz fand (60 f.; auch 55.72). Nach BOGART wurde ein genuin johanneischer orthodoxer Semi-Perfektionismus überlagert von einem häretischen Perfektionismus, den Vorläufer der valentinianischen Gnosis, "heretical-perfectionist-docetist-libertine-charismatic-prophetic-itinerant-teachers" (133), in die Gemeinde hineintrugen (119–122). BLANK hingegen meint, daß man nicht gleich nach „religionsgeschichtlichen Schubladen und Modellen" greifen, sondern auch „binnenkirchliche Probleme und Entwicklungen" ins Kalkül einbeziehen sollte (181). Auch wenn LIEU ansonsten die Gegnerfrage zu sehr herunterspielt, sind doch die Schlußzeilen ihres Beitrags beherzigenswert: "To understand 1 John we must not go in pursuit of docetics or gnostics as the villains of the piece; they are closer to home, the stepbrothers or, to change the image, the distorted reflections of the author himself ..." (227). Wir nehmen diesen Aspekt unter der Überschrift „Ultra-Johanneer" gesondert auf (wie eine Zwischenlösung, die Innen- und Außenaspekte integriert, aussehen könnte, zeigt PAINTER 67: Die Gegner waren ehemalige, mit Mysterienkulten vertraute Heiden, die nach dem Konflikt mit der Synagoge zur johanneischen Gemeinde stießen und die Traditionen des Johannesevangeliums auf doppelte Weise mißverstehen mußten, von ihren mitgebrachten Voraussetzungen her und weil sie den historischen Kontext der evangeliaren Überlieferungen selbst nicht miterlebt hatten).

1. Juden(christen)

L 49: BARDY: Cérinthe (L 46). – BELSER, J. E.: Erläuterungen zu I Joh, in:
ThQ 95 (1913) 514–531; vgl. ders., JohBr 2–7. – CLEMEN: Beiträge (L 40) 271–
277. – KÜGLER: Tat (L 42). – O'NEILL: Puzzle (L 19). – ROBINSON: Destination
(L 02). – SONGER, H. S.: The Life Situation of the Johannine Epistles, in: RExp
67 (1970) 399–409. – STEGEMANN: Erwägungen (L 21). – THYEN, H.: Johannesbriefe (L 02). – WEISS, K.: Die „Gnosis" im Hintergrund und im Spiegel der Johannesbriefe, in: K. W. Tröger (Hrsg.), Gnosis und Neues Testament. Studien
aus Religionswissenschaft und Theologie, Berlin 1973, 341–356. – WURM, A.:
Die Irrlehrer im ersten Johannesbrief (BSt [F] 8/1), Freiburg i. Br. 1903.

Am energischsten und nicht ohne Geschick hat sich WURM für die
Herkunft der Gegner aus dem Judentum eingesetzt.[41] Streitpunkt ist im
Evangelium die Messianität Jesu, die gegen jüdische Angriffe verteidigt
werden muß (vgl. Joh 7, 25–27; 9, 22; 10, 24. 36). Die Schlüsselstelle 1 Joh
4, 2–3 bedeutet: Geleugnet wird, daß Jesus der verheißene Messias sei.
Nach der Tempelzerstörung hat, so WURM, das Judentum in Kleinasien
in verstärktem Umfang gegen das Christentum agitiert, den Kreuzestod
des angeblichen Messias verspottet und damit in den Gemeinden viele
Judenchristen in Verwirrung gestürzt. Erhebliche Probleme bekommt
WURM mit der Einbindung des moralisch-ethischen Konfliktpotentials.
Man braucht nur die Zusammenfassung zu lesen, um zu erkennen, daß
es so nicht geht: „Damit, dass der königliche Mantel der Messianität
und Gottessohnschaft von den Schultern Jesu fiel, sank auch die gebie-
terische Hand herunter, die sie bisher – die innerlich widerstrebenden –
an die spezifisch christlichen Sittenideale gebunden. Dafür hoben sie,
dem Drang des jüdischen Blutes folgend …, die Autorität des alttestamentlichen sittlichen νόμος auf ein um so höheres Piedestal" (158).
Dennoch hat die Arbeit von WURM einen gewissen Eindruck nicht
verfehlt. BELSER und BARDY (349) schließen sich ihm an, BELSER mit wenigen Vorbehalten (u. a. will er gegen WURM die „Unzuchtssünden" in
2, 16 retten; dabei kommt es zu einem unangenehm antijüdischen Zun-
genschlag, s. 525). CLEMEN folgt ihm immerhin so weit, daß er das ke-
rinthisch-doketistische Paradigma aufgibt und die Gegner, die für ihn
allerdings geborene Heiden sind, zwar nicht mehr die Messianität, aber
statt der Menschennatur vielmehr die präexistente Gottessohnschaft

---

[41] Zur Vorgeschichte der Judaistenhypothese bei J. S. SEMLER, Paraphrasis in
Primam Ioannis epistolam, Riga 1792, und seinen Nachfolgern s. LÜCKE, JohBr
78 f. Wenige Jahre vor WURM deutet rein judaistisch KARL, Studien (L 02)
60 f. 97.

Jesu bestreiten läßt (vgl. Joh 8,48–58). Die Wiederbelebung einer verwandten Sicht bei O'NEILL scheitert an der unzureichenden Quellentheorie (s. IV/B). STEGEMANN kombiniert die strittige messianische Auslegung von 4,2–3 mit der auf 5,21 (s. IV/D) basierenden These, in einer akuten Verfolgungssituation hätten sich insbesondere ehemalige Juden wieder von der christlichen Gemeinde abgewandt und in den Schoß der Synagoge zurückgeflüchtet.

Herrschende Interpretationsmodelle wie das doketistisch-gnostische erwecken von Zeit zu Zeit grundsätzlichen Widerspruch. So ist es wohl auch zu verstehen, wenn THYEN wieder den Ansatz von WURM zu neuen Ehren bringt und seinerseits die Abtrünnigen als orthodoxe Juden einstuft (192–195). Überzeugender wird das alles auch bei ihm nicht. Er beruft sich u. a. noch auf WEISS und ROBINSON. Aber WEISS sucht die Gegner dezidiert in einem hellenistischen Judentum (so auch SONGER) nach der Art von 1 Kor 1–2 (356), was doch schon etwas anderes ist, und ROBINSON argumentiert differenzierter oder auch inkonsequenter. Er arbeitet zwar die jüdischen Züge heraus (131: "orthodox Jews"), zweifelt aber nicht daran, daß wir vor einer "form of incipient Gnosticism" (133) stehen und endet bei Kerinth und bei einem "gnosticizing movement within Greek-speaking Diaspora Judaism" (138). Von hier bis zu den „Sendlinge(n) aus Judäa" (BELSER 3) ist ein weiter Weg, zu weit, als daß man ihn noch mit dem einzigen Etikett „jüdisch-judenchristliche Opposition" versehen könnte.

Einen durchdachteren Vorschlag unterbreitet KÜGLER: Rein innertextlich habe die Meinung, bei den Gegnern handle es sich um Juden, viel für sich. Aber das sei eine Fiktion, die der Autor erzeugt, um die Opponenten als Ungläubige zu entlarven. Die aktuelle Lage projiziert er mittels anonymer Pseudepigraphie in die konfliktreiche Vergangenheit zurück, wo es solche Auseinandersetzungen mit dem Judentum gab. In der Realität ziele er aber nicht auf Juden, sondern auf eine innerchristliche Gruppe, die durch laxe Lebensführung zu einer Bedrohung für die Gemeinde wurde. Selbst das erscheint mir nicht sicher oder doch nur insoweit zutreffend, als im Brief in der Tat Klischees reaktiviert werden, die im Evangelium eine antijüdische Zuspitzung tragen. Fraglich bleibt auch die Ausblendung der Christologie aus der pragmatischen Zielsetzung und die Deutung von 2,19, wo es sich um einen „in die Vergangenheit zurückverlegten Zukunftsaspekt" (84) handeln soll.

2. Gnostiker

L 50: EHRMAN: 1 Joh 4,3 (L 07) 239f. – HOLTZMANN: Problem 3 (L 02). – HÜMPEL, E.: De errore christologico in epistolis Ioannis impugnato eiusque auctore. Quaestio historico-critica, Erlangen 1897. – KÄSEMANN: Ketzer (L 39).

– LANGBRANDTNER: Ketzerstreit (L 42). – RICHTER, G.: Blut und Wasser aus der durchbohrten Seite Jesu (Joh 19,34b), in: Ders., Studien zum Johannesevangelium (BU 13), Regensburg 1977, 120–142 = MThZ 21 (1970) 1–21. – ŠKRINJAR, A.: Errores in epistola I Jo impugnati, in: VD 41 (1963) 60–72. – STRECKER: JohBr 131–139. – VORSTER, W.S.: Heterodoxy in I John, in: Neot 9 (1975) 87–97. – VOUGA: School (L 33). – DERS.: Réception (L 24). – WEISS: „Gnosis" (L 49) 353–356. – WENGST: Häresie (L 46).

„Die bekämpfte religiös-sittliche Abweichung vom Christentum ist *gnostisch* orientiert. Das bedarf nach der ganzen Terminologie und Anschauungswelt keines näheren Beweises" (SCHNACKENBURG, JohBr 16; Hervorheb. im Orig.). So lautet die Mehrheitsmeinung, und sie reicht im Grunde in die Alte Kirche zurück, wo 1 Joh spätestens seit Irenäus und Tertullian als Waffe im Abwehrkampf gegen die Gnosis eingesetzt wurde. Den Hauptbezugspunkt bildet die Christologie. Innerhalb des gemeinsamen Rahmens ergeben sich verschiedene Optionen, je nachdem, bei welchen „Gnostikern" man einsetzt, ob man Kerinth zur Gnosis rechnet, wie man mit dem Doketismusbegriff umgeht. Auch von „Prä-Gnosis" oder Vorstufen zur Gnosis zu sprechen erfreut sich beträchtlicher Beliebtheit.

HOLTZMANN versuchte es seinerzeit noch mit Satornil und Basilides, während HÜMPEL sich sehr entschieden für Kerinth aussprach (Kerinth sehen als erste Adresse u.a. auch an ŠKRINJAR; EBRARD, JohBr 20–22; BROOKE, JohBr XLVI; ALEXANDER, JohBr 32; STOTT, JohBr 51; HAUPT, Brief [L 02] 312; LANGBRANDTNER 378f.). WENGST lokalisiert die Gegner auf halbem Weg zwischen dem Johannesevangelium und Kerinth, möchte ihre Trennungschristologie aber nicht doketistisch nennen. RICHTER verwirft die Trennungschristologie überhaupt und meint, die Gegner hätten Jesus nur einen aus Wasser bestehenden Scheinleib zuerkannt (deshalb die Korrektur in 1 Joh 5,6), kann das aber religionsgeschichtlich kaum belegen. Auch EHRMAN schreibt ihnen Doketismus im engeren Sinn zu: Wie für die Gruppe, die Ignatius bekämpft, sei Jesus für sie nur ein Geist ohne echten Leib gewesen. Nach GRAYSTON, JohBr 26, vertraten der Briefautor selbst (s.u.) und seine Gegner eine "soft gnosis" im Unterschied zum "hard gnosticism" des 2. Jahrhunderts. STRECKER rekurriert auf einen relativ breit definierten kleinasiatischen Doketismus.

Neben der Christologie hat man auch andere Themenbereiche aus 1 Joh in Gnosisnähe gerückt: den Dualismus allgemein (den aber auch Qumran kennt); die Metaphorik von Licht und Finsternis (für die es eine reiche alttestamentliche Vorgeschichte gibt); die Sündlosigkeit der Gotteskinder und die Zeugung aus Gott; das Schlagwort vom „Gott erkennen" (2,3); die Salbung, die über alles belehrt (2,21.27), und den Samen Gottes, der im Glaubenden bleibt (3,9); das Beispiel Kains aus

3, 12 (vgl. die gnostische Sekte der Kainiten); die ethische Indifferenz, die späteren Gnostikern eine problemlose Integration in die nicht-christliche Gesellschaft erlaubte und materielle Vorteile verschaffte. Bei manchen dieser Themen ist keineswegs klar, ob sie überhaupt aufs Konto der Gegner oder nicht vielmehr auf das des Briefautors gehen. Das hat schon zu der Frage Anlaß gegeben, auf die wir gleich zurück-kommen, ob nicht der Autor selbst zumindest in seiner Diktion gnosti-scher sei als seine Gegner (WEISS). Die Hauptschwierigkeit ergibt sich aber zweifellos aus der Datierung der Quellen. Zuverlässige gnostische Originaltexte aus der Zeit des 1 Joh besitzen wir einfach nicht. Wir ar-beiten mit Vergleichsmaterial, das in günstigen Fällen 50 bis 100 Jahre jünger ist. Daß es an den genannten Kontaktstellen selbst bereits unter dem Einfluß des johanneischen Schrifttums steht, kann keineswegs aus-geschlossen werden (mögliche Beispiele s. o. S. 20 f.). Die Abhängigkeit immer auf seiten des 1 Joh zu vermuten heißt die Dinge auf den Kopf stellen. Man muß dazu auch festhalten, was an Erkennungsmerkmalen der ausgearbeiteten gnostischen Systeme alles noch fehlt. Die „Devolu-tion" (Abwärtsentwicklung) des Göttlichen, ein böser Demiurg mit seinen Äonen, die Widergöttlichkeit der Welt, der Mythos von Fall und Rettung der Sophia, komplexe Kosmologien mit bis zu 10 Himmels-sphären, zwei- oder dreiteilige Anthropologie mit überkosmischer Seele oder Lichtfunken, Seelenaufstieg – nichts von diesen Dingen, die als wesentlich gelten,[42] findet sich im 1 Joh. Immer gilt: Einzelelemente an sich sind noch nicht unbedingt gnostisch, sie werden es mit Sicher-heit erst im geschlossenen System.

Eine eigenartige, durch KÄSEMANN (und im 19. Jh. durch Kreyenbühl) aber schon vorbereitete Kehrtwendung innerhalb der gnostischen Parameter voll-zieht VOUGA. Gnostisch infiziert sind nicht die Gegner, sondern der Briefautor selbst und die Gruppe, für die er spricht. Seine Gegner haben sich den Ge-meinden der Pastoralbriefe oder des lukanischen Doppelwerks angeschlossen. Der Autor sieht sich mit einer Ketzerpolemik nach der Art von 1 Tim 5, 24; 2 Tim 2, 18; 3, 6 konfrontiert und setzt sich mit kräftigen Worten zur Wehr. Auch VOUGA arbeitet mit den Nag-Hammadi-Texten, wo eine solche gnostische At-tacke auf die frühkatholische Kirche anzutreffen sei (s. u. VIII/A. 1). Ob das ge-nügt, um 1 Joh 2, 19 entsprechend zu deuten, muß doch, vorsichtig gesagt, offen-bleiben. Genuine Gnosis in den Eigenaussagen des 1 Joh aufzuweisen fällt um keinen Deut leichter. Diotrephes aus 3 Joh 9 steht in dieser Optik auf einer Linie mit den Gegnern in 1 Joh, was aufgrund der unterschiedlichen Schärfe der Auseinandersetzung hier wie dort nahezu ausgeschlossen erscheint.

---

[42] Vgl. H. JONAS, Gnosis und spätantiker Geist. Teil 1: Die mythologische Gnosis (FRLANT 51), Göttingen ³1964, 5.

Natürlich ist das Gnosisparadigma damit noch längst nicht abgetan, es wird uns bis ins Resümee hinein begleiten (s. u. D). Als Überleitung zum Folgenden kann uns die Beobachtung helfen, daß grundsätzliche Kritik an der gnostischen Ableitung bei VORSTER verbunden wird mit der Forderung, doch nach innen zu schauen, auf innerchristliche und innerkirchliche Abläufe, die zur Erklärung vollauf ausreichen.

3. Ultra-Johanneer

L 51: BROWN, R. E.: The Relationship to the Fourth Gospel Shared by the Author of 1 John and by His Opponents, in: Text and Interpretation (FS M. Black), Cambridge 1979, 57–68. – DERS.: JohBr 69–115. – HOULDEN: JohBr 11–20. – KÄSEMANN, E.: Jesu letzter Wille nach Johannes 17, Tübingen ³1971. – MÜLLER, U. B.: Die Geschichte der Christologie in der johanneischen Gemeinde (SBS 77), Stuttgart 1975, 53–68. – DERS.: Menschwerdung (L 45) 84–101. – RICHTER: Blut (L 50) 124–126. – THEOBALD: Fleischwerdung (L 34) 400–437. – VIELHAUER: Geschichte (L 09) 472. – WENGST: Häresie (L 46).

Der Ausdruck „Ultra-Johanneer" ist von VIELHAUER entlehnt. Für ihn bestand „die Irrlehre aus der Überspitzung einzelner johanneischer Gedanken". Ihre Vertreter haben sich weiter vorgewagt (2 Joh 9) als erlaubt, berufen sich aber für ihr Denken auf das Johannesevangelium bzw. auf johanneische Traditionen, die ins Evangelium Aufnahme fanden oder auch neben der im Evangelium getroffenen Auswahl (Joh 20, 30) her gepflegt wurden, wie z. B. die synoptische Taufperikope, die das Evangelium als bekannt voraussetzt. Dadurch wird einsichtig, wieso sich der Autor und seine Gegner oft nur um Nuancen voneinander unterscheiden und nahezu identische Positionen beziehen können. Sie ringen um das rechte Verständnis des gemeinsamen Erbes. In welche Richtung die gegnerische Theologie verläuft, deutet BONNARD mit dem Begriff der «désincarnation» an (JohBr 12).

Am gründlichsten ausgearbeitet und in eine umfassende Rekonstruktion der johanneischen Gemeindegeschichte eingebettet (s. u. VIII/A) hat diesen Vorschlag inzwischen BROWN. Die „Sezessionisten", wie er sie bevorzugt nennt, leugneten zwar nicht die Realität der Inkarnation, aber sie ließen (a) wohl den Zeitpunkt offen, von dem Joh 1, 14 nichts sagt (die Fleischwerdung könnte auch erst bei der Taufe geschehen sein) und sie minimalisieren (b) die soteriologische Bedeutung des Erdenlebens und des Sterbens Jesu. Entscheidend für das Heil ist sein bloßes Kommen. Dazu paßt ein persönliches Vollendungsbewußtsein, das die Realitäten der Lebenswelt nicht mehr als zu bewältigende Aufgabe ansieht. Außeneinflüsse blendet BROWN völlig aus. Die Gegner sind zu einem späteren Zeitpunkt in häretischen Strömungen wie Montanismus, Doketismus und Gnosis aufgegangen, die Restgemeinde um den Briefautor schloß sich der petrinischen Großkirche an. Kritisch ist anzumerken, daß bei BROWN die Konturen des Gegnerbildes manchmal eigentümlich unscharf und verschwommen wirken. Was soll das bedeuten, ja zur Inkarnation und nein zu ihren Folgen?

In die innerjohanneische Theologiegeschichte tragen auch MÜLLER und THEOBALD die im 1 Joh ausgefochtene Kontroverse ein. Während MÜLLER in seinem früheren Versuch (Geschichte) noch mehr an strikten Doketismus dachte, nähert er sich in seiner neueren Arbeit (Menschwerdung) dem Modell einer Trennungschristologie. Aus der spannungsvollen Einheit von Fleischwerdung des Logos (zu welchem Zeitpunkt?) und Aufleuchten himmlischer Doxa in Joh 1,14 haben die Gegner einseitig die Herrlichkeitsaussage herausgebrochen. THEOBALD postuliert eine archaische Evangeliumseröffnung, die noch nicht den Hymnus, sondern nur Täuferstoffe enthielt. Auf ihrer Grundlage entwickelten die Gegner eine dualistische Taufchristologie: Bei der Taufe stieg der himmlische Pneuma-Christus und Logos auf Jesus herab. Die literarkritische Hypothese braucht uns hier nicht zu beschäftigen. Wertvoll und zutreffend ist die Erstellung des traditionsgeschichtlichen Horizontes einer im 2. Jahrhundert von Anfang an verbreiteten Taufchristologie (414–418), die ohne große Widerstände bei einer adoptianischen Lektüre der Taufperikope Mk 1,9–11 parr ansetzen konnte, um dann durch Ankoppelung an die Präexistenzchristologie zu einer mythologischen Überhöhung voranzuschreiten (vgl. das körperliche Verschmelzen der vom Himmel herabkommenden Taube – diese auch in Joh 1,32 – mit Jesus im Ebionäerevangelium Fr. 3; NTApo[5] I, 141). Weniger deutlich stellt sich der Sachverhalt bei dem anderen Eckpfeiler, dem Sterben Jesu, dar. Wie schon WENGST 24 versucht THEOBALD 410f. erneut, das Aufgeben des Geistes in Joh 19,30 im Sinn der gegnerischen Trennungschristologie zu lesen. Bei einem freien bis gewaltsamen Umgang mit der Überlieferung (s. 411: „zu ideale Vorstellungen hinsichtlich der Textnähe damaliger Exegese" sollten wir uns nicht machen) scheint das möglich.

Den Haupteinwand gegen die Trennungschristologie behandeln ihre Vertreter nur am Rand. Er besteht darin (s. RICHTER), daß der Briefautor in 5,6 das Gekommensein Jesu im Wasser zwar durch sein Gekommensein im Blut ergänzt, das Kommen im Wasser aber nicht prinzipiell ausschließt und somit die gegnerische Kernthese implizit anerkennt. Das Argument ist so leicht nicht zu entkräften. Daß der Autor von der gleichen Textbasis aus arbeiten muß wie seine

Gegner und an eine bestimmte Formelsprache gebunden war, kann ein Stück
weiterhelfen, aber eben nur ein Stück. Man wird doch annehmen müssen, daß
der Verfasser stillschweigend weitere Korrekturen an der Wertung der Tauf-
erzählung durch die gegnerische Christologie anbringt. Das geschieht zum
einen durch eine Neubestimmung der Funktion des Geistes, der in 5,6 nur der
Bezeugende ist, also nicht, wie man aus Joh 1,33 folgern könnte, der Geistchri-
stus selbst. Zum andern wird auch das Wasser mit einer zusätzlichen neuen Kon-
notation versehen, was auf dem Umweg über Joh 19,34 gelingt. Nicht nur das
Blut allein, sondern auch der Doppelausdruck „Wasser und Blut" können an das
Sterben Jesu gebunden werden. Auch die Heilsverheißungen, die sich im Evangelium (vgl. Joh 3,5; 4,14; 7,37–39) mit dem Wasser verbinden, gewinnen ihren
tragenden Grund erst vom Sterben Jesu her. Im Vergleich dazu verblaßt, was von
der Taufe Jesu mit Wasser gesagt wurde, die allein auch nicht als Vorbild für die
– von den Gegnern hochgeschätzte – christliche Taufe genügt.

Die Herleitung des christologischen Konflikts im 1 Joh aus einem
Streit um evangeliare Traditionen erfordert im übrigen nicht, dem Johannesevangelium, wie es KÄSEMANN tut, einen „naiven Doketismus"
zu unterstellen. Eine gewisse Offenheit und Ambivalenz, eine man-
gelnde Eindeutigkeit in Fragen, die als solche erst später aufbrechen
mochten, genügt vollauf. Neben der innergemeindlichen Geschichte
mit ihren Krisenphänomenen (Tod des Evangelisten? des Lieblingsjüngers?) wird man auch dem äußeren Ambiente einen Anteil beim Aufkommen neuer Herausforderungen zugestehen, auch wenn es im einzelnen nur schwer exakt zu fassen ist. Ein großer und kühner theologi-
scher Entwurf hat es außerdem so an sich, daß er auch Gefahren in sich
birgt und Effekte freisetzen kann, die den Hütern der Tradition mehr
als bedenklich vorkommen.

D. Ergebnisse

Es ist die Crux aller Überlegungen zur Gegnerfrage, daß die textlichen Daten nicht so eindeutig sind und wir auf die Heranziehung von
Kontexten und von besser ausgearbeiteten Modellen kaum verzichten
können, und sei es nur, daß wir sie heuristisch einsetzen, um manchen
Dingen auf die Spur zu kommen. Die Bestimmung der gegnerischen
Christologie scheint sich auf die Alternative von striktem Doketismus
oder Trennungschristologie zuzuspitzen, wenn sich nicht eine Position
finden läßt, die beidem noch vorausliegt. Eine große Rolle scheint in
jedem Fall die Taufe gespielt zu haben, als christologisches und als exi-
stentielles Fundamentaldatum. Die Geistbegabung Jesu, die ihn zur Er-
scheinungsweise des Gottessohnes macht, gilt zweifelsfrei erst von der

Taufe an. Ob sie vor dem Sterben endete oder vom Sterben nicht tangiert wurde, läßt sich nicht mit gleicher Wahrscheinlichkeit ausmachen, aber daß Inkarnation und Kreuzestod in ihrer soteriologischen Relevanz in den Hintergrund traten, wird man festhalten dürfen. Von der Ausstattung mit dem Geist bei der Taufe an datiert auch die grundlegende Wende im Leben der Glaubenden. Es wird fortan von einer starken und intensiven Geisterfahrung geprägt, die sich aber anders als im Korinth des Paulus nicht in ekstatischen und charismatischen Phänomen äußerte, sondern in einer konsequenten und folgenreichen Verinnerlichung des Glaubenslebens. Gotteserkenntnis und Gemeinschaft mit Gott gesteigert bis zur Gottesschau, eine rein präsentisch gefaßte Eschatologie, völlige Sündlosigkeit der Gotteskinder, das sind quantitativ geringfügige, in der Auswirkung nach Meinung des Briefautors aber verhängnisvolle Radikalisierungen johanneischer Theologumena auf seiten der Gegner. Nicht umsonst betont er die reale, leibhaftige Existenz des Gottessohnes („im Fleisch gekommen"), der uns als Mensch handgreiflich nah (1, 1) begegnet ist, ebenso aber auch die leibhafte Dimension des christlichen Lebens, die nicht in elitärem Bewußtsein überspielt werden darf: Wer Bruder und Schwester notleiden sieht, ohne zu helfen, wie kann der sich der Illusion hingeben, von der Liebe Gottes beseelt zu sein (3, 17)?

Blicken wir noch einmal auf die Gnosisdiskussion zurück und gehen wir sie diesmal prospektiv an. Auch die Gnosis fiel nicht vom Himmel, sie hat ihre Wurzeln, sie wurde vorbereitet und von Zeitströmungen in ihrem Entstehen begünstigt. Man weiß inzwischen, daß aus der Täuferbewegung im Jordangraben ein kräftiger Impuls in die Gnosis einging, der bis zu den Mandäern nachwirkt. Hier wäre an die prominente Stellung des Täufers und der Täuferjünger in den Evangeliumsstoffen zu erinnern. Es kann durchaus eine direkte oder traditionsgeschichtlich-literarische Vermittlung hin zur bleibend hohen Bewertung der Taufe geben. Man weiß ferner, daß auch Segmente des Judentums das ihre in den großen gnostischen Topf einbrachten. Bekannt ist die Rezeption des Sophiamythos, der z. T. über die Weisheitsliteratur verlief. Denken wir in dem Zusammenhang an die weisheitlich geprägte Christologie des Johannesevangeliums, die man zur Einwohnungchristologie in ontologischem Sinn ausbauen konnte. Das sind nur zwei Stränge von mehreren – angelomorphe Sendbotenkonzepte im Judentum und Epiphanien von Heroen und Göttern im hellenistischen Raum sind weitere –, die einerseits zum alles andere als uniformen Judentum des 1. Jahrhunderts und andererseits zur Gnosis des 2. Jahrhunderts hin verlaufen. Darin liegt m. E. das Körnchen Wahrheit der jüdisch-judenchristlichen Einordnung der Gegner und das größere Korn Wahrheit der Gnostikerthese. Daß sich aus diesem brodelnden Gemisch noch keine ganz festen Größen herauskristallisiert hatten, ist der innere Grund dafür, warum uns die historische Verortung so schwer fällt. Es liegt, das sei wiederholt, auch nichts an dieser oder jener Etikettierung. Es kommt vielmehr darauf an, die konkrete historische Erscheinung so scharf wie möglich zu erfassen, zugleich aber auch Entwicklungstendenzen und strukturelle Verwandtschaften wahrzunehmen. An bloßen „Ableitungen" ist niemand mehr ernsthaft interessiert.

VIII. ABFASSUNGSVERHÄLTNISSE

Bei den Ausführungen zur Verfasserfrage und zur Gegnerfrage haben wir notwendigerweise schon manches angesprochen, was die Abfassungsverhältnisse der drei Johannesbriefe betrifft, und vorausgreifend Thesen formuliert, die noch einer weiteren Erprobung bedürfen. Wir sagten, daß der Presbyter aus 2/3 Joh auch hinter dem Wir in 1 Joh 1, 1–4 stehe und aller Wahrscheinlichkeit nach Verfasser aller drei Texte sei. Wir haben den Konflikt mit einer gegnerischen Gruppe auf lehrhaftem Gebiet von 1 Joh aus entwickelt. Es bleibt die Aufgabe, soweit als möglich die äußeren Gegebenheiten und Abläufe dieses Streites zu erhellen und zu überprüfen, ob und wie sich 2/3 Joh in dieses Bild einpassen. Schließlich stehen in dem Zusammenhang auch die klassischen Einleitungsfragen nach Ort und Zeit zu einer knappen Behandlung an.

A. Die Gemeindesituation

1. „Aus unserer Mitte" (1 Joh)

L 52: BEUTLER, J.: Krise und Untergang der johanneischen Gemeinde: Das Zeugnis der Johannesbriefe, in: J.M. Sevrin (Hrsg.), The New Testament in Early Christianity (BEThL 86), Löwen 1989, 85–103. – BROWN, R.E.: The Community of the Beloved Disciple. The Life, Loves, and Hates of an Individual Church in New Testament Times, New York 1979; dt.: Ringen um die Gemeinde. Der Weg der Kirche nach den Johanneischen Schriften, Salzburg 1982. – CULPEPPER, R.A.: Synthesis and Schism in the Johannine Community and the Southern Baptist Convention, in: PRSt 13 (1986) 1–20. – CURTIS: Purpose (L 22) 45f. – DAUER, A.: Schichten im Johannesevangelium als Anzeichen von Entwicklungen in der (den) johanneischen Gemeinde(n) nach G.Richter, in: Die Kraft der Hoffnung. Gemeinde und Evangelium (FS J.Schneider), Bamberg 1986, 62–83 (hilfreich als Schlüssel zu RICHTER, Studien [L 50]). – HAENCHEN: Literatur (L 02) 273f. – HARTIN, P.J.: A Community in Crisis. The Christology of the Johannine Community as the Point at Issue, in: Neot 19 (1985) 37–49. – JOHNSON: Antithesis (L 02) 224–260. – KLAUCK, H.J.: Gemeinde ohne Amt? Erfahrungen mit der Kirche in den johanneischen Schriften, in: Ders., Gemeinde – Amt – Sakrament. Neutestamentliche Perspektiven, Würzburg 1989, 195–222 = BZ NF 29 (1985) 193–220. – DERS.: Gespaltene Gemeinde (L 42). – DERS.: Antichrist (L 42). – OLSSON, B.: The History of the Johannine Move-

ment, in: L. Hartman, B. Olsson (Hrsg.), Aspects on the Johannine Literature
(CB.NT 18), Stockholm 1987, 27–43. – PERKINS, P.: *Koinonia* in 1 John 1:3–7:
The Social Context of Division in the Johannine Letters, in: CBQ 45 (1983) 631–
641. – RUCKSTUHL, E.: Zur Aussage und Botschaft von Johannes 21, in: Die
Kirche des Anfangs (FS H. Schürmann), Leipzig–Freiburg 1977, 339–362; auch
in: Ders., Jesus im Horizont der Evangelien (Stuttgarter Biblische Aufsatzbände
3), Stuttgart 1988, 327–353. – SMITH, D. M.: Johannine Christianity: Some
Reflections on its Character and Delineation, in: NTS 21 (1975) 222–248; auch
in: Ders., Johannine Christianity: Essays on Its Setting, Sources, and Theology,
Columbia 1984, 1–36. – WADE: Impeccability (L 22) 64. 78–81.

Jeder Versuch einer Situationsbeschreibung wird seinen Ausgang
nehmen bei dem Reflex des johanneischen Schismas in 1 Joh 2, 19: „Aus
unserer Mitte sind sie hervorgegangen, aber sie waren nicht aus unserer
Mitte. Denn wenn sie aus unserer Mitte gewesen wären, dann wären sie
bei uns geblieben. Aber es sollte offenkundig werden, daß sie alle nicht
aus unserer Mitte sind" (zur Begründung dieser Übersetzung des
Schlußstücks anstelle der anderen Möglichkeit: „daß nicht alle aus
unserer Mitte sind" vgl. SCHNACKENBURG, JohBr 151).

Das „uns" will CURTIS hier auf die "apostolic community" deuten; der
Schreiber versichere, daß die antichristlichen Irrlehrer entgegen ihrer Selbstaus-
sage nicht aus dem Kreis der Apostel kommen. WADE bezieht das „uns" auf die
Christenheit allgemein; die Opponenten stammen aus anderen, nichtjohanneischen Gemeinden. Beide Erklärungen sind zu gezwungen und laufen sogar Gefahr, den Wortsinn zu verstellen. Das viermalige ἐξ ἡμῶν verweist vielmehr auf
eine vorausliegende gemeinsame Geschichte, auf eine längere Phase des Mitein-
anders in ein und derselben Gemeinschaft (die Präposition ἐκ bringt auch sonst
im 1 Joh Ursprung und Zugehörigkeit zum Ausdruck). Hilfreich ist JOHNSON,
der soziologische Konflikttheorien anwendet: Schismen entstehen, wo Basis-
werte und Identitätsgefühl bedroht erscheinen; jede der streitenden Gruppen
sieht sich in Kontinuität mit den ursprünglichen Zielen; begünstigt werden Spal-
tungen sowohl durch extremen Dogmatismus wie auch durch eine zu unver-
bindliche Definition und Handhabung der Wahrheitsfrage, d. h., das eher lok-
kere johanneische Gemeindemodell ohne Zentralisierung der Verantwortung
hat zur Verschärfung der Lage beigetragen.

In V. 19 verarbeitet der Briefautor diese zutiefst traumatische Erfahrung, indem er sagt: Sie sind weggegangen, nicht wir. Wir, der verblei-
bende Rest, sind Träger der Identität der Gemeinde und ihrer Überlieferungen vom ersten Anfang an. Jede gemeinsame Geschichte wird
negiert. Es gab sie nie, sie war nur vordergründiger Schein. Ihrem innersten Wesen nach waren die Andersdenkenden nie echte Mitglieder der
Gemeinde, und das ist endlich ans Tageslicht gekommen. Unübersehbar
ist die Analogie zur Judasgestalt im Evangelium (Joh 6, 70 f.; 13, 30).

Die Wortwahl in 1 Joh 2, 19 erweckt den Eindruck, als habe sich eine kleine – man beachte aber auch die „vielen" Antichristen in V. 18 – häretische Gruppe abgesetzt, möglicherweise durch ein Auswandern im geographischen Sinn. Das rührt von der Wahl der Sprache (vgl. Dtn 13, 13 f.) und der wertenden Sichtweise des Verfassers her, es stimmt nicht unbedingt mit der Wirklichkeit überein (vgl. HAENCHEN). Vermutlich haben die „Sezessionisten" ungerührt am gleichen Ort weitergelebt, sich selbst als die einzig wahre johanneische Gemeinde gefühlt und den Briefautor mit seinen Anhängern als Splittergruppe betrachtet, die sich vielleicht noch ins eigene Lager hinüberziehen ließ (2 Joh 7. 10). Eine förmliche Exkommunikation der Gegner hat gewiß nicht stattgefunden, dazu fehlten sämtliche Voraussetzungen. Möglicherweise sind sie sogar numerisch in der Überzahl, haben mehr Erfolg nach außen hin und verstehen es besser, sich mit der nichtchristlichen Umwelt zu arrangieren (1 Joh 4, 5). Es wird eine enorme soziale Dynamik freigesetzt, die sich verselbständigt (s. JOHNSON). Wenn 2, 16 die „Prahlerei mit dem Wohlstand" anprangert und 3, 17 unterlassene Hilfeleistungen einklagt, dürfte das verraten, daß die einflußreichen und begüterten Leute unter den Gegnern zu suchen sind. Daß ihre Ressourcen, z. B. Häuser, wo man sich versammeln konnte oder wo Wandermissionare Aufnahme fanden (Joh 13, 20; 3 Joh 5–8), nun plötzlich ausfielen, hatte zur Folge, daß sich die anderen um den Briefautor „verraten und verkauft" fühlten.

Für die Gegner im 1 Joh würde ich deshalb noch nicht wie BROWN, JohBr 62 f., die „wehleidigere" Haltung späterer Gnostiker in Anschlag bringen, obwohl deren Klagen erhellend genug sind, zeigen sie doch, wie ein Vorgang je nach Standort ganz verschieden beleuchtet werden kann. Was auf seiten der Großkirche mit den Worten aus 1 Joh als ein „Weggehen aus unseren Reihen" angeprangert wurde (vgl. zur diesbezüglichen Verwendung von 2, 19 N. BROX, RAC XIII, 260 f.), gab den betroffenen Gnostikern Anlaß zu der Beschwerde, wider Willen verketzert und hinausgedrängt zu werden, vgl. nur 2 LogSeth NHC VII/2 59, 22–26: „Wir wurden gehaßt und verfolgt ... auch von denen, die glauben, reich am Namen Christi zu sein"; ebd. auch das Selbstbildnis in 67, 31–36: „Ich verweilte unter denen, die verbunden sind in einer ewigen Gemeinschaft von Freunden und die keine Feindschaft und keine Bosheit kennen." Auf Kirchenchristen zielt auch AuthLog NHC VI/3 33, 9–11: „Sie sind schlimmer als die Heiden" (weil sie Gott nicht kennen und die, die nach ihm suchen, verfolgen). Kontrapunktisch zu 1 Joh auch ApcPt NHC VII/3 73, 23–27: „Viele werden unsere Lehre am Anfang akzeptieren. Aber sie werden sich wieder von ihr abwenden durch den Willen des Vaters ihres Irrtums." Der gleiche Traktat polemisiert gegen kirchliche Amtsträger (79, 25 f.: „Bischöfe und Diakone") als eigentliche Feinde der Gnostiker und zeichnet sie nach dem Vorbild der jüdischen Gegner Jesu in der Passionsgeschichte.[43]

Das Ringen mit dem Problem der Spaltung bedeutete für die Restgemeinde eine Frage auf Leben und Tod. Sie war in ihrem zahlenmäßigen Bestand bedroht und sah ihr eigenes theologisches Erbe ins Zwielicht gezogen durch den Gebrauch, den die Gegner davon machten. In diese Lage hinein spricht der 1 Joh als paränetisch-mahnender Brief. Er will nach innen hin stabilisieren und nach außen hin abgrenzen. Er will die genuine Evangelientradition gegen Mißdeutung sichern und insoweit eine „orthodoxe" Leseanleitung für das Johannesevangelium in seinem Grundbestand geben. Den intendierten Horizont seiner Wirkung bilden zunächst alle, die mit und aus johanneischen Überlieferungen leben. Konkret kann man an ein größeres städtisches Zentrum und sein Umland mit einigen Hausgemeinden denken. Sie sollten fortan den Brief zusammen mit der Evangelienschrift benutzen. Die zeitliche Einordnung sähe dann so aus, daß sich das Schisma im Vollzug befindet. Die „Kernspaltung" liegt schon etwas zurück, sie hat sich aber noch nicht bis in alle Ecken fortgesetzt, und es gibt immer noch Definitionsprobleme. Die Unterscheidung zwischen wahren johanneischen Glaubenden und falschen antichristlichen Irrlehrern muß aus der Sicht des 1 Joh im Einzelfall noch zu Ende gebracht werden, und dafür stellt der Brief Kriterien bereit. Die Lösung des Konflikts hat er nicht bewirkt. Sie ist in der Richtung zu suchen, die Joh 21 signalisiert (RUCKSTUHL). Sie geschah durch Übernahme anderer Gemeindestrukturen und Eingliederung in einen anderen, rein organisatorisch funktionsfähigeren Gemeindeverband.

2. Die „auserwählte Herrin" (2 Joh)

L 53: BARTLET, V.: The Historical Setting of the Second and Third Epistles of St John, in: JThS 6 (1905) 204–216. – BRESKY: Verhältnis (L 13). – CHAPMAN, J.: The Historical Setting of the Second and Third Epistles of St John, in: JThS 5

---

[43] Vgl. K. KOSCHORKE, Die Polemik der Gnostiker gegen das kirchliche Christentum. Unter besonderer Berücksichtigung der Nag-Hammadi-Traktate ›Apokalypse des Petrus‹ (NHC VII,3) und ›Testimonium Veritatis‹ (NHC IX,3) (Nag Hammadi Studies 12), Leiden 1978; zum Zusammenleben von Gnostikern als führendem Teil und normalen Kirchenchristen in einer Gesamtgemeinde am Beispiel von Inter NHC XI/1 (Mitte 2. Jh.) vgl. ders., Eine neugefundene gnostische Gemeindeordnung. Zum Thema Geist und Amt im frühen Christentum, in: ZThK 76 (1979) 30–60.

(1904) 357–368. 517–534. – Dölger, F.J.: *Domina Mater Ecclesia* und die „Herrin" im zweiten Johannesbrief, in: AuC 5 (1936) 211–217. – Gibbins, H.J.: The Second Epistle of St. John, in: Exp. VI/6 (1902) 228–236. – Ders.: The Problem of the Second Epistle of St. John, in: Exp. VI/12 (1905) 412–424. – Harris, J.R.: The Problem of the Address in the Second Epistle of John, in: Exp. VI/3 (1901) 194–203. – Klauck, H.J.: Κυρία ἐκκλησία in Bauers Wörterbuch und die Exegese des zweiten Johannesbriefs, in: ZNW 81 (1990) 135–138. – Knauer, A.W.: Ueber die Ἐκλεκτὴ Κυρία, an welche der zweite Brief Johannis gerichtet ist, in: ThStKr 6 (1833) 452–458. – Lieu: Epistles (L 02). – Mian, F.: Il contesto storico-religioso dell'annuncio cristiano nella II Lettera di Giovanni, in: BeO 26 (1984) 219–224. – Poggel: Brief (L 11). – Ramsay, W.M.: Note on the Date of Second John, in: Exp. VI/3 (1901) 354–356. – Weitere Lit. s. in L 52.

2 Joh ist an eine ἐκλεκτῇ κυρίᾳ samt ihren Kindern adressiert. Nicht wenige ältere Ausleger blieben dabei, daß es sich bei der Adressatin um eine Frau handle,[44] ob sie nun Electa heiße oder Kyria oder nur als „edle Herrin" ohne Eigennamen angeredet werde. Letzteres öffnet der Spekulation um ihren wirklichen Namen Tür und Tor: Briefempfängerin sei Martha aus Joh 11, in deren Namen die aramäische Wurzel für „Herr" *(mar)* stecke, oder Maria, die Mutter des Herrn, die dem briefschreibenden Apostel zur Obhut anvertraut war (Knauer).

Konsequenterweise müßte man dann auch den Briefschluß in V. 13 so verstehen: „Es grüßen dich die Kinder deiner Schwester Electa." Zumindest dies sollte daraus hervorgehen, daß Electa als Eigenname, den beide Schwestern getragen hätten, ausfällt. Außerdem verwundert die Art und Weise, wie die Grüße vermeintlich von Familie zu Familie gehen: Nicht die Schwester läßt ihre Schwester grüßen, die Grüße werden auch nicht zwischen den Kindern ausgetauscht, sondern – im familiären Sprachspiel – zwischen Neffen oder Nichten und ihrer Tante. Sollten in beiden Fällen die nicht erwähnten Väter und bei der Familie aus V. 13 auch noch die nicht grüßende Mutter verstorben sein? Das Vertrauen in die Deutung der Adresse auf eine Einzelperson beginnt rapide zu schwinden. Ihr steht auch der rasche Wechsel der Anredeformen von der 2. Pers. Singular (V. 4 b. 5 ab. 13) zur 2. Pers. Plural (V. 6 d. 8. 10. 12) entgegen, der mit einem Perspektivenwechsel von der Mutter zur Gesamtfamilie nicht hinreichend erklärt ist.

Der Konsens der neueren Forschung geht auch dahin, „auserwählte Herrin" in V. 1 (vgl. V. 5) und entsprechend „auserwählte Schwester" in V. 13 als Titel aufzufassen, die der Verfasser zwei Einzelgemeinden beilegt, der, an die er schreibt, und der, wo er selbst lebt. Das ist mit der antiken Rhetorik als *fictio personae* zu klassifizieren, wie sie besonders gerne bei Kollektiven (Vaterland, Mutterstadt

---

[44] Vgl. beispielshalber C. A. Heumann, De Cyria, sancta S. Ioannis amica, Göttingen 1726; die entgegenstehende Meinung nennt Lücke, JohBr 441, sogar „abentheuerlich und haltlos".

etc.; s. Lausberg, Handbuch [L 17] 412) vorgenommen wird. Ansätze dafür
bietet in reichem Umfang das alttestamentlich-jüdische Schrifttum, das ganz ge-
läufig von der „Jungfrau Israel" (Jer 31,21), der „Tochter Zion" (Jer 4,31) oder
der „Tochter Jerusalem" (Jes 37,22) spricht und über die prophetisch-apokalyp-
tische Traditionslinie ins Neue Testament und in die Johannesoffenbarung mit
ihren symbolgeladenen Frauengestalten – die Himmelsfrau und ihre Nach-
kommen, die Himmelsstadt als Braut des Lammes, die große Dirne Babylon –
hineinreicht (Materialdarbietung bei Gibbins).

Der briefliche Rahmen des 2 Joh enthüllt bei näherer Betrachtung ein
reiches Beziehungsgeflecht, das durch die Aktivierung metaphorischer
Felder eine ekklesiologisch und theologisch bedeutsame Qualifizierung
erfährt. Der Autor respektiert die Adressatengemeinde in ihrem Rang
als Kirche vor Ort, sieht sie aber auch in enger Verbundenheit mit seiner
eigenen Heimatgemeinde und allen johanneischen Glaubenden (V. 1 c).
Er schreibt, weil er die auf Liebe und Wahrheit gegründete Gemeinschaft (V. 3 d) als in ihrem Bestand bedroht erfährt durch Ereignisse, auf
die er im Briefkorpus näher eingeht. Nach längerem Anmarschweg
kommt er in V. 7 auf den Kern der Dinge zu sprechen. Er sieht eine
förmliche Gegenmission am Werk, die den in der Zentrumsgemeinde
aufgebrochenen Konflikt nach außen trägt. Die Adressatengemeinde
will er vor dieser heranrollenden Welle warnen, damit sie rechtzeitig
ihren theologischen Besitz in Sicherheit bringt. Die Christologie der
Gegner belegt er in V. 9 mit dem Attribut „zu progressiv". Scharf und
hart fällt die Forderung von V. 10–11 aus: Haus- und Grußverbot für alle
Sendboten der Gegenpartei. Das wird verständlicher, wenn man berücksichtigt, daß die kleinen Gemeinden in der Regel Hausgemeinden
waren. Im Haus einer christlichen Familie traf sich eine Anzahl von
Christen zu ihren Versammlungen. Dieses Gemeindezentrum war auch
prädestiniert für die Beherbergung der durchreisenden Mitchristen.
Die Wandermissionare der Gegenseite nicht ins Haus aufnehmen bedeutet also auch, ihnen den Zutritt zur Hausgemeinde zu verweigern,
sie nicht bei den Versammlungen zu Wort kommen zu lassen, denn das
wäre für sie die beste Gelegenheit, ihre Lehre zu propagieren und im
schlimmsten Fall Gemeindemitglieder abspenstig zu machen (auch andere frühchristliche Autoren und Tradenten ringen mit dem Problem
der Aufnahme oder Nichtaufnahme von Wandermissionaren, vgl. Did
11,1 f.). Zum Schluß stellt der Presbyter in V. 12 mit einer brieftypischen
Formel die Möglichkeit eines persönlichen Besuches in Aussicht. Allzu
ernst muß der Besuchsplan nicht genommen werden. Die Briefgattung
erlaubt solche Ankündigungen auch da, wo sie unmittelbar nur ganz
pragmatisch dem paränetischen Appell mehr Gewicht verleihen und die

Adressaten in ihrer Einstellung zum Absender positiv beeinflussen wollen. Wenn man Gemeinde als *familia Dei* versteht, kennzeichnet der Gruß in V. 13 das kleine Schreiben noch einmal als ein Stück „Familienkorrespondenz".

2 Joh läßt sich so zur Gänze vorzüglich aus Verhältnissen heraus erklären, wie sie oben für 1 Joh erarbeitet wurden, wenn man zwischen den einzelnen Gemeinden an verschiedenen Orten und in verschiedenen Häusern differenziert. Eine Notwendigkeit, die Briefe auseinanderzureißen, besteht dann nicht. Auf die Postulierung verschiedener Autoren und verschiedener Abfassungssituationen kann verzichtet werden. Die bis in den Wortlaut reichende Abhängigkeit von 1 Joh (s. o. VI/B. 1 b) hat ihren Grund darin, daß der Autor die akute Lage des zeitlich um weniges früheren Schreibens mit der befürchteten Entwicklung in anderen, entfernteren Gemeinden zur Deckung bringt. Es bedarf schon erheblich stärkerer Argumente, als sie bisher vorgebracht wurden, wenn man die Parallelen zwischen 1 Joh und 2 Joh statt dessen als Resultat fiktiver Nachahmung des 1 Joh von späterer Hand plausibel machen will.

3. Der „herrschsüchtige Diotrephes" (3 Joh)

L 54: BARTLET: Setting (L 53). – BAUER, W.: Rechtgläubigkeit und Ketzerei im ältesten Christentum (1934) (BHTh 10), Tübingen ²1964, 93–98. – BRESKY: Verhältnis (L 13). – CAMPENHAUSEN, H. VON: Kirchliches Amt und geistliche Vollmacht in den ersten drei Jahrhunderten (BHTh 14), Göttingen ²1963, 132–134. – CHAPMAN: Setting (L 53). – DOSKOCIL, W.: Der Bann in der Urkirche. Eine rechtsgeschichtliche Untersuchung (MThS.K 11), München 1958, 99–101. – EHRHARDT, A.: Christianity before the Apostles' Creed, in: Ders., The Framework of the New Testament Stories, Manchester 1964, 151–199, hier 168–171 = HThR 55 (1962) 73–119, hier 90–92. – HAENCHEN: Literatur (L 02) 282–311. – HARNACK, A.: Über den dritten Johannesbrief (TU 15/3 b), Leipzig 1897. – KÄSEMANN: Ketzer (L 39). – KRAGERUD: Lieblingsjünger (L 39) 104–109. – KRÜGER, G.: Zu Harnack's Hypothese über den dritten Johannesbrief, in: ZWTh 41 (1898) 307–311. – LEONHARD, B.: Hospitality in Third John, in: BiTod 25 (1987) 11–18. – LIEU: Epistles (L 02). – MALHERBE, A. J.: Hospitality and Inhospitality in the Church, in: Ders., Social Aspects of Early Christianity, Philadelphia ²1983, 92–112 = The Inhospitality of Diotrephes, in: God's Christ and His People (FS N. A. Dahl), Oslo 1977, 222–232. – MALINA, B. J.: The Received View and What It Cannot Do: III John and Hospitality, in: Semeia 35 (1986) 171–194. – OLSSON, B.: Structural Analyses in Handbooks for Translators, in: BiTr 37 (1986) 117–127 (zu 3 Joh). – DERS.: Kringresande bröder, in: Context (FS P. J. Borgen) (Relieff 24), Trondheim 1987, 153–166. – PRICE, R. M.: The *Sitz*-

im-Leben of Third John: A New Reconstruction, in: EvQ 61 (1989) 109–119. – SCHNACKENBURG, R.: Der Streit zwischen dem Verfasser von 3 Joh und Diotrephes und seine verfassungsgeschichtliche Bedeutung, in: MThZ 4 (1953) 18–26. – TAEGER, J.W.: Der konservative Rebell. Zum Widerstand des Diotrephes gegen den Presbyter, in: ZNW 78 (1987) 267–287. – Weitere Lit. in L 52/53.

Plastischer als sonst in 1/2 Joh treten in 3 Joh Personen und Personengruppen hervor: Der „Alte" als Absender, dann mit Namensnennung der Adressat Gaius, in V. 9 Diotrephes und in V. 12 Demetrius, dazu die Brüder in V. 3. 5–8. 10, die „Freunde" auf beiden Seiten in V. 15, schließlich die Ekklesia des Alten in V. 6 und die des Diotrephes in V. 9–10. Die drei Eigennamen sind griechisch-römischen Ursprungs, was immer das für das Milieu des Briefes bedeuten mag. Gaius zählt zu den Allerweltsnamen, auch Demetrius ist gebräuchlich, während Diotrephes nur selten vorkommt. Diotrephes bedeutet „von Zeus genährt", „Zeus entstammend" und wird attributiv bei Homer und Hesiod für Könige und Vornehme im Volk gebraucht.[45] Wenn 3 Joh eine Fiktion wäre, es also nicht um echte Personen, sondern um die Karikierung von Typen ginge, müßte man mit LOISY, JohBr 589, sagen, daß der exquisite Name für den bösen Buben im Stück – im Gegensatz zu dem bescheidenen Helden Gaius – vom Verfasser gut gewählt wurde.

Die Namen haben auch zu weitreichenden historischen Kombinationen Anlaß gegeben. Der Ambrosiaster (490, 24–26 CSEL 81/1) identifiziert bereits den Gaius in 3 Joh mit dem korinthischen Gaius aus 1 Kor 1,14; Röm 16,23. Die Katenenüberlieferung setzt Demetrius aus 3 Joh 12 mit dem gleichnamigen Silberschmied in Ephesus (Apg 19, 24. 38), der sich bei der Meuterei gegen Paulus als Agitator hervortut, gleich (CRAMER [L 11] 152). Eine atemberaubende Konstruktion hat CHAPMAN vorgelegt. Der korinthische Gaius wurde vom Apostel Johannes in Thessalonich zum Bischof eingesetzt (BARTLET hält dagegen: Thyatira aus Offb 2 sei die Heimat des Gaius, und Bischof war er in Antiochien; wieder andere meinen: in Pergamon). Um zu verstehen, wie es dazu kam, muß man zunächst wissen, daß Demetrius für CHAPMAN identisch ist mit dem Paulusbegleiter Demas in Phlm 24 u. ö., der aus Thessalonich stammte. Beim Ausbruch der neronischen Christenverfolgung hielt er sich mit Paulus in Rom auf, verließ aus Feigheit aber fluchtartig die Stadt. In den paulinischen Gemeinden konnte er sich fortan nicht mehr blicken lassen. Im Alter packt ihn Sehnsucht nach der Heimatstadt Thessalonich. Mit einem Empfehlungsschreiben des Apostels Johannes bewaffnet, macht er sich auf den Weg, um bei Gaius, dem Korinther, inzwischen ansässig in Thessalonich, Aufnahme zu finden. Diotrephes opponiert heftig, aber Johannes kommt selbst und regelt die Angelegenheit end-

---

[45] So F. PASSOW, Handwörterbuch der griechischen Sprache, Bd. I/1, Leipzig [5]1841, Repr. Darmstadt 1970, 699.

gültig, indem er Gaius zum Bischof macht. Zur Kritik an dieser ausufernden
Spekulation vgl. Bresky 55–63; Brooke, JohBr LXXXIV–LXXXVI.

Trotz abschreckender Beispiele müssen wir eine Skizze des Inter-
aktionszusammenhangs zwischen den verschiedenen Personen wagen.
Das sei folgendermaßen versucht: Brüder, die als Wandermissionare unterwegs waren und zugleich als Boten zwischen den verstreuten christlichen Gruppen fungierten, kehren in die Heimatgemeinde zurück und
erstatten vor der Versammlung in Anwesenheit des Presbyters Bericht
(vgl. dazu Apg 13,1–3 mit 14,27; Lk 10,1 mit 10,17). Durch den Plural
„Brüder" darf man sich nicht irreführen lassen; nach dem Gesetz der
paarweisen Sendung (Lk 10,1 u. ö.) würden dafür schon zwei genügen.
Nur spärlich ausgestattet (vgl. Lk 10,4) und auf Bezahlung durch
Heiden aus prinzipiellen Gründen verzichtend, benötigen die reisenden
Brüder als Stützpunkte christliche Häuser. Sie erfahren eine schroffe
Abweisung bei Diotrephes und, ganz unerwartet, überaus gastfreundliche Aufnahme bei Gaius, der sie auch für die Rückreise ausrüstet. Das
ganze Bestreben des Alten geht nun dahin, Gaius zur Fortsetzung
dieser Tätigkeit zu bewegen. Gaius wird, wenn er diesem Appell folgt,
in eine Rolle hineinwachsen, wie sie bei Josephus der „Gästemönch"
der Essener in jedem Ort ausübt (Bell 2,124 f.) und später bei Justin der
christliche Gemeindevorsteher (Apol 67,6). Dazu ist es erforderlich,
daß Gaius in räumlicher Nähe zur Gemeinde des Diotrephes lebt, ohne
dessen Pressionen zu direkt ausgesetzt zu sein, und über ein eigenes
Haus verfügt, das bisher noch nicht zum Kern einer Hausgemeinde geworden war. Aber es liegt in der Logik der Ereignisse, wenn sich sein
Haus zu einem neuen Gemeindezentrum entwickeln würde, wo wan-
dernde Brüder und schon vorhandene Freunde – eine Selbstbezeichnung johanneischer Christen, die viel über ihre Ekklesiologie aussagt –
eine neue Stätte der Zusammenkunft finden, unabhängig von dem
Schisma, das andere gewachsene Strukturen zerstört, wie man am Beispiel des Diotrephes sieht. Demetrius, den der Alte dem Gaius ganz besonders ans Herz legt, hält sich derzeit in der Nähe des Presbyters auf.
Er soll von dort aufbrechen, mit dem vorliegenden Brief, den er dem
Gaius überbringt, oder kurz nach dem Brief, der ihn avisiert, wahrscheinlich an der Spitze einer neuen Delegation von Brüdern (die andere Möglichkeit wäre: Er gehört zu den Christen im Einflußbereich
des Diotrephes, die unter dessen Aktionen besonders zu leiden haben;
ihm droht wegen fortgesetzter Gewährung von Gastfreundschaft der
Gemeindeausschluß).

Diotrephes hat in der Gemeinde, die sich in seinem Haus traf, das
Kommando übernommen (vom Hausvorsteher zum Gemeindevor-

steher war unter diesen Bedingungen nur ein kleiner Schritt). Er weiß wohl auch die Mehrheit der Gemeinde, die sich gern seiner starken Hand anvertraute, hinter sich. Sein unerklärlich scheinendes Verhalten gegen die wandernden Brüder sucht der Alte zunächst mit Hilfe eines Briefs aufzuklären, aber vergebens: Diotrephes verweigert einfach die Annahme. Im Brief an Gaius wird der Alte schon deutlicher. In der Wortwahl geradezu sarkastisch, unterstellt er dem Diotrephes tyrannische Neigungen.[46] Das Gieren nach dem ersten Platz und das Befehlenwollen entspricht einfach nicht dem Ideal, das man in der johanneischen Gemeinde bisher gepflegt hat. Ein Amtsträger setzt sich an die Stelle des Geistparakleten als des einzigen autorisierten Lehrers, neben dem es keiner anderen bedarf – oder doch nur solcher Persönlichkeiten wie des Lieblingsjüngers oder des Presbyters. In Handlung umgesetzt fällt die Reaktion des Alten auf die Ungeheuerlichkeiten, die Diotrephes sich erlaubt, erstaunlich milde aus. Er will bei einem ohne sonderlichen Nachdruck angekündigten Besuch sein persönliches Ansehen in die Waagschale werfen, er vertraut auf die Überzeugungskraft seiner Worte. Trotz verbaler Härte bricht er anscheinend die Brücken zu Diotrephes nicht völlig ab.

Ehe wir unser Gesamtbild komplettieren, noch ein rascher Blick in die Forschungsgeschichte. Wir begnügen uns damit, drei Positionen vorzustellen, die mit drei prominenten Namen verbunden sind:

(1) Nach Harnack hat der Presbyter – nicht der Apostel – Johannes in Kleinasien eine Kirchenprovinz gegründet, die er von Ephesus aus als „Oberbischof" (26) mit Hilfe von reisenden Missionaren in patriarchalischem Stil leitet. Gegen diese „provinziale Missionsorganisation" setzt sich in der Gestalt des Diotrephes die Einzelgemeinde zur Wehr, die als Ausdruck ihrer Souveränität „den monarchischen Episkopat aus ihrer Mitte hervortreibt"; Diotrephes ist also „der erste monarchische Bischof, dessen Namen wir kennen" (21; im Orig. gesperrt). Dazu hat Haenchen 290 ebenso knapp wie treffend bemerkt: Die

---

[46] Vgl. zum Wortfeld von φιλοπρωτεύειν Plutarch, Tranq An 12 (471 D); An seni respublica gerenda sit 18 (793 E); Alcibiades 2,1; Solon 29,3; Artemidor, Oneirocr 2,32; die Mehrzahl der Stellen bereits bei Wettstein (L 03) II, 731. Als direkten Protest gegen Anmaßungen „des römischen Episcopats", genau gesagt gegen die Päpste Soter, Anicet oder Eleutheros, interpretiert Baur, Briefe (L 14) 335, die Verse 3 Joh 9–10 von seinem Spätansatz des Briefs in die Zeit der Montanisten her. Auch Ehrhardt fühlt sich an spätere unfreundliche Bemerkungen über die πρωτοκαθεδρία der Bischöfe gemahnt. Mit kontroverstheologischer Polemik C. G. Wabst, De Diotrephe. Ad epistolam Ioannis Apostoli I. C. III comm. 9,10, Diss. Leipzig 1758, 19: „in ecclesia Romana … primatum sibi arrogarunt."

provinziale Missionsorganisation „ist eine Dichtung, die man dem bezaubernden Erzähler Harnack geglaubt hat". Die Hauptlinie der katholischen Auslegung hat Diotrephes übrigens immer als Ortsbischof gesehen, der vom Apostel Johannes in sein Amt eingesetzt wurde. Das erkläre auch das milde Vorgehen des Apostels, der das Bischofsamt als solches nicht gerne wegen eines unwürdigen Inhabers ins Zwielicht bringen wollte.

(2) BAUER ordnet den Diotrephes der Front der Ketzer zu, als einen ihrer Anführer. Gegen ihn schreitet der Alte als Verkünder der Rechtgläubigkeit ein. Aufzunehmen ist der Seitenblick auf den johanneischen „Ketzerstreit" als Hintergrund des Konflikts. Sonst spricht ungefähr alles gegen diesen Vorschlag, wenn man bedenkt, wie sonst in 1/2 Joh mit den Gegnern verfahren wird.

(3) KÄSEMANN hat die These Bauers in einem kühnen Handstreich auf den Kopf gestellt. Bei ihm spielt Diotrephes den rechtgläubigen Part, und der Presbyter übernimmt die Rolle des Ketzers. Ironischerweise kehrt Diotrephes wie in der katholischen Auslegung „als monarchischer Bischof" (173 f.) wieder, aber der andere Teil des Entwurfs ist neu. Der Briefautor war ein dem Diotrephes untergebener Presbyter mit gnostischen Neigungen. Sein Bischof hat ihn deswegen „als Ketzer exkommuniziert" (174). Nun klagt er im 3 Joh einem Gesinnungsgenossen sein Leid. Was wir daraus als Wahrheitsmoment mitnehmen können, ist lediglich dies: Die „Verunglimpfungen" in 10 d deuten auf Verdächtigungen hin, die Diotrephes der Partei des Alten gegenüber hegt.

Die drei Grundpositionen können mosaikartig zu weiteren Mustern kombiniert werden, neue Farbtupfer bereichern die Palette (z. B. TAEGER: Diotrephes ist der wertekonservative Altjohanneer, der sich im Namen der Tradition gegen den Neuerer, der ein übergemeindliches Amt haben will, zur Wehr setzt). Jeder Versuch, auch der folgende, bleibt in hohem Maß hypothetisch.

Wenn wir die besondere Situation nach dem johanneischen Schisma aus 1 Joh 2, 19 berücksichtigen, tat Diotrephes eigentlich gar nichts Besonderes. Er wollte lediglich sicher gehen und wandte deshalb das Prinzip aus 2 Joh 10 – keine Aufnahme von Boten der Dissidenten ins Haus – auf alle umherziehenden Wandermissionare an. Er wußte, daß sich im städtischen Zentrum eine Spaltung in der Gemeinde vollzogen hatte und daß es um christologische Fragen ging. Aber wie sollte seine Gemeinde entscheiden, welcher Richtung die Wandermissionare anhingen? Wenn man sie erst ausführlich zu Wort kommen ließ, war es vielleicht schon zu spät. Dann war das Gift des Schismas bereits ausgestreut. Diotrephes neigt dazu, das Schisma als bedauerliche, aber unausweichliche Folge der johanneischen Theologie mit ihrem Defizit im Bereich der Amtsfrage zu interpretieren. Vielleicht hat er in nichtjohanneischen Gemeinden andere, seiner Meinung nach besser funktionierende Modelle kennengelernt, die sich mit seiner vorgegebenen Position als Haushaltsvorstand gut harmonisieren ließen. Im Prinzip vertritt er den Standpunkt der Redaktoren von Joh 21, er tut es in der

Praxis, er tut es härter, brutaler, rücksichtsloser und mit Erfolg (BROWN, JohBr 738).

Das Faszinierende am 3 Joh im Vergleich zum sonstigen johanneischen Schrifttum liegt zum großen Teil darin begründet, daß wir plötzlich auf individuelle Personen stoßen. Das Frustrierende ist die extreme Ungewißheit, die sie umgibt und der unsere Rekonstruktionen nur in bescheidenem Umfang abhelfen können. Halten wir eines noch fest: Seine Aufbewahrung verdankt 3 Joh wohl seiner Akzeptanz durch Gaius. Vielleicht wurde der Brief besonderer Wertschätzung gewürdigt als Gründungsurkunde einer neuen johanneischen Hausgemeinde.

B. Ort und Zeit

Die Antwort, die hier auf die Frage nach Abfassungsort und Abfassungszeit gegeben wird, läßt sich mit zwei Worten zusammenfassen: in Ephesus um 100/110. Sie ist traditionell und wurde zuletzt auch von HENGEL, Question (L 02), vertreten. „Harte" Daten besitzen wir nicht, was Lokalisierung und Datierung angeht. Alle Vorschläge, die gemacht werden, setzen eine bestimmte Gesamtsicht der frühchristlichen Geschichte und der Art und Weise, wie sich die johanneische Traditionslinie darin einzeichnet, voraus. Entscheidungen über Verfasseridentität und -differenz, über die zeitliche Folge der Briefe und des Evangeliums, über ihren religionsgeschichtlichen Horizont, über die Traditionsgeschichte der Stoffe und die Organisationsformen der Gemeinden gehen in die Orts- und Zeitbestimmung ein. Die bisher im Verlauf unserer Überlegungen erzielten Ergebnisse bilden die Grundlage für das, was folgt.

1. Der Ort

L 55: BRUCE: St. John (L 39). – GUNTHER, J. J.: The Alexandrian Gospel and Letters of John, in: CBQ 41 (1979) 581–603, hier 600–602. – SCHNACKENBURG, R.: Ephesus: Entwicklung einer Gemeinde von Paulus zu Johannes, in: BZ NF 35 (1991). – TRUDINGER, P.: The Ephesus Milieu, in: DR 106 (1988) 286–296. – WENGST, K.: Bedrängte Gemeinde und verherrlichter Christus. Der historische Ort des Johannesevangeliums als Schlüssel zu seiner Interpretation (Biblisch-Theologische Studien 5), Neukirchen 1981. – ZURHELLEN, O.: Die Heimat des vierten Evangeliums (1909), in: K. H. Rengstorf (Hrsg.), Johannes und sein Evangelium (WdF 82), Darmstadt 1973, 314–380.

Eine sehr beachtliche altkirchliche Tradition, die älter ist als Irenäus,

versetzt das gesamte johanneische Schrifttum nach Ephesus. Unterstüt-
zend kann man ins Feld führen, daß die johanneische Theologie ihre
Wirkungsgeschichte in Kleinasien entfaltete. Irenäus von Lyon, der
selbst aus Kleinasien stammt, und andere Theologen haben sie im Abwehrkampf gegen die Gnosis eingesetzt. Unter ihrem Einfluß stehen
aber auch die Montanisten, die im 2. Jahrhundert in Phrygien auftreten
und die johanneische Parakletverheißung in ihren Reihen erfüllt sehen.
Ein Seitenblick auf die kleinasiatischen Adressatenstädte der Sendschreiben in Offb 2–3 und der Ignatianen ist erlaubt.

Die Angelegenheit wird dadurch erschwert, daß wir vom Entste-
hungsort des Evangeliums, der mit dem der Briefe nicht unbedingt
identisch sein muß, nicht völlig absehen können. Daß im Evangelium
Traditionen verarbeitet sind, die nach Palästina, Jerusalem, Samarien
und in die Jordangegend zurückreichen, liegt auf der Hand. Lassen sie
sich aber auch in eine Ortsangabe umsetzen?

WENGST hat mit ausführlicher Begründung das Johannesevangelium in Trans-
jordanien angesiedelt, hält aber für die Johannesbriefe am westlichen Kleinasien
fest (JohBr 30). Das erfordert einen „Umzug" vom Ostjordanland nach
Ephesus, an dem zumindest die Kerngemeinde und führende Vertreter der johanneischen Schule beteiligt waren. Einen Ortswechsel von Syrien als Heimat
des Evangeliums nach Kleinasien als Ursprungsort des 1 Joh fordert auch ZUR-
HELLEN. Eine solche Entwurzelung aus dem heimatlichen Boden und der
Zwang, im fremden Lebensraum wieder Wurzeln zu schlagen, kann ein Faktor
beim Ausbruch der Unsicherheiten im Umgang mit der anfänglichen Überlieferung gewesen sein. Es wäre dazu aber dringend erforderlich, die historischen
Koordinaten einer solchen Umsiedlungsaktion sehr viel präziser nachzu-
zeichnen, als dies bisher geschehen ist. Die rätselhafte Geschichte von den Jo-
hannesjüngern in Ephesus (Apg 19, 1–7) wäre neu zu befragen. Vorerst muß der
auf den Autor der Johannesoffenbarung gemünzte Hinweis genügen, er „und
der Prophetenkreis um ihn dürften … zu jenen palästinischen Judenchristen gehört haben, die nach der Katastrophe des Jahres 70 in die Provinz Asien einwan-
derten … Die auf die paulinische Mission zurückgehenden Gemeinden Asiens
wurden zwischen 70 und 90 von starken judenchristlichen Einflüssen erfaßt".[47]
Vielleicht sollte man dennoch auch für das Evangelium, zumindest in seiner
letzten Phase, stärker auf Ephesus rekurrieren.

Die Alternativvorschläge sind nicht sehr zahlreich. Mit dem Evangelium zusammen versetzt man die Briefe auch nach Antiochien in Syrien (CHAINE, JohBr
124) oder nach Alexandrien in Ägypten (GUNTHER). Im Exil auf Patmos geschrieben, aber für Ephesus bestimmt, so lautet die von Offb 1, 9 aus entwickelte
Lösung bei EBRARD, JohBr 43 f. Immerhin verzichtet er auf ein Argument seiner
Mitstreiter, die dazu aus 2 Joh 12/3 Joh 13 einen Mangel an Schreibwerkzeug er-

---

[47] J. ROLOFF, Die Offenbarung des Johannes (ZBK. NT 18), Zürich 1984, 17.

schließen, wie es für den Verbannungsort Patmos zu erwarten sei (referiert bei BRAUNE, JohBr 11).

Man kann ohne Übertreibung sagen, daß Ephesus von der Stadt des Paulus zur Stadt des Johannes geworden ist (SCHNACKENBURG, auch zum Folgenden). Eine Zeitlang müssen sich die beiden Traditionskreise in Ephesus überlappt haben. In der großen Metropole – einer der größten Städte des Reiches – unter Einbezug ihres Umlandes und anderer benachbarter Städte der Provinz Asien kann man sich ein befristetes Nebeneinander verschiedener Gruppen ohne weiteres vorstellen, zumal die johanneischen „Freundeskreise" (3 Joh 15) wohl nicht mit großen Mitgliederzahlen aufwarten konnten. Manche Berührungspunkte sollten sich auf Dauer doch einstellen, und sie sind auch in den relativ späten Briefen zu verspüren. Erwähnt seien nur die Koinoniabegrifflichkeit in 1/2 Joh, der Ekklesiabegriff in 3 Joh und überhaupt die missionarische Terminologie des 3 Joh, die näher an Paulus heranrückt. Man kommt dann auch an der Vermutung nicht vorbei, ob nicht doch die von Diotrephes gewünschte Gemeindeform der nachpaulinischen, die sich im gleichen Gebiet herausgebildet hatte, verdächtig ähnlich sah.

2. Die Zeit

L 56: BAUR: Briefe (L 14). – GOODENOUGH, E. R.: John a Primitive Gospel, in: JBL 64 (1945) 145–182, hier 160–165. – ROBINSON, J. A. T.: Redating the New Testament, London [1]1976; [4]1981; dt.: Wann entstand das Neue Testament?, übers. J. Madey, Paderborn–Wuppertal 1986, 265–322; vgl. auch ders., The Priority of John, London [2]1987.

Die Extreme sind durch BAUR (1848) und ROBINSON (1976) abgesteckt. BAUR datiert die Johannesbriefe in die frühe Montanistenzeit, das heißt in die Jahre 170/80. ROBINSON hingegen versucht es mit einem Frühansatz auf 60/65. Die Gesamtkonstruktion, die ROBINSON in seinen letzten Arbeiten errichtet, kann leider nur insgesamt als gründlich verfehlt bezeichnet werden. Sonst wurde eine Frühdatierung in die 70er Jahre nur dort vertreten, wo man „die letzte Stunde" in 1 Joh 2, 18 fälschlicherweise mit der Zerstörung Jerusalems zusammenbrachte (so DÜSTERDIECK, JohBr I, CIII). Auch die konservativen Ausleger hatten keine Probleme damit, bis zum Ende des 1. Jahrhunderts herabzugehen. Zu Hilfe kam ihnen die Legende vom hohen Lebensalter des Apostels Johannes, der nach Rückkehr aus der Verbannung bis in die Zeit Trajans in Ephesus geweilt habe (Irenäus, Haer II 22, 5; Eusebius, Hist Eccl III

23,1–6). In der reinen Zeitangabe herrscht seltene Einmütigkeit mit der kritischen Forschung, die höchstens ein bis zwei Jahrzehnte zugibt. Die Spätdatierung von BAUR verbietet sich schon aufgrund der frühen Zeugnisse, die für ca. 140/50 aussagekräftig genug sind (s. o. II/A.1).

Die Nähe zu den Ignatianen wäre sicher hilfreich, wenn deren Datierung auf 110 als gesichert angesehen wird. Der fortgeschrittene Reflexionsstand johanneischer Theologie läßt einen Frühansatz nicht zu. Die Prädikation Jesu als θεός (Joh 1,18 *si vera lectio*; 20,28; evtl. 1 Joh 5,20) steht nun einmal nicht am Anfang urchristlicher Theologiegeschichte. Darüber, wieviel Zeit es braucht, bis sich ein Schisma ereignet, kann man streiten. Aber daß in diesem Konflikt Tendenzen sichtbar werden, die mit innerer Logik auf die Gnosis hinführen, ist ein Indiz für das beginnende 2. Jahrhundert, wo diese Dinge zum Durchbruch kommen.

IX. AUSBLICK

A. Zur Auslegungsgeschichte

Quellen (L 57):
AUGUSTINUS: In epistolam Ioannis ad Parthos tractatus X, in: PL 35, 1977–2062; vgl. P.Agaësse, Saint Augustin. Commentaire de la Première Épître de S.Jean (SC 75), Paris ²1984; H.M. Biedermann, Unteilbar ist die Liebe. Predigten des Heiligen Augustinus über den ersten Johannesbrief, Würzburg 1986. – BEDA VENERABILIS: In epistolam I/II/III Johannis, in: CChr.SL 121, 284–334; vgl. D.Hurst, Bede the Venerable. The Commentary on the Seven Catholic Epistles (CistSS 82), Kalamazoo 1985, 159–239. – CALVIN, J.: Commentarius in Iohannis Apostoli Epistolam, in: Ders., Opera Exegetica et Homiletica, hrsg. v. E.Reuss, A.Erichson, Bd.33 (= Opera omnia 55 [CR 83]), Braunschweig 1896, 293–376; vgl. Johannes Calvins Auslegung der Heiligen Schrift in deutscher Übersetzung, 14. Band: Ebräerbrief und katholische Briefe, Neukirchen o.J., 319–406 (Übers. G. Kind); Calvin's Commentaries. The Gospel according to St John 11–21 and The First Epistle of John, Grand Rapids 1974, 227–315 (Übers. T.H.L. Parker). – CRAMER: Catenae (L 11). – LUTHER, M.: Vorlesung über den 1. Johannesbrief. 1527, hrsg. v. G. Koffmane, in: WA 20, 592–807 (s. auch WA 48, 314–323; WA 36, 416–477); vgl. Calwer Luther-Ausgabe, Bd.9 (Siebenstern-Taschenbuch 112), München–Hamburg 1968, 110–221 (Übers. R.Widmann). – Ps.-OECUMENIUS: Commentarii in Joannis Apostoli priorem/posteriorem/tertiam epistolam catholicam, in: PG 119, 617–704. – SOCINUS, F. (= Fausto Sozzini, 1539–1604): Commentarius in epistolam Iohannis apostoli primam, Raków 1614. – THEOPHYLACT: Expositio in Epistolam I/II/III S.Joannis, in: PG 126, 9–84. – Weitere Kommentare aus der Alten Kirche, aus dem Mittelalter und der frühen Neuzeit bei H.J. Klauck, 1 Joh (EKK); s. auch o. Anm. 11f. 16. 18. 38. 41.

Literatur (L 58):
DELAGE, M.J.: La première épître de Jean dans les sermons de Césaire d'Arles, in: StPatr 15 = TU 128 (1984) 140–145. – DIDEBERG, D.: Saint Augustin et la Première Épître de Saint Jean: une Théologie de l'Agapè (ThH 34), Paris 1975. – DERS.: Esprit Saint et charité: L'exégèse augustinienne de 1 Jn 4,8 et 16, in: NRTh 97 (1975) 97–109.229–250. – LÜCKE, F.: Commentar über die Briefe des Evangelisten Johannes, Bonn 1825 (mit Anhang: Ueber die alten Griechischen und Lateinischen Ausleger der Johanneischen Briefe, besonders über Didymus und Oekumenius). – POSSET, F.A.: Luther's Catholic Christology According to His Johannine Lectures of 1527, Diss. phil. Marquette University, Milwaukee 1984. – PREUSS, H.: Johannes im Wandel der Jahrhunderte, in: NKZ 33 (1922) 671–709.

– RICHARDSON, C. C.: The Exegesis of 1 John 3. 19–20 – An Ecumenical Misinterpretation?, in: Disciplina nostra (FS R. F. Evans) (Patristic Monograph Series 6), Philadelphia 1979, 31–52. 190–198. – STAAB: Katenenkommentare (L 11). – TIMM, H.: Geist der Liebe. Die Ursprungsgeschichte der religiösen Anthropologie (Johannismus), Gütersloh 1978. – WÜNSCH, M.: Wirkung und Rezeption, in: RDL² IV, 894–919 (Lit.).

Mit einer poetischen Metapher stellt STAAB 353 fest, daß die Katholischen Briefe und mit ihnen die Johannesbriefe „in der alten Exegese das gleiche Schicksal" hatten „wie so manches stille Blümlein, das verborgen im Grase blüht, während Rose und Lilie von allen bewundert werden". Das trifft zur Hauptsache zu, auch wenn man bedenkt, daß manches verlorengegangen ist. Es stimmt auch im Blick auf die spärliche Katenenüberlieferung bei CRAMER. Über sie führt der unter dem Namen des Oekumenius und in kürzerer Fassung unter dem des Theophylakt überlieferte Kommentar aus dem 10./11. Jahrhundert, der sich einer einheitlichen Auslegung von beachtlicher Geschlossenheit annähert, für die östliche Kirche wesentlich hinaus (s. LÜCKE). Die Krone gebührt unter den älteren Erklärern zweifellos Augustinus, der im Jahre 407 oder 415 seine bis 5, 3 reichenden Homilien über den ersten Johannesbrief hielt (PREUSS 676: „Mit voller Kongenialität schaut der große Afrikaner dem Höhenfluge des johanneischen Adlers" nach). Als Hauptinhalt des Briefes erkennt Augustinus mit sicherem Blick die Liebe: *Locutus est multa, et prope omnia de Caritate* (Prolog = 104 SC 75²). Hier fällt auch in der siebten Predigt das berühmte Wort: „Liebe, und was du (dann) willst, das tue" (7, 8 = 328 SC 75²). Aufschlußreich ist auch der historische Kontext seiner Ausführungen, nämlich das donatistische Schisma und der Kampf um die kirchliche Einheit. Es herrscht – wie später auch bei Luther – eine Strukturanalogie zwischen der Situation des biblischen Textes und der Situation des Auslegers, die dem Auslegungsvorgang besondere Tiefe verleiht. Der Kommentar von Beda aus dem 8. Jahrhundert hat u. a. auch das Verdienst, ausführliche Exzerpte aus Augustinus ans Mittelalter weitervermittelt zu haben.

Auch die Reformatoren Luther und Calvin haben den ersten Johannesbrief kommentiert. Zu Luthers Erklärung liegt eine gute monographische Studie vor (POSSET), zu der Calvins, soweit ich sehe, nicht. Bei Luther handelt es sich um Nachschriften von Vorlesungen, die er 1527 dreimal wöchentlich in Wittenberg hielt, in persönlich und kirchenpolitisch äußerst bedrängter Lage: In Wittenberg war die Pest ausgebrochen, Luther leidet an seiner schwersten Depression. Die Spaltung im protestantischen Lager ließ sich nicht mehr überbrücken, der *sacco di Roma* im gleichen Jahr weckte apokalyptische Ängste. Kein Wunder, daß die Vorlesungsreihe mit den Worten beginnt: „Satan ficht uns allenthalben an" (599). Man kann förmlich miterleben, wie all diese Faktoren in die Beschäftigung mit dem Schrifttext hineinspielen, wie aber auch das Wort der Schrift als Trost und Hilfe (600: *consolatione plenissima Epistola*) erfahren wird. Auch bei Calvins Vorträgen von 1549 kommt in der positiven Darlegung wie in der antirömischen Polemik die reformatorische Grundentscheidung unverkennbar zum Tragen. Zitiert sei nur aus seiner Exegese vom 1 Joh 2,3, einem Vers, der sich dazu anbot, über das Verhältnis von Glaube und Werken nachzudenken: „Obwohl ein jeder an seinen Werken ein Zeugnis für seinen Glauben hat, beruht dieser nicht auf ihnen; sie sind seine spätere Bewährung, die als Zeichen hinzutritt. Glaubensgewißheit gründet einzig auf der Gnade Christi" (311; fast direkt dagegen das Trienter Konzil, s. DS 1574).

Nicht einig gingen Luther und Calvin im Verständnis von 1 Joh 3,20: „Gott ist größer als unser Herz." Calvin hält mit der gesamten altkirchlichen und mittelalterlichen Exegese an der Deutung auf Gottes Strenge fest: Wenn schon unser Herz uns verurteilt, wie stehen wir dann erst vor Gott da; er wird erst recht alle Sünden, auch die verborgenen, ans Licht ziehen und bestrafen. Luther hingegen sieht im Text nur Gottes erbarmende Liebe thematisiert: Gott kommt dem Urteilsspruch eines ängstlichen Herzens mit seinem Freispruch zuvor. Dieser Auslegungstyp, für den es im Spätmittelalter vereinzelt Spuren gibt, gelangt in der Neuzeit zur alleinigen Vorherrschaft und wird außerhalb der Exegese von Kierkegaard z.B. mit bewegenden Worten vertreten.[48] Daß diese derzeit gängige Deutung so spät aufkam, provoziert eine Reihe von hermeneutischen Fragen. Vorbedingung für ihre Behandlung ist, daß solche Einzelthemen auslegungs- und wirkungsgeschichtlich umfassend aufgearbeitet werden. Dazu liegen bisher nur wenige Versuche vor (zum konkreten Beispiel vgl., wenn auch mit problematischem Ergebnis, RICHARDSON).

Gänzlich unerforscht ist die Johannesbriefexegese der frühen Neuzeit, obwohl es hier manche Entdeckung zu machen gäbe. Über die Sozianer, eine antitrinitarische Bewegung im 16./17. Jahrhundert, kann man noch manches finden, wenig hingegen darüber, daß ihr geistiges Haupt Fausto Sozzini seine Gedanken auch in einem Kommentar zum 1 Joh entwickelte. Gerade an dieser Schrift will er demonstrieren, daß für die Lehre von der Göttlichkeit Christi jedes biblische Fundament fehlt, während sonst in der Exegese die Neigung besteht, gerade 1 Joh in ein trinitarisches Raster zu zwingen (s.o. V/A.1).

Uferlos wird es, wenn wir die Auslegungsgeschichte erweitern auf die Wirkungsgeschichte hin, wenn wir also all den Spuren nachgehen, die johanneische Theologie in der Zuspitzung durch die Johannesbriefe in Theologie, Kirche, Frömmigkeit, Kunst, Literatur, Philosophie, Politik und Recht hinterlassen hat

---

[48] S. KIERKEGAARD, Christliche Reden 1848 (Gesammelte Werke 20), Düsseldorf 1959, 311–318.

(zum Methodischen s. Wünsch). Der Anspruch mag global erscheinen, die nachweislichen Folgen sind es nicht minder. Die Botschaft vom Gott der Liebe und von der glaubenden Gemeinde als Freundesbund hat maßgeblich auf den deutschen Idealismus eingewirkt (s. Timm). Kein Geringerer als Hegel meditiert über den Satz aus 1 Joh 4, 8. 16: „Gott ist die Liebe."[49] Auch Feuerbach, der eine der schärfsten Waffen im Arsenal des theoretischen Atheismus der Neuzeit geschmiedet hat, geht davon aus: „Gott ist die Liebe. Dieser Satz ist der höchste des Christentums", interpretiert ihn aber so, daß Liebe als Subjekt erscheint und Gott als Prädikat, und fordert, im Namen der Liebe, um sie als menschliche Möglichkeit zu retten, den Glauben zu opfern.[50] Die Einheit von Glaube und Liebe im 1 Joh löst er damit bewußt auf.

Das sind nicht mehr als Momentaufnahmen aus einem weiten Feld, auf dem noch wenig gearbeitet wurde. Hier kann deswegen noch nicht von Erträgen der Forschung die Rede sein, sondern hier müssen Desiderate der Forschung angemeldet werden, die aber verheißungsvolle Zukunftsperspektiven in sich bergen.

B. Zur Theologie

L 59: BARROSSE, T.: The Relationship of Love to Faith in St. John, in: TS 18 (1957) 538–559. – BLACK II, C. C.: The Johannine Epistles and the Question of Early Catholicism, in: NT 28 (1986) 131–158. – BOISMARD, M. E.: La connaissance de Dieu dans l'Alliance nouvelle d'après la première lettre de saint Jean, in: RB 56 (1949) 365–391. – DERS.: «Je ferai avec vous une alliance nouvelle» (Introduction à la première épître de saint Jean), in: LV(L) Nr. 8 (1953) 94–109. – BONSIRVEN, J.: La théologie des épîtres johanniques, in: NRTh 62 (1935) 920–944. – CASTRO, V.: La comunión con Dios según la primera carta de S. Juan, in: Cistercium 27 (1975) 183–200. – DALBESIO, A.: Alcuni aspetti esperienziali della ΠΙΣΤΙΣ e dell'ΑΓΑΠΗ in 1 Gv, in: Laur. 29 (1988) 3–34. – EDANAD, A.: The New-Covenant Perspective of I John. An exegetical and theological study of I John and its vision of Christian existence as the realization of the eschatological covenant, Diss. Rom 1976; vgl. DAI-C 38 (1977) 546; s. auch ders.: Johannine Vision of Covenant Community, in: Jeevadhara 11 (1981) 127–140. – EICHHOLZ, G.: Glaube und Liebe im 1. Johannesbrief, in: EvTh 4 (1937) 411–437. – DERS.: Erwählung und Eschatologie im 1. Johannesbrief, in: EvTh 5 (1938) 1–28. – DERS.: Der 1. Johannesbrief als Trostbrief und die Einheit der Schrift, in: EvTh 5 (1938) 73–83. – JOHNSON: Antithesis (L 02) 260–302. – KENNEDY, H. A. A.: The Covenant-Conception in the First Epistle of John, in: ET 28 (1916/

---

[49] G. W. F. HEGEL, Vorlesungen über die Philosophie der Religion, Bd. 2 (Sämtliche Werke 16), Stuttgart 1928, 227 f.

[50] L. FEUERBACH, Das Wesen des Christentums, Berlin 1956 (Zit. 400); vgl. zur Auseinandersetzung E. JÜNGEL, Gott ist Liebe. Zur Unterscheidung von Glaube und Liebe, in: Festschrift für Ernst Fuchs, Tübingen 1973, 193–202.

1917) 23–26. – KLAUCK, H. J.: Bekenntnis zu Jesus und Zeugnis Gottes. Die christologische Linienführung im ersten Johannesbrief, in: Anfänge der Christologie (FS F. Hahn), Göttingen 1991, 293–306. – MALATESTA: Interiority (L 02). – McKENZIE, S.: The Church in 1 John, in: RestQ 19 (1976) 211–216. – MOODY, D.: The Theology of the Johannine Letters, in: SWJT 13 (1970) 7–22. – MOUROUX, J.: L'expérience chrétienne dans la première épître de saint Jean, in: VS 78 (1948) 381–412. – PASTOR, F. A.: Comunidad y ministerio en las epistolas joaneas, in: EE 52 (1977) 39–71. – RESE, M.: Das Gebot der Bruderliebe in den Johannesbriefen, in: ThZ 41 (1985) 44–58. – SÁNCHEZ MIELGO, G.: Perspectivas ecclesiológicas en la primera carta de Juan, in: Escritos del Vedat 4 (1974) 9–64. – SCHENKE, H. M.: Determination und Ethik im ersten Johannesbrief, in: ZThK 60 (1963) 203–215. – SIEDL, S. H.: Die Vollkommenheitslehre des ersten Johannesbriefes, in: Bib. 39 (1958) 319–333. 449–470. – ŠKRINJAR, A.: Theologia primae epistolae Ioannis, in: VD 42 (1964) 3–16. 49–60; 43 (1965) 150–180. – WARD, R. A.: The Theological Pattern of the Johannine Epistles, in: SWJT 13 (1970) 23–39.

Wir können nahtlos an das anknüpfen, was wir zuletzt zur Wirkungsgeschichte sagten: „Gott ist Liebe" (ohne Artikel) gilt nicht nur Feuerbach als ein, wenn nicht der Kernsatz christlichen Glaubens. Man wird nicht fehlgehen, wenn man Glaube und Liebe in ihrem spannungsvollen Zueinander als die theologische Mitte des 1 Joh ansieht (vgl. EICHHOLZ; DALBESIO; BARROSSE) und von da aus die inhaltliche Aussage des Briefes zu entwickeln sucht. Der Glaube gibt Antwort auf die vorangehende Liebestat Gottes in Jesus Christus und ermöglicht so die Schaffung eines neuen Lebensraumes, in dem Liebe alle Relationen, auch die zwischenmenschlichen, durchdringt. Das ist der Ort für die Entfaltung des Gebotes der gegenseitigen Liebe, die in drei Anläufen erfolgt. Flankiert wird diese Thematik des Glaubens und der Liebe von Ausführungen über das Bekenntnis (des Glaubens) und das Zeugnis (für die Liebestat Gottes), das von den Traditionsträgern, von Geist, Wasser und Blut und schließlich in 5, 9 von Gott selbst abgelegt wird (s. KLAUCK). In 4, 14–16 werden diese vier Größen Bekenntnis, Zeugnis, Glaube und Liebe auf engstem Raum miteinander verschränkt. Als ein Höhepunkt des Briefes ist diese Stelle auch dadurch ausgewiesen, daß wir hier auf eines der beiden Vorkommen des Leitsatzes „Gott ist Liebe" treffen und auf eine briefinterne Aufgipfelung der Immanenzaussage: „Wer in der Liebe bleibt, der bleibt in Gott und Gott bleibt in ihm" (4, 16). Andere wiederholt auftauchende Theologumena wie Gemeinschaft mit Gott, Erkenntnis Gottes, Gotteskindschaft, Zeugung aus Gott, „aus Gott sein" sind von diesem Zentrum aus in ein strukturiertes Gesamtbild einzubeziehen. Dieses Vorgehen empfiehlt sich eher als der andere Ansatz, der die Textaussagen nach den klassischen Stichworten Gottes-

lehre, Christologie, Pneumatologie, Ekklesiologie und Ethik gruppiert
(z.B. BONSIRVEN; ŠKRINJAR; MOODY).

In knappen, aber einflußreichen Beiträgen hat BOISMARD versucht,
den gemeinsamen Fluchtpunkt der theologischen Linien im 1 Joh als
Bundestheologie zu bestimmen (s. auch KENNEDY; EDANAD; vom Deu-
teronomium her interpretiert SÁNCHEZ MIELGO). Die Verheißung des
Neuen Bundes aus Jer 31,31–34; Ez 32,25–28 und verwandten Texten
mit all ihren Begleitumständen (Geschenk eines neuen Herzens, Befähi-
gung zum Halten der Gebote, Erkenntnis Gottes, Wohnen Gottes
inmitten seines Volkes) sei für den Briefautor in der christlichen Gemeinde in Erfüllung gegangen. Er entwickle seine Theologie in be-
wußtem Rückgriff auf diese alttestamentlichen Vorgaben. MALATESTA
hat die Immanenzsprache des 1 Joh entschlossen vor diesen Hintergrund gestellt und für ihre reziproke Ausgestaltung die Bundesformel
bemüht: „Ihr werdet mein Volk sein, und ich werde euer Gott sein"
(z.B. Ez 36,28). Man muß dann aber auch sagen, was fehlt und wo
die Dinge nicht ganz aufgehen. Erstaunlich bleibt doch, daß anders
als in 2 Kor 3,6 das Wort διαθήκη nicht fällt. Die johanneischen Im-
manenzaussagen reichen über ein Wohnen Gottes inmitten seines
Volkes hinaus und beziehen das glaubende Individuum ein. Der reziproken Bundesformel fehlt der Aspekt der Einwohnung; die Distanz
zu einer Stelle wie 1 Joh 4,16 scheint so leicht nicht überbrückbar.
Einzelthemen wird man mit Gewinn auf dieser Folie lesen können,
als einziger Gesamtschlüssel eignet sich das Konzept einer Bundestheologie nicht.

Die Voraussetzungen, die ein Erklärer mitbringt, schlagen naturgemäß bei der Bestimmung der theologischen Aussage am stärksten
durch. So interpretiert EICHHOLZ den 1 Joh entschieden reformato-
risch, wenn er bemerkt: „Wir kommen ohne das *simul iustus et peccator*
als Exegeten nicht durch. Sonst zerbricht uns die Möglichkeit einer Exegese schon im ersten Kapitel des Briefes" (26). Immerhin gelingt es ihm
so, die paradoxen Thesen über Sündhaftigkeit und Sündlosigkeit im
1 Joh noch dialektisch zusammenzuhalten. Wo man diese Dialektik literarkritisch oder religionsgeschichtlich auflöst, neigt man dazu, dem
Autor selbst Frühkatholizismus zu attestieren: Er hat die kühne Behauptung seiner Vorlage oder seiner Gegner über die prinzipielle Unfä-
higkeit der Glaubenden zum Sündigen verharmlost zur Rede von der
ständigen Vergebungsbereitschaft Gottes und der ständigen Notwendigkeit der Sündenvergebung, eine, wie gerne hinzugefügt wird, ty-
pisch frühkatholische Erscheinung (s. BRAUN, Literar-Analyse [L 19]
215; HAENCHEN, Literatur [L 02] 276–279). Nicht auf seiten des – häre-

tischen – Briefautors, aber auf seiten des Diotrephes und seiner Anhänger konstatiert KÄSEMANN, Ketzer (L 39), den Frühkatholizismus.

Damit ist 1 Joh voll in den Streit um den Frühkatholizismus im Neuen Testament einbezogen.[51] Dieser Frage hat sich zuletzt BLACK eingehender angenommen. Er erstellt aus der Literatur einen Katalog all dessen, was „frühkatholisch" heißt, darunter Orientierung auf die Tradition hin, Interesse an der
Sammlung apostolischer Schriften, Unterscheidung von Laien und Klerikern,
hierarchische statt charismatische Gemeindeorganisation, Monepiskopat, Sukzession, *regula fidei*, Moralisierung und Legalismus, Sakramentalismus. Klammern wir einmal alle Zweifel an der Adäquatheit dieser Kriterien und am Begriff
des Frühkatholizismus selbst, die auch BLACK zum Schluß sehr massiv äußert,
ein und blicken wir mit ihm statt dessen auf das Resultat der exegetischen Überprüfung. Wir werden feststellen, daß sich aus diesem „Sündenregister" das
meiste im 1 Joh nicht verifizieren läßt. Insbesondere fehlt die Festschreibung
von Amtsstrukturen, auf die sonst bei der Bekämpfung von abweichenden
Lehren größter Wert gelegt wird. In hohem Maße bleibt der Respekt vor dem
geistgewirkten Glaubenswissen aller Gemeindemitglieder gewahrt.

Von seinem Ansatz her läuft der Gedanke des Katholischen jeder sektiererischen Verengung zuwider. Eine „frühkatholische Sekte" ist allen
möglichen Mißbräuchen zum Trotz ein historisches Unding. Insofern
muß es zu denken geben und erneut zur Überprüfung unserer Terminologie herausfordern, wenn die johanneische Gemeinde zunehmend als
Sekte eingestuft wird. Der Widerspruch, der sich hier auftut, hat auch
geographische Gründe. Während es sich im einen Fall um eine
"(mainly) German debate"[52] ohne sonderliche Resonanz in anderen
Kulturkreisen handelt, wurde die Sektentypologie vor allem in der
nordamerikanischen Exegese entwickelt und angewendet.

Ein gutes Beispiel bietet hier die Arbeit von JOHNSON, der die soziologische
Literatur breit rezipiert und die Ausgangsfrage nach der sektiererischen Haltung der johanneischen Christen positiv beantwortet.[53] Zentral sind dafür eine

---

[51] Dezidiert geschieht das auch bei S. SCHULZ, Die Mitte der Schrift. Der Frühkatholizismus im Neuen Testament als Herausforderung an den Protestantismus,
Stuttgart–Berlin 1976, 239–249; zurückhaltend STRECKER, JohBr 348–354; vgl.
generell mit umfassenden Literaturangaben T. BÖCKER, Katholizismus und Konfessionalität. Der Frühkatholizismus und die Einheit der Kirche (APPR NF 44),
Paderborn 1989.

[52] So R. H. FULLER, Early Catholicism. An Anglican Reaction to a German
Debate, in: Die Mitte des Neuen Testaments. Einheit und Vielfalt neutestamentlicher Theologie (FS E. Schweizer), Göttingen 1983, 34–41, hier 35.

[53] Vgl. auch BOGART, Perfectionism (L 42) 136–141; SEGOVIA, Love Relationships (L 02) 204–213; W. REBELL, Gemeinde als Gegenwelt. Zur soziologi-

Ideologie der Ausschließlichkeit und eine strikte Separation von der Außenwelt.
Eine verfeinerte Liste von Charakteristika sieht so aus: "1. Dualistic view of re-
ality; 2. Rejection of the world; 3. Claim to a special truth or doctrine; 4. Exclu-
sivism, an elect community of the 'worthy'; 5. Voluntary membership on the
basis of special religious experience or knowledge; 6. Totalism, domination of
the lives of members; 7. Equalitarian yet authoritarian organization; 8. Intimate
fellowship; 9. Strict morality, perfectionism; 10. Socio-economic deprivation;
11. Emphasis on eschatology; 12. Tendency toward schism" (269f.).

Wie schon beim Frühkatholizismus wird die Auseinandersetzung in zwei
Richtungen gehen. Zum einen kommt es auf die exegetischen Stichproben an.
Nicht alles scheint so eindeutig zu sein, wie bei der Sektenthese vorausgesetzt,
auch wenn sie bestimmte Trends und Gefahrenmomente richtig anzeigt. Das
Liebesgebot ist nicht so lückenlos auf Ausschließlichkeit angelegt und die Wertung der Welt nicht so völlig negativ, wie unter Verkennung der mit innerer Notwendigkeit vorhandenen Ambivalenzen oft gesagt wird (z.B. von Rese 57:
„Unter dem Markenzeichen der Bruderliebe sah man nur noch auf die eigene,
konventikelhafte Gemeinschaft … Die Welt wurde zur teuflischen Gegen-
macht"; anders Klauck, Brudermord; ders., „In der Welt" [L 42]). Zum andern
wird es schwerlich gelingen, im Deutschen einen wertfreien Gebrauch des Terminus „Sekte" zu etablieren. Er ist so sehr vom Gegenüber zu Konfessionen und
Denominationen in neuzeitlichen Kontexten geprägt, daß man lieber nach anderen, der Antike angemesseneren Begriffen suchen sollte,[54] um die Einzelphä-
nomene zu beschreiben, die man in den Johannesbriefen zu beobachten meint.

Größe und Grenzen sind das Schicksal jedes ernsthaften theologischen Wurfs. Es wird in der neueren Literatur sehr viel von den
Grenzen der johanneischen Theologie gesprochen, seltener von ihrer
Größe. Die Grenzen erblickte ich vor allem in der unerhört harten Polemik gegen die „Sezessionisten". Das Recht, ja der Zwang, um die
Wahrheit zu ringen, bleibt davon unberührt. Der Stil, wie das geschieht,
steht der Überprüfung offen. In der Wahrheitsfrage selbst will und kann
uns die Kanonsentscheidung der frühen Kirche eine Hilfestellung
geben, ohne daß sie uns jegliche Entscheidungskompetenz aus der
Hand nimmt. Das Nachsinnen über das Geheimnis der göttlichen
Liebe macht die theologische Größe des 1 Joh aus, zumal diese Reflexion nicht ins Abstrakte entschwebt. Im Gegenteil, vom Briefprolog
an begleitet uns ein Ernstnehmen der Lebenswirklichkeit, ein Streben

---

schen und didaktischen Funktion des Johannesevangeliums (BbETh 20), Frankfurt a.M. 1987, 112–123.

[54] In diesem Sinn T. Seland, Jesus as a Faction Leader. On the Exit of the
Category 'sect', in: Context (FS P.J. Borgen) (Relieff 24), Trondheim 1987, 197–
211.

nach Bodenhaftung. Dem Christusereignis eignet in seiner Leibhaftig-
keit (4, 2) etwas „Handfestes" (1, 1), und genauso handfest muß die göttliche Liebe aufscheinen im täglichen Umgang miteinander (3, 17). Es ist
nicht zu weit hergeholt und nicht zu kühn, wenn man in dieser Theologie eine inkarnatorische Grundkomponente entdeckt.

REGISTER

A. Autoren

B. Stellen (in Auswahl)

1. Altes Testament

2. Neues Testament

3. Jüdisches Schrifttum

4. Außerkanonisches Schrifttum

5. Frühchristliche Autoren

6. Paganes Schrifttum